計測の科学

人類が生み出した福音と災厄

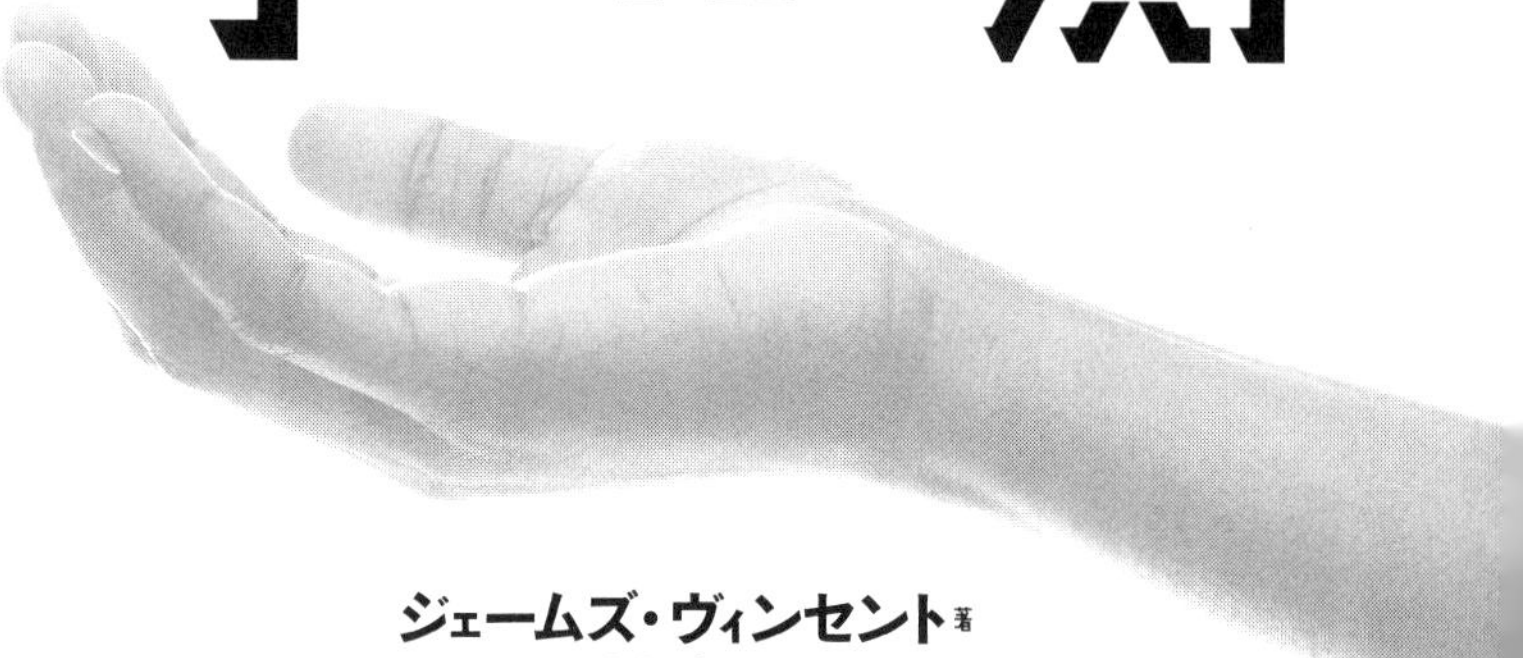

ジェームズ・ヴィンセント 著
小坂恵理 訳

BEYOND MEASURE
James Vincent

築地書館

Japanese translation by Eri Kosaka
Published in Japan by Tsukiji Shokan Publishing Co., Ltd., Tokyo

目次

第3章　世界を測る

第4章　計測基準を定める

第10章　管理される日常

キログラムの定義見直し

世界で最初の計測が行なわれたのは、世界で最初の言葉が話されたときや最初の旋律が歌われたときと同様、いつのことだったのかわからない。場所を突き止めるのは不可能だし、想像するのさえ難しい。それでも、きわめて重大な行為だった。何十万年も昔、私たちの先祖の脳で発達した原始の意識のなかに、新たな要素が加わった瞬間である。そのおかげで、私たちは草原に生息する他の動物と最終的に一線を画するようになった。なぜなら計測は、言語や娯楽と同様に、認知能力の礎《いしずえ》であるからだ。私たちは計測のおかげで世界の境界に注目し、直線がどこで終わり、秤がどれだけ傾くか確認することができる。現実の一部を別の部分と比較して、その違いを説明することによって、知識を支える足場を組んでいく。そうなると、計測はあらゆる建築技術のルーツだと言える。建築物や都市生活を可能にし、定量的科学の誕生を促した。もしも計測できなければ、周囲の世界を観察できないし、実験も学習も不可能だ。計測を通じて私たちは過去を記録し、そこから発見したパターンによって未来を予測する。そして最後に、計測は社会の結合や統制のためのツールである。ひとつひとつの結果をまとめ上げると、部分の総和を上回る。計測は私たちが暮らす世界を作るだけでなく、私たち人間を作り上げてきた。

私が最初に計測の重要性を認識したのは、二〇一八年にジャーナリストとして、キログラムの定義見直しに関する記事を書いたのがきっかけだった。私はこのときパリを訪れ、国際度量衡局（ＢＩＰＭ）――メートル法を監督する機関――が数十年前から始めたプロジェクトに取り組んできた科学者たちに面会し、インタビューを行なった。そしてここで、一キログラムは十八世紀以来、特定の金属塊の重さとして定義されてきたことを説明された。これは物理的な人工物で、いまではフランスの公文書館の地下で容器に入れて厳重に保管されている。世界のあらゆる重量は（メートルを基準としないものも含め）、この単一の基準、すなわちキログラム原器、通称ル・グランKまで遡ることができた。しかし技術が進歩すると、社会で求められる精度にキログラムは対応できなくなった。そこで科学者は定義の見直しを決断し、自然界の基本定数を使うことにした。しかもそれは実体のある物体ではなく、現実を構成する最も基本的な要素である量子に由来している。実はキログラム以外の現存する他の計測単位はすべて、置き換えがすでに済んでいた。長さ、温度、時間などあらゆるものが、計測を巡る国際的陰謀によって密かに定義を見直されていた。

この隠された世界の存在は、私にとって新たな啓示だった。ある朝自宅のアパートのドアを開けて足を踏み出すと、そこは未知の惑星で、いきなり奇妙な木々や見慣れない動物の鳴き声に囲まれたかのような気分だった。測定単位のように基本的で平凡なものでも変化する可能性があるという発想はとても刺激的で、学べば学ぶほど疑問は増えていった。そもそも、キログラムはなぜキログラムなのだろう。インチはなぜインチなのだろう。こうした価値尺度を最初に決定したのは誰で、いまはそれを誰が守っているのか。

こうしてパンくずのように細かい事柄を追究しているうちに、計測とは知性を山盛りにしたごちそうのようなもので、歴史や科学や社会の驚異は素晴らしい祝宴を催してくれたことを理解し始めた。計測のルーツは文明のルーツと深く関わっており、古代エジプトやバビロニアにまで遡る。これらの社会は、建築や貿易や天文学に一貫性のある単位を当てはめることを世界で最初に学んだ。そして新たに発見した計測の力を使い、神や王のために高くそびえる記念碑を建造し、星図を作製した。やがて測定単位は発達し、権威を象徴するツールになった。権力者はこれを特権と見なし、自分の思い通りに世界を組織するために計測を利用した。一方、正確な測定を研究対象とする科学の計量学は、自然界の解明につながった大発見の一部と深く関わっており、宇宙のなかでの地球の位置を見直すために役立った。さらに計測は、社会そのものを映し出す鏡でもある。その鏡を見れば、世界で何が高く評価されるのか明らかになる。計測とは選択であり、ひとつの属性だけに注目し、他はすべて排除される。実は「正確さ」（precision）という単語そのものが、「切り離す」を意味するラテン語のpraecisioに由来している。したがって、計測がどこでどのように行なわれているか詳しく観察すれば、人間の衝動や欲望について研究することも可能だ。

実のところ私たちの周囲の世界は、夥《おびただ》しい数の計測によって創造された。計測の成果が目立たないのは、文字通りいたるところに存在しているからだ。たとえば、あなたがこの文章を紙と画面のどちらで読んでいるにせよ、その完成した姿は慎重な計量と計算の産物である。紙の原料であるパルプは、木の繊維細胞を解きほぐす際に細胞組織が破壊されないよう、細かく調合された化学混合物を使って作られる。こうして出来上がったパルプのシートを巨大な金属製のローラーに通すと、ローラーは驚くほど正確に回転して厚みを調節し、最後にシートは二本の指ではさめるほどきれいに薄く引き延ばされる。つぎにそれは一定のサイズに切断されてから束ねられ、梱包され計量を済ませると、世界じゅうに出荷される。あるいは、単語を表現するために使われる文字のフォントさえ、慎重な計測の産物である。すべてのセリフ【訳注／文字のストロークの端にある小さな飾り】は長さが正確に決められ、隣り合った文字のあいだの幅は統一されている。そして、あなたがこれをデジタルフォーマットで読んでいる場合には、たくさんの計測がさらに複雑に繰り返されている。まずはシリコンチップに原子スケールの加工を行ない、デバイスのバッテリーの成分の調合も念には念を入れる。あらたまって考えるまでもなく、計測は世界じゅうに満ちあふれている。しかも、秩序を維持するための原則である計測の影響がおよぶ範囲は、見たり触れたりするものに限定されない。この原則は社会の無形のガイドラインでもあり、時計やカレンダーから仕事の報酬や罰則まで、様々なものの参考にされる。

計測するのは人類だけ

計測は世界に本来備わっている特性ではなく、人類が発明して定着させたものだ。最古の計測には、刻み目を付けた動物の骨が使われた。計測が行なわれた証拠となる発掘品のなかには、一万八〇〇〇年から二万年前のものと思われるヒヒの腓骨でできたイシャンゴ・ボーン、さらに古いものとしては、およそ三万三〇〇〇年前のウルフ・ボーンなどがある。[1] これにどんな意味があるのか読み取るのは占いのようなもので、断定できるわけではなく、直感を働かせなければならない。それでも考古学者は、規則正しく刻み目を付けた骨はタリースティック【訳注／古代の記憶補助装置】であり、世界最初の測定器具だったと考えている。

ウルフ・ボーンの場合、刻み目が五つずつまとまっているが、位取り記数法の多くは五を底《てい》とする。世界各地の文化は、一、二、三、四と数えて五になった時点で、はっきりと線引きをして区切る傾向が強い。これについて心理学の研究では、持って生まれた認知力の限界の影響だと推測している。すなわち人間の思考は柔軟性に優れているものの、五つで区切るのが自然の姿だという。たとえば、人間が一瞥して数を数えられる能力をテストすると、普通は三つか四つのアイテムを数えるのが限界で、[2] それ以上は意識的に数えなければならない。つまり計測する必要が生じる。そうなると刻み目を付けた骨は、人類の野心が脳の能力を上回り、外部からのサポートに頼り始めた特別な瞬間が刻まれたもので、以後はそれが世界じゅうで何度も繰り返されたのかもしれない。これをきっかけに人類は周囲の世界の計測を始め、その結果、世界への理解を深めたのである。

これらの出土品にどんな現象が記録されているのかわかれば、人類の認知能力が発達を始めた当時、計測という行為がどのように位置付けられていたか、解読する手がかりが提供される。しかし文書の記録は残されていないので、出土品の目的については推測するしかない。ひょっとしたら、ウルフ・ボーンに刻み目を付けたのはハンターだったのだろうか。仕留めた獲物の数を骨に記録することで、獲物との結びつきを強めたのかもしれない。あるいは、これは時間の経過を記録したもので、一日ごとに刻み目をひとつ付けたのかもしれない。その場合には、刻み目の総数の五五は、太陰月のおよそ二倍という点が注目される。太陰暦は太陽系の動きを観察するため、人類が正式な名前を付ける以前から存在していた測定単位だ。もしそれが真実ならば、骨が記録したのは世俗的な活動ではなく、神聖な活動だった可能性が高い。というのも古代社会での宇宙の現象の計測には、神や聖霊の意向を理解する目的があったからだ。大昔の人類は季節の移り変わりを観察することで、自然界の生命のリズムと関わり合い、そこから自然を支配するための第一歩を踏み出した。人類が考案した最初の暦は、季節の暦だったのかもしれない。動物の移動パターン、あるいは特定の花や作物の生長を観察し、時間の経過を記録したとも考えられる。

計測を形式体系として発達させた生き物が人類だけなのは、まず間違いないだろう。ネズミやアライグマなど多くの生物種が量を理解できることは知られており、たとえば大量の食べ物と少量の食べ物の区別をつけられる。あるいは一部の動物の素晴らしい行動は、何らかの形で計算能力を直感的に働かせないかぎり達成できない（大陸を横断する渡り鳥の驚くべき旅程について考えてみてほしい。科学では十分に解明できない方法を使い、位置を正確に確認している）。しかしいずれのスキルも領域が限られている。実際、子どもを対象にした研究からは、計測能力は書くことや数えることと同様に文化的なスキルだと推測される。持って生まれた直感とは考えられない。[3]

一九六〇年に行なわれた研究では、四歳から十歳までの子どもを対象に、テーブルの上にある高さ八〇センチメートルのブロックのタワーを見せてから、少し離れた場所に同じ高さのタワーを作らせた。[4] この作業に取り組んでいるあいだ、オリジナルのタワーとのあいだはスクリーンで仕切られたので、ふたつを直接比較することはできない。この難問を解くため、いちばん年少の四歳から五歳の子どもは、じっと目を凝らした。オリジナルのタワーをじっくり観察してから、頭のなかで想像してコピーの作製に取り組んだ。それより年長の七歳までの子どもは、目で比較するだけでは不十分だと考え、自分の体を物差しとして利用した。ふたつのタワーに腕や手や指を這わせ、長さを比べた（この年齢だと当然ながら、一部の子どもは何かが仕組まれていると判断し、スクリーンなど無視して、オリジナルのタワーのすぐ隣にコピーを組み立てた）。一方、七歳以上の最年長のグループになると外部の測定器具に頼り、与えられた紙や棒を即席の定規として利用した。そして測り方にも微妙な違いがあった。年少の子どもは、タワーと同じ長さの紙や棒を嬉しそうに使ったが、年長の子どもは、全体を細分化して数えられる小さなアイテムを好んで使った。

こうした研究からは、計測が年齢と共に身につくスキルであるばかりか、もっと深い意味を持っていることがわかる。この習慣的な行為の主要な要素は、抽象化する能力なのだ。ふたつのタワーを比較するだけでも、オリジナルのタワーと同じ長さの測定ツールを使うだけでも十分ではない。情報を媒介する手段を創造する必要がある。測定単位とは価値の象徴であり、情報をひとつの領域から別の領域へ移すための便利な手段である。

このように計測を通じて数を処理する能力は、大昔に認知能力が進化した際、トレードオフとして手に入れた成果のひとつだと考えられる。その手がかりは、遺伝的に人間と最も近い生物種のチンパンジーを観察すれば確認できる。数に関する一定のタスクを、チンパンジーは驚くほど簡単にこなす。正しく訓練すれば、チンパンジーは一から一〇までの数字をほんの一瞬だけ画面上で見せられたあと、今度は同じ数字が散らばって表示されても、小さい順に数字にタッチすることができる。しかも人間よりもずっと速く、ずっと正確である。実際、数字が画面に表示されるのが僅《わず》か二一〇ミリ秒でも、チンパンジーはこの作業を見事にこなす(5)。二一〇ミリ秒といえば、あなたの目が画面を見回す時間よりも短い。そこからは、このスキルに求められるのが、人間のように数を理解する能力ではなく、映像記憶であることがわかる。だから一瞬見せられるだけでも、複雑な視覚情報を保持できるのだ。こんな素晴らしい能力を持っているのだから、チンパンジーとはまるで学者のようだと思うかもしれないが、残念ながら限界がある。これほどの偉業を成し遂げられるチンパンジーでも、数に関する他の基本的なスキルを再現できない。たとえば、四つや五つ以上の項目を寄せ集めて見せても、正確な数を言い当てられない。何年も訓練を続けても能力は身につかない[6]。

この研究に携わった研究者は、チンパンジーと人類に共通の祖先は映像記憶を所有していて、その能力はジャングルの環境で脅威を確認するために発達したのではないかと推定している。葉っぱ、蔓、根っこ、鳴き声、花、果実、牙が入り乱れているなかから、捕食者の可能性のある存在を確認して警鐘を鳴らした。ところがある時点で、私たちの先祖は進化に後押しされた結果、高性能の記憶力を手放し、代わりに他の認知能力を手に入れた。そのため、言語を処理するだけでなく、仲間と交流して学び合えるようになったと考えられる。こうした認知ツールのおかげで計測が盛んに行なわれ、現代の生活の多くを支える制度の構築が促されたのだ。

権威を増す計測

計測が人類の知識にいかに大きく貢献したか、簡潔に説明した人物のひとりが、十九世紀イギリスの物理学者ウィリアム・トムソンだ。彼はケルヴィン卿としての知名度のほうが高い。「話題の対象を測定して数で表現できれば、何らかの知識が得られる。一方、数で表現できないときは知識が乏しく、満足できる状態ではない。知識を得るための第一歩を踏み出したかもしれないが、科学として考える段階に進んだとは言えない」と述べている[7]。

トムソンの発言は、計測学に独特の一種の勝利主義の典型である。数の力を使えば、混沌とした宇宙の謎に真正面から取り組み、未知のものを計算によって手なずけられると信じている。科学の歴史を考えれば、このように確信するのは理にかなっている。正確な計測が実験の前提条件であり、発見を促すことは何度も繰り返し証明されてきた。トムソンは熱力学と電磁気学の分野で画期的な研究成果を上げたが、それもやはり正確な観察に大きく依存した。ただしこの関連性は、大昔から存在していた可能性がある。起源として考えられるのは古代の天文学で、この学問を職業とする人たちは、神秘主義と経験主義を今日のように分類せずに融合していた。

バビロニアで紀元前一八九四年頃に誕生したメソポタミア王国では、神々は間接的ではあっても、定期的に意志を人類に伝達し、動物の内臓から「人間に向かって放尿する犬の色」まで、あらゆるものを通じて託宣を与えてくれると信じられていた(8)。なかでも天界からは、特に信頼できる情報が提供されると思われていた。宇宙にちりばめられた星や惑星の動きは明快で、言うなれば天空のPAシステム【訳注／多くの人に伝達を行なうためのシステム。PAはpublic addressの略】としてメッセージを迅速かつ広範囲に伝えてくれる。夜空に変化があれば、それは迫りくる災害についての警告で、病気や洪水、敵による侵攻などに見舞われると考えられた。あるいは平和の時代の到来、久しく望まれてきた子どもの誕生、利益を生む貿易協定の始まりなどの予兆の可能性もあった。バビロニアの天文学者はこうしたメッセージを解読するため、宇宙の天体の動きを事細かく記録して、それに基づいて作成した運行表を使って異常現象を特定し、そこから神の恩寵を理解した。これは、今日では科学的手法と呼ばれるものの原点である。世界を正確に観察した記録から未来を予測できることが、ここでは実証された(9)。

ただし、宇宙を理解するために計測が果たす役割の重要性は、何世紀にもわたって簡単に受け入れられたわけではない。実際に中世のヨーロッパでは、手と目を使った計算から生み出される知識などお粗末きわまりなく、抽象的な思考から生み出される知識よりも劣っていると評価されるときもあった。こうした不信感は古代ギリシャのスコラ哲学の影響を受けたもので、なかでもプラトンとアリストテレスの存在は大きい。物質的な世界は変化が絶えず不安定なのだから、現実を最もよく理解するための手段は非物質的な原質だとふたりは強

図 1　16 世紀、ティコ・ブラーエが自前の天文台で行なった天体観測は、ケプラーが惑星運動の法則を発見するために不可欠だった。

調した。プラトンにとってそれは形相《けいそう》であり、アリストテレスにとっては原因だった。しかし、科学革命がもたらした新しい発見の数々によって、こうした直感に頼る傾向は完全に廃れ、夜空の観察が再び脚光を浴びるようになった。

ここで、根気強い計測の守護聖人とはイメージが結びつかない人物について考えてみよう。それは十六世紀デンマークの貴族ティコ・ブラーエだ。彼は世間から変人扱いされた。莫大な財産を所有していたが（叔父のヤアアン・ブラーエはデンマーク有数の大富豪だった）、金属製の付け鼻をしており（決闘で鼻を失った）、ヘラジカをペットにしていた（最期は居城のひとつでビールを飲みすぎ、階段から転落して死んだと言われる[10]）。私たちの銀河で超新星の出現を発見できる機会はめずらしいが、ブラーエは一五七二年、夜空に新しい星が現れるところを目撃し、それをきっかけに天文学に打ち込むようになった。先人の知恵や宗教の教義を信じるなら、宇宙は不変の存在だった。しかしブラーエは「目が節穴の空の監視者」を酷評する。宇宙が変化することは、新星の登場によって証明されるではないか。そこで、ウラニボリと名付けた専門の天文台で観測を行ない、数十年をかけて詳しく正確な天文現象の記録を編纂した。ブラーエの弟子で洞察力に優れたドイツ人天文学者ヨハネス・ケプラーは、ここで集められたデータを利用して、天文学で最初の数学的法則を発見した。具体的には、天体の動きに関する三つの法則から成り、惑星の楕円軌道を正確に示した。さらにケプラーは、私たちの太陽系の空間を満たしているのは聖なる物質やエーテルではなく、通常の物質だと結論した。この計測の結果、宇宙は新たな角度から注目され、永遠の真理が明らかにされたおかげで、最終的に教会の真理は権威を失った。

ケルヴィン卿が登場するまでには、計測の力は科学の知識としてだけでなく、産業への応用を通じてその優越性を証明していた。十九世紀には、精密工学によって蒸気機関が変容を遂げた。蒸気が漏れやすく効率の悪い機械だったが、高圧の機関に改良された結果、人間の筋肉に代わって産業革命を支える大きな原動力になった。一方、電気を正確に計測して使用量を確認できるようになると、照明や通信など商業への応用が可能になった。実際のところ十九世紀は、農場に代わって工場が国家の富を支える屋台骨になった時代だった。電線は複数の大陸を結びつけ、エックス線によって人体の内部の様子が明らかになった。十九世紀は松明やガス灯の光が揺らめくなかで幕を開けたが、最後は電気で明るく照らされた。こうした利点は少なくとも何らかの形で計測の恩恵を受けており、その傾向は強くなる一方だった。

ケプラーの計算の結果は時として、科学の最初の「自然法則」として見なされる。計算から導き出される数値は変化がなく正確で、検証できるからだ。権威が備わったのは普遍性のおかげだ。予測は、特定の時間の特定の惑星にだけ当てはまるのではなく、時間と空間を超越してすべての惑星に適応可能だ。要するに、普遍化された抽象的な法則であり、これは計測の発達にとって欠かせない資質である。実際、計測の歴史を一言で要約するなら、抽象化の発達の歴史と言ってもよい。計測は当初、人類の具体的な経験が対象だったが、時間の経過と共に私たちの生活や労働とかけ離れた傾向を強めていった。そしてその結果、ケプラーの法則からもわかるように、拡大し続ける領域で権威を確立したのである。

不均衡の解消

一九六〇年に行なわれた研究のなかでタワーを計測した子どもたちのケースからもわかるように、私たちが計測のツールとして最初に注目したのは人体である。手や足のような身近な単位は今日でも使われているし、キュビット（肘から中指の先端までの長さ）やファゾム（両手を左右にいっぱいに伸ばしたときの幅）などは、少なくとも未だに馴染み深い存在だ。アステカ人はキュビットやファゾムに相当する単位だけでなく、前腕だけの長さ（omitl）、手の付け根からわきの下までの長さ（ciacatl）、指の先端から肩までの長さ（ahcalli）も単位として採用していた[11]。マオリ族の場合、少なくとも一二の単位が体に由来している。いちばん小さいのは親指の第一関節に匹敵するkonuiで、いちばん大きなtakotoは、両手を頭の上に伸ばしたときの体全体の長さに匹敵する[12]。こうした測定単位の多くは標準的な単位に取って代わられたが、非公式な形で生き残っている。たとえばイェプセンが、中世のイギリスでは両手をお椀の形に丸めて測定する単位だったことを忘れていても、食べ物や食材を指でつまんだり、口にふくんだりして量を測る習慣は残っている。

体を使って世界を計測することは、直感的にも理にかなっている。これは人間の活動に適した規模であり、計測器具が常に手の届くところに存在している。同じ論理は、近代以前の他の多くの計測ツールにも当てはまる。いずれも日々の生活に好都合であることが特徴だった。そしてだいたいは価値に統一感がなく、環境に合わせて伸びたり縮んだりした。たとえば、フィンランドの古い長さの単位であるpeninkulmaについて考えてみよう。これは本来、犬の鳴き声が聞こえる距離を指した（およそ六キロメートル）[13]。このような単位は常に正確ではなく、測定する地形次第で長さは変化した（鬱蒼とした森と、広い谷では、犬の鳴き声が伝わる距離は異なる）。しかしこの柔軟性には独自の情報が込められており、地形やアクセスのしやすさについてのヒントが提供された。こうした側面が最も顕著に表れたのが中世の土地の単位で、先ほどと同様、農業に関する様々な要因に基づいて計測の結果は変化した。たとえばアイルランドの古い単位のcollopは、一頭の牛が草を食むために必要な土地の広さとして定義されたので、実生活の現状に応じて変化した。緑豊かでエネルギー密度が高い牧草地は、同じ面積の不毛の丘の中腹と比べ、collopの広さが当然ながら狭くなる。

アイルランド人のエリック・クロスが執筆して一九四二年に出版された『The Tailor and Ansty』（テイラーとアンスティ）という小説のなかで、登場人物のテイラーは、先人の知恵をつぎのように表現した。「エーカーでは土地の広さしかわからないが、collopならば、土地の中身までわかる」。そして、隣人は四〇〇〇エーカーの土地を持っていると自慢するが、実のところ、四頭の牛に草を食べさせることしかできない土地だと馬鹿にした。さらに、先祖の現実的な発想を自分でも応用し、クイナの寿命に基づく時間の単位を考えた。クイナ科の鳥には、バンやオオバンなどが含まれる。それによると、「一匹の猟犬は、三羽のクイナよりも長く生きる。一頭の馬は、三匹の猟犬よりも長く生きる。一人の少年は、三頭の馬よりも長く生きる。一頭の鹿は、三人の少年よりも長く生きる。一羽の鷲は、三頭の鹿よりも長く生きる。一本のイチイの木は、三羽の鷲よりも長く生きる。昔から存在するひとつの尾根は、三本のイチイの木よりも寿命が長い」。そしてテイラーは、これ以上大きな時間の単位は必要ないと補足した。なぜなら、三つの尾根を合わせれば、「その長さは世界全体の長さに匹敵するからだ」という[14]。そこで、サイエンスライターのロバート・P・クリースはつぎのように計算した。もしもクイナの寿命が十年だとすれば、宇宙の年齢は六万五六一〇年になる[15]。現代では、宇宙の年齢はおよそ一四〇億年と推定されるのだから、それと比べればずいぶん短いが、中世の評価との違和感はない。テイラーも指摘するように、古い単位のほうが優れている理由は明白だ。「身の回りで目にするものを基準にして計算できるので、どこにいようとも、暦を確保できる」のである。[16]

単位に記述的な能力が備わっていると実用的な恩恵がもたらされ、労働力や土地などの不規則性にもうまく適応できる。このような単位が利用されるのは、地域性や伝統を優先する世界観との矛盾がなかったからだろう。しかし社会が発展して地域同士の結びつきが強くなると、こうした計測方法は厄介な問題を生み出した。周辺の地域が異なる単位を使用していると（あるいは、同じ単位に別の価値を当てはめていると）、商取引に齟齬が生じた。さらに度量衡に地域差があると、市民を正しく評価しにくい。統一感がないと、中央政府が国民の富を正しく評価して税金を課すのは容易ではなかった。そして様々な物差しが同時に存在すると、汚職の蔓延にもつながった。たとえば荘園の領主が穀物の量を測るときには、市場や製粉所と単位は同じでも量が水増しされ、それに基づいて年貢が集められたものだ。農民はこのような形でだまされても、権力者に訴える術がなかった。度量衡が規格化されないと権力の空白が生じ、そこに付け込むのは簡単だった。

このような要因が積み重なった結果、計測の歴史で最も重要な出来事につながった。メートル法が創造されたのだ。このプロジェクトは、十八世紀末にフランス革命と並行して進められ、この時代を象徴し具体化した偉業だった。メートル法は、時代の理想を反映するため、フランスの知的エリート層のサヴァンによって考案された。度量衡を統一すれば、封建制度に伴う不均衡の一部が取り除かれ、共和主義が目指す政治的平等が補完されることが期待された。労働力や環境など、変化を予測できない要素に計測が左右されては困るので、今後は人間とも汚職とも無関係な要素に基づく度量衡が必要だと判断したサヴァンは、地球に注目した。そこで地球を計測し、新しい長さの単位となるメートルを定義するプロジェクトが始められ、七年間におよぶ一大事業には、当時の最高の知識人の多くが参加した。最終的にメートルは、北極から赤道までの距離の一〇〇〇万分の一と定められる。それと同時に質量の基準となるキログラムは、一立方デシメートルの水の重さと定義された（各辺が一〇分の一メートルの立方体に入る水の量）。こうした新しい単位は、科学者が計算した結果を革命裁判所が決定したもので、これなら世間一般に受け入れられるとサヴァンは太鼓判を押した。なぜなら、人間にまつわる事柄との関係を断つために抽象化されたからだ。これなら公平で変化のない単位として通用するはずだった。

こうした抽象化のおかげで、メートル法は世界じゅうで採用され普及した。歴史家のエリック・ホブズボームはメートル法について、ある意味、「フランス革命がもたらした成果のなかで最も長続きして、最も広く普及した」と指摘する。(17) 特定の時代や場所だけを対象にしていた計測が、どこでも無差別に通用できるものに変容を遂げた結果、私たちの先祖が夢想もできなかった大きなスケールで組織が編成され、分析が行なわれ、社会が統制されるようになった。しかもメートル法が発明されてから数世紀のあいだに、抽象化はさらに進んだ。もはやメートルなどの長さの単位は、地球上の距離といった時代遅れの要素に基づいて決定されない。いまでは宇宙の定数、すなわち光の速さや原子の自転に基づいて決定される。私たちが知るかぎり、完全に現実を基準にしている。

偽りの客観性

私は計測の歴史の研究に取り組み始めてから、色々な場所を訪れた。灼熱のカイロではピラミッドの石を目の当たりにして、計測の重要性を改めて認識した。ウプラサ【訳注／スウェーデン中部の都市】の肌寒い博物館には、世界初の摂氏温度計が展示されていた。ただし、私が研究の大半を行なったのはロンドンの大英図書館で、訪れては様々な文献を読みあさり、たくさんの学者や研究者から多くを学んでは、それを自分のものとして吸収した。そして図書館の入口に向かって歩いていくたび、私の目は建物の番人に釘付けになった。それ

図2　ウィリアム・ブレイクが制作したアイザック・ニュートンの複製画では、偉大な科学者であるニュートンが神聖な幾何学者として描かれている。計算にじっと目を凝らし、視線を外そうとしない。

はひとつ目の巨人の像で、腰を下ろして身をかがめ、目の前の地面にあるものを計測している。この人物は対象にじっと目を凝らしている。巨体は筋肉質で、伸ばした手に持つコンパスは、稲妻のように地面に食い込んでいる。

これは幸先が良いぞ。私は当初、そう思った。計測やその能力と権威を象徴する像が、毎日私を出迎えてくれるのだ。ところがある日の午後、昼休みを中庭で過ごしているとき、ふと見上げてこの像の歴史に関する説明を読んで、まったく違う意味を持つことを発見した。彫刻は一九九五年にイタリアの芸術家エドゥアルド・パオロッツィが制作したものだが、一七九五年にウィリアム・ブレイクが制作した水彩画がモデルで、まったく同じポーズのアイザック・ニュートンがそこには描かれていた。パオロッツィはこの像によって人類と科学の融合、ひいては様々な学問分野にわたって人類が真実を追求する姿勢の具体化を目指したが、ブレイクはもっとずっと批判的だった。彼は偉大な科学者の功績を賞賛したのではなく、彼の無知を皮肉ったのである。水彩画の人物は計算に没頭するあまり、周囲の世界の素晴らしさに気づかない。猫背の姿勢からは、男らしさが感じられない。計測に夢中になりすぎて、コンパスでは確認できないことがあるという事実をすっかり忘れている。

偶然にもこれはブレイクが好きな構図のひとつだったので、彼は生涯にわたって何度も再現し、最後の作品には臨終の床で色を塗ったほどだった[18]。この構図は、彼を死ぬまで苦しめた知的葛藤を象徴している。啓蒙主義が理想とする合理性や進歩を彼は無視できなかったが、その理想に触発される一方、同じだけ苛立ちを募らせたのである。水彩画のニュートンのポーズからは、ブレイクが描いたもうひとりの神話上の人物がコンパスを使っている姿が連想される。それはユリゼンで、ブレイクが創作した詩や芸術作品のなかで最初に誕生した神として登場し、法律と合理性と秩序を象徴する存在だった（ユリゼンという名前は聖書の登場人物のようだが、何と、「your reason」という言葉の語呂合わせのようでもある）。過激な神秘主義者のブレイクにとって、天使たちと語って革命を扇動するユリゼンは、高貴な存在というよりは、むしろ抑圧的な暴君だった。初めて世界の重さや長さを計測し、それに基づいて人間の魂に制約を加えた神だった。美術史家でありソビエトのスパイだったアンソニー・ブラントはこう語る。「［ブレイクにとって］ユリゼンの創造がもたらした影響は絶大だった。人間は無限の存在だという発想が打ち砕かれた結果、五感しか受け付けない狭い殻に人間は閉じ込められてしまった[19]」。

私はキログラムの定義見直しに初めて興味をそそられたとき、計測に備わった抑圧的な力に特に注目しなかった。しかし計測学の歴史を深く研究するにつれて、この側面を無視できなくなった。計測が統制のためのツールであることに疑問の余地はない。操作し、迫害し、抑圧するための手段として歴史を通して使われ続けてきた。結局のところ何かを測れば、世界に制約を課すことになる。その先まで進むことは許されない。そして現実をカテゴリーに当てると、現実の複雑さを十分に理解できない。なぜなら、世界の一部の側面を選び出して計測するときには、どうしても自分のバイアスや希望が反映されるからだ。計測とは、私たちが人生で重要だと思う事柄や、注目に値すると考える事柄を強化するためのツールなのだ。そうなると、最も重要なものを誰が選択するのかが問題になる。

この力学は様々な形で働く可能性がある。測り間違いの一部は、取るに足らない些細なものだろう。たとえば官僚主義的な職場で能力を測定されるのは屈辱的であり、測り間違いがあればその場で痛みを感じるかもしれないが、すぐに忘れることができる。しかしなかには、計り知れないほど残酷なケースもある。たとえば、人種のヒエラルキーというおぞましい概念に促された運動が、計測の偽りの客観性によって正当化され、頭蓋骨の大きさやＩＱテストの数字が差別につながる恐れがある。

ブレイクや彼の支持者にとって、こうした野蛮な行為は文明化された世界で十分に予想される産物だった。二十世紀の哲学者のマックス・ホルクハイマーとテオドール・W・アドルノは、以下のように指摘する。抽象化、すなわち一般化されたルールやカテゴリーを創造するプロセス全体が、良くも悪くも現代性を支える土台のひとつになっている。これはまさにブレイクを激しく動揺させた啓蒙思想の産物であるばかりか、今日でも引き続き、私たちが暮らす社会の形成に関わっている。「計測による分類作業は知識を手に入れるための条件であって、知識そのものではない。知識があれば、分類など不要だ」と、先述のふたりの哲学者は主張する。[20] 今日の私たちが知っている世界は「等価に支配されており」、あらゆるものをコンパクトに数字で表現したいと願う。似通っていないもの同士でも、抽象的に量で表現すれば、比較できるようになる。[21] ちなみに風刺家のジョナサン・スウィフトは、数世紀前に以下のように指摘した。

何か気に入った体系が思い浮かぶと
あらゆる場所にそれを当てはめようとする
ついには、自然まで従わせようとする[22]

こうした一面は、計測にとって大きな負担のような印象を受けるかもしれない。残虐性や不公正の規模を計測する行為などは、やはり非難されるべきではないか。しかし私たちは社会の重大な問題を解決するため、医療や教育や取り締まりの一環として定期的に計測を頼りにする。ならば、計測には私たちの幸せを脅かす可能性があると知っても、驚くべきではない。結局のところ、これが計測の真の姿ではないだろうか。表面は穏やかでも、奥は深い。穏やかな薄い層を剝がせば、荒々しい姿が見えてくる。実のところ計測は獰猛かつ複雑な存在であり、そのおかげで歴史を形成してきた。人類にとって教師であると同時に、専制君主でもあり続けてきた。やがて計測は神々や王の関心事となり、哲学者や科学者にインスピレーションを与えるようになった。計測とは、子どもが鉛筆と紙を使って実践するアートである一方、人類の最大の成果の一部の実現を調整する手段でもある。そして最後に、計測は私たち全員のなかに痕跡を残している。

第1章　文明の発展と計測

古代の世界、最初の測定単位、その認知能力がもたらした恩恵

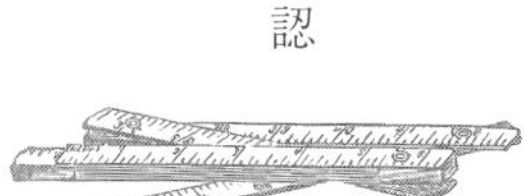

私は、手のひらでの計測を少なくごまかさない
私は、土地の面積を広くごまかさない
私は、天秤の釣り合いをごまかさない
私は、計測に使う重りを疎かにしない

エジプトの死者の書の誓い(1)

ナイルの豊かさを計測する

私たちは計測の結果について、人間が世界から導き出してくるものだと考える傾向がある。定規やゲージや物差しを使い、自然界から引き出した知識だと考えたがる。しかしこのような枠組みを当てはめるのは古くからの慣習にすぎず、逆の発想も成り立つ。人間が計測を行なう以前から、計測の手段はすでに存在しているとも考えられる。それは何らかの複雑な体系の産物であり、おそらく目で見ることができず、十分に知られていないが、実は私たちが注目する以前から存在しており、理解するためには努力が必要とされる。ちなみに高エネルギーの宇宙粒子は、私たちが追跡する手段を発明するずっと以前から存在し、私たちの先祖の頭上を何百万年にもわたって高速で飛び交っていても感知されなかった。同じことは計測の手段にも言える。計測の手段は宇宙に数限りなく存在するが、感知できない私たちの前を異次元からやって来た精霊のように通り過ぎていく。私たちに必要なのは、それを知るための手段を考案することだけだ。

古代エジプトの世界では、人々が定住して文明が誕生するずっと以前から、ある計測の手段が確認されていた。それはナイルの恵みで、毎年氾濫する季節に川の水位を測定し、そこから農作物の収穫量を予測した。「ヘロドトスも語っているけれど、エジプトはナイルの賜物なの」と、アメリカン大学カイロ校のエジプト学教授のサリマ・イクラムは教えてくれた。私が彼女と一緒に乗り込んだタクシーはソビエト時代のおんぼろのラーダで、カイロの市街を飛び跳ねるように進んでいく。サリマはナイルの賜物と言いながら、ウィンクをして笑みを浮かべた。そこからは、自分はよどみなく説明できるのに、現地を訪れる作家たちはあまり多くを要求せず、もったいないと思っているように感じられた。

決まり文句ではないが、カイロを初めて訪れた私は、この都市の騒音と暑さにすっかり圧倒された。しかしサリマの存在感は、そんなカイロも上回るほどだった。小柄で温厚だが、驚くほど精力的だ。一緒に時間を過ごしているあいだ、友人や同僚からの電話にひっきりなしに応対している様子だった。ディナーの予定も遺跡発掘現場の訪問計画も、どちらも沈着冷静に決定していく。そして相手にかならず「スウィーティ」とか「ハビビ【訳注/アラビア語で、親しい人を呼ぶ際に日常的に使われる】」と呼びかける。そこで、本当に誰とでも仲が良いのかと尋ねると、笑いながらこう答えた。「違うわよ。名前を全然覚えられないだけ」。

もちろん、ナイル川に関するヘロドトスの発言は正しい。川は南から流れてきてエジプトに注ぐ。現在のエチオピアの高地が源流で、周辺の平野に驚くほど規則正しく洪水を引き起こす。数千年にわたり、川は毎年夏に肥沃な土壌を大量にもたらした。それが堆積した粘着性のある土地に作物を植えれば、冬の太陽の下で最小限の水やりをすれば丈夫に育ち、春には収穫の準備が整う。そして夏の暑さで土が乾燥して地面に亀裂が入ると、残っている水分やミネラルは、浴槽の栓を抜いたときの水のようにきれいに流れていく。あとには乾燥した氾濫原が残され、新しいサイクルが始まる準備が整うのである。

古代エジプト人はナイル川の重要性を十分に認識しており、その存在はエジプト文化に深く組み込まれている。たとえば、川が毎年氾濫するサイクルに従って、三つの季節から成る暦が考案された。Akhetは洪水の季節、Peretは生長の季節、Shemuは乾燥の季節である。そして洪水の水も、ハピという存在を通じて神としてあがめられた。ハピとは男女両性の神で、膨らんだ腹部と豊かな乳房を持つ姿は、世界に豊穣をもたらすことを象徴した(2)。ナイルの恵みは、人間の理解を超えたハピ神の意志によってもたらされると説明すれば、最もわかりやすかった。そしてハピ神は、山中に隠された洞窟から毎年水を放出すると考えられた。水がエジプトに勢いよく注ぐと同時に、ハピ神の生気が国土全体を満たし、それを歓迎するカエルやワニの鳴き声が響き渡った。ハピ神の到来によって創造される豊かな富は文明を育み、それは数千年にわたって継続した。今日でもナイル川はエジプトにとって不可欠な存在であり、国で必要とされる水の九五パーセントを供給している(3)。

この豊かな資源を確保するには、創意工夫が必要とされた。そのために使われた手段を見学できる場所に、サリマは私を案内してくれる予定だった。それは古代に計測が行なわれた建築物の遺跡で、それを見れば、文明の誕生に計測学がいかに重要な役割を果たしたか理解できる。古代エジプト人はこのナイロメーターと呼ばれる装置を使い、毎年洪水が発生する季節の水位を測った。計測値はきわめて重要だった。なぜなら来る年が豊作か凶作か、水位に基づいて予測が行なわれたからで、それを見抜く洞察力は、時計のぜんまいのように国家を動かしたのである。もしもナイロメーターによって凶作が予測されたら、国民を支えるための食糧を保管しておき、社会の混乱を食い止める必要があった。もしも豊作が予測されたら、作物や労働や土地の形で税を適切に課せばよい。集められた資源は国家の事業を支えた。銀や銅と交換し、軍隊に配給を提供し、社会に歪みを生み出したピラミッド建設などのプロジェクトに貢献したのである。しかし何よりも重要なのは、豊作で大量に収穫され保管された作物が、凶作時には国民に配給されたことだ。そしてあらゆる決断を下すためには、計測が必要とされた(4)。

この独特の目的にふさわしいナイロメーターは、単純な設計だ。ナイル川の水域にある円柱や壁や階段などの建築物に、巨大な棒が収容されている。どの棒にも、キュビットという単位の目盛りが刻まれている。この古代の長さの単位はおそらくエジプト人によって発明され、周辺の文化に広がっていった。キュビットは肘から指先までの長さに相当する（この英語の名前の語源は、肘を意味するラテン語のcubitumだ）。そして聖書の様々な場面に登場するので、いまでも馴染み深い存在である。ただし何千年も経過するうちに異なるキュビットがいくつも存在するようになり、エジプト人自身、二種類のキュビットを認めていた。「人民の一キュビット」は六パーム（七・六二センチメートル）、それよりも長い「王の一キュビット」は七パームである。一パームは四本の指を並べた幅なので、長いほうのキュビットはおよそ五二センチメートルまたは二〇インチに相当する。

サリマと私を乗せたタクシーは渋滞にはまったり回避したりしながら走り続け、一瞬だけ都会の雑踏を離れ、ナイル川にかかる広い橋に差しかかった。水の上を流れる空気は、ひんやりしている。サリマからは、こう説明があった。最初のナイロメーターがどのように使われていたのか断言するのは難しいけれど、「エジプト人の生活を支える重要な特徴」だったことは間違いない。おそらく全国各地に何百ものナイロメーターが存在していたはずだ。最初に導入された時期はわからないが、自分が思うに、エジプト王朝の最初のファラオが国土を統一した紀元前三〇〇〇年頃だったのではないか。

「当時から、人々の生活はナイル川に依存してきたの。古代エジプト国家の成立には、文字や官僚制度の発明などが貢献しているけれど、水や土地を管理した影響は大きかったと思うわ。誰が水の所有者で、誰が水を利用できるのか記録する方法を考案するためには、国家の存在が必要だったのよ」とサリマは説明してくれた。

サリマと私が船を下りたローダ島は、カイロ中心部にあるナイル川の島のなかではかなり大きい。私たちは焼けつくような暑さのなか、ナイロメーターが残されている建築物のゲートに近づいた。このナイロメーターはエジプト最古のものではないが、堂々としたたたずまいには圧倒される。一〇〇〇年程度と歴史は浅く、エジプトがイスラム圏のアッバース朝カリフに併合された紀元九世紀に建造された(5)。サリマが四人組の警備員と話しているあいだ（賢明にも警備員たちは、太陽が照りつける持ち場を離れ、日陰のベンチに避難していた）、私は数百メートル先のナイロメーターが納められた建築物に目を向けた。それは平屋建てで、ドームは巨大な一二面からなる円錐の屋根に覆われている。島の突端に位置しており、ナイル川にせり出している様子は、まるで大型船の舵取りのようだ。

　サリマがチケットを購入すると、警備員のひとりが前方の建物に向かってゆっくり歩きだした。午前九時頃で、私たちはその日の最初の訪問者だった。扉の鍵を開けてもらうのを待ってから、建物のなかに入っていく。ありがたいことに、外の暑さとは対照的に、石造りの内部はひんやりと冷たい。

　なかの様子に私は衝撃を受けた。ナイロメーターそのものは何の変哲もない。建物の中央で、八角形の柱が深さ一一メートルほどの井戸のなかまで延びているだけのものだ。しかし頭上の屋根は、絢爛豪華としか表現できない。光と空気がどれも左右対称の一二枚の窓から、建物のなかに取り込まれている。先細った天井には、蔓や葉っぱや花のパターンがびっしり描かれていて、植物模様のタペストリーのようだ。金色と緑色が使われ、宝石がちりばめられた別世界の庭園に迷い込んだ気分になる。サリマは、警備員に袖の下を渡した（「お金は私が管理しているのだから、あなたは心配しないで」と小声でささやいた）。すると専用の門が開けられ、私たちは井戸のなかに下りていった。石の階段が続くが、手すりがないので落ち着かない。私は背中を壁にぴたりと押し付け、身の安全を確保した。サリマはまったく気にならない様子で、のんびりと軽快な足取りで下りてゆき、何か興味深い文字が残されている場所に差しかかると立ち止まる。「ほら、これを見て」と言いながら、壁に刻まれた文字を指さす。「一八二〇年、イギリスの観光客ですって」。

　井戸の底に到達すると、私は平衡感覚をようやく取り戻し、新しい視点から周囲をじっくり観察した。じめ

図3　古代エジプトでは、毎年ナイル川が氾濫するときに水位を測り、飢饉か豊作かを予測して準備を整えた。そのためには多くのナイロメーターが使われたが、ローダ島のナイロメーターもそのひとつだ。

じめして埃っぽく、古い教会の地下墓地のようだ。地下室というより、巣穴のような印象を受ける。そして見上げると一二面からなる円錐に支えられた豪華な屋根が目に入り、私はようやくじっくり鑑賞することができた。井戸のてっぺんはぽっかり口を開けているが、頭上の屋根が蓋をする形になっている。ナイロメーターの柱のてっぺんには装飾がぐるりと施され、巨大な花や朝日のように見える。私はこの場所の美しさに圧倒された。「すごい」とつぶやくと、サリマは同意して大きくうなずいた。「信じられないほど美しいわ」。

警備員が私たちの頭上のバルコニーを巡回しているあいだ、サリマと私は計測用の背の高い大理石の柱の両側に立って、暗がりで会話を交わした。一〇〇〇年以上前に表面に刻まれた目盛りは、いまでも浅く残っている。ファラオの時代、ナイロメーターでの計測結果がどのように処理されたのか、正確にはわからないとサリマは説明してくれた。目盛りがどれだけ頻繁に読み取られ、記録がどれだけのあいだ保管されたのかわからないという。しかし、どのナイロメーターも、よかれ悪しかれ何かを読み取る手段として認識されていたのは間違いない。たとえばエジプトがローマの支配下に入った紀元一世紀には、歴史家の大プリニウスによると、古代エジプトの首都メンフィスのものと思われるナイロメーターで計測された数字は、国の運命を予測するために使われた。「水位が僅か一二キュビットだと、［エジプトは］深刻な飢饉を経験する」と、彼は記している。「一三キュビットでもまだ飢えに苦しむ。一四キュビットからは良い結果が期待できる。一五キュビットになると不安はすべて解消される。そして一六キュビットでは豊作が予想される」[6]。この一六キュビットという数字の重要性が強調される場所は、プリニウスの記述に限定されない。たとえば、ナイル川を臥位の筋骨たくましい人物の姿で表現した紀元二、三世紀頃の彫像を十八世紀にコピーした作品は、一六人のプット（天使）に囲まれている。どの天使の身長も一キュビットで、理想的な洪水の水位を象徴している[7]。

数字へのこれほど大きなこだわりは普通ではないと思うかもしれないが、ナイロメーターは取るに足らない存在ではなかった。今後の一年間は深刻な貧困に見舞われるのか、それとも悩みもなく豊かに暮らせるのか明らかにしてくれるだけでなく、この国が神から授かる運命や政治の行方を反映していた。古代エジプトでは、宗教と政治のあいだには切っても切れない結びつきがあった。神官は行政に関わり、法律を監督し、資源を管理し、ファラオに助言を与えた。そしてファラオ自身が半ば神のような存在だった。したがって繁栄を維持するためには、神官勢力と官僚勢力のどちらも必要とされた。その証拠に、ナイロメーターは通常、神殿の内部に作られた。神官は水位の目盛りから何かを読み取るだけでなく、ナイル川の氾濫を祝う宗教的な祝祭を監督した。「ナイル川が氾濫して土地が肥沃になるかどうかは、ファラオにとって死活問題だった」とサリマは語る。「たとえば、ひどい洪水にたびたび見舞われたら、神がファラオに、ひいてはエジプト全体に腹を立てているからだと解釈されたのよ」。こうした状況を考えれば、ナイル川の水位の計測には、実用目的で繰り返される作業以上の意味が込められていた。神々の恩寵を受けられるかどうか判断する儀式だったのである。

私はサリマと一緒に井戸の底でしばらく黙って立ち止まり、壁のひとつにくり抜かれた暗いトンネルのほうを向いて尋ねた。「これはどこへ行くの」。するとサリマはこう言った。「ナイル川に直結しているの。ナイロメーターが使われていたときは、ここから井戸に水を取り込んだのよ。でも幸い、いまは水が遮断されているわ。なかを覗いてみない?」。そこで私たちはスマホを取り出してライトをつけると、探検家のようにトンネルの内部を照らした。私は暗闇をそろそろと進み、島の中心から徐々に遠ざかってナイル川に近づきながら、目で見えないけれども、私たちの頭上やまわりに大量に流れている水のことを考えた。岩と石で作られたトンネルから僅か数メートルのところまで、水は迫っているのだ。その力が、国土を数千年にわたって支えてきた。それを計測する方法が、理解されるのを待っていた。

文字と数と計測の発明

古代エジプトで計測は組織づくりに欠かせない原則だったが、計測そのものはナイロメーターと共に始まったわけではない。人間の文化のなかで計測が占める位置を理解するためには、ルーツをさらに遡り、文字の発明に注目しなければならない。文字を書き残せなければ、計測の結果を記録することもできない。最も有力な証拠から判断するかぎり、書き言葉は何千年も昔、メソポタミア、メソアメリカ、中国、エジプトなど、世界各地の複数の文化で別々に創造された。ただし最初にこの習慣が始まったのは、メソポタミア、すなわち現代のイラクだと考えられる。

ではここで、文字の始まりを簡単におさらいしておこう。そもそもものがあれば、数える必要がある。どんなものかは大して重要ではない。羊は群れを作り、大麦はいくつもの束にまとめられる。そして定住農業という新しいシステムのおかげで、何万人もの住民が集まる都市が歴史上初めて登場した。都市の住民は男女ともに、新たに獲得した富に関する情報を把握するため、クレイ（粘土製の）トークンを使うことにした。これは、狩りで仕留めた獲物の肉ほどの小さな物体で、円錐、円盤、三角、円筒などの形をしており、サイコロを適当に転がして決めたかのように世界各地で出土している。最古のものは紀元前七五〇〇年まで遡り、シュメールを拠点とするシュメール人が始めたメソポタミア文明の遺跡で発見されている。[8] トークンは役に立ったようで、数世紀を経るうちに形状も数も増えていった。住民が羊毛や金属などの原材料だけでなく、油、ビール、はちみつなどの加工品も取引するようになると、メソポタミアの都市生活はどんどん多彩になった。それに合わせて、こうした必需品を象徴するためのトークンもどんどん増えていった。外見も複雑になり、表面に刻み模様が付けられ、それが意味を表現する要素になった。つぎに時代を数千年、早送りしよう。小銭でポケットが膨らんだ買い物客と同じで、メソポタミア人は増えすぎたトークンに愛想をつかした。そこで混乱を収拾するため、ブッラという粘土製の容器を発明し、そのなかにトークンを入れてグループ分けした。紀元前三五〇〇年頃から登場したブッラは、テニスボールほどの大きさで、なかにクレイトークンを入れると、中身が飛び出しては困るので、赤ん坊のガラガラのように封印された。こうすればひとつのブッラから、複数のアイテムの情報を確認することができる。

　この技術には長所も短所もあった。たとえばあなたがシュメールの神官で、農民から取り立てた年貢の記録を任されたとしたら、粘土の球体をいじる必要がないのは助かるが、壊さなければ中身を点検できないのは不便だ。そこである日、新しいブッラを作ると、トークンをなかに入れる前に、まだ乾いていないブッラの表面に強く押し付けた。こうすれば中身を点検しなくても、何が入っているのか確認できる。この作業は一瞬で終わるが、きわめて重要なステップだったと、考古学者のデニス・シュマント＝ベッセラは語る。彼女はこれらのトークンが現代の文字の先駆けだったと考え、重要性を認識した最初の人物である。このようにして「立体的なトークンが平面的に表現された」ことは、「文字が誕生した」証拠だという。[9] そしてこれは、人間の認知能力が大きく飛躍したことも意味する。「これは新しい伝達システムの始まりでもあり、脳のなかで何かが著しく発達した事実が間違いなく反映されている。人間は束縛から解放された」とシュマント＝ベッセラは指摘する。[10]

数世紀が経過するうちに、このシステムは進化を遂げた。まず、書記は粘土にトークンを押し付ける代わりに、トークンの輪郭をなぞって絵文字を刻むようになった。つぎに、ほしい情報のすべてをブッラの外側で確認できれば中身は不要だということに注目し、書記は粘土のボールを押しつぶして厚いタブレット（銘板）に作り替えた。こうして、もはや不要のトークンは取り除かれたのである。そして三番目に、数える対象のアイテムとその量に関する情報を伝えるため、従来とは異なるしるしを使い始めた。たとえば油の入った壺を象徴する絵文字の代わりに、「どんなものが」「どれだけ存在するか」伝えるために別のシンボルが採用された。こうした変化の結果、正式な記数法や文字が誕生しただけでなく、それを使った計測が始まったのである。

紀元前三〇〇〇年が進むにつれて、ブッラに刻まれた絵文字は形を変え、抽象的な表現が増えていった。やがて表語文字の代わりに、子音結合を持つ音節文字が採用され、葦を削ったペンを使って楔《くさび》が刻まれた。この楔の形状は楔形文字として知られ、シュメールだけでなく、そのあとに続くバビロニアやアッシリアなど、主なメソポタミア文明のすべてで使われた。[11]

紀元前二五〇〇年までには、この文字体系は「十分な可塑性と柔軟性を備えたので、歴史や文学に関する文章がどんなに複雑でも楽に表現できるようになった」[12]。ただし、ごく初期の遺跡からは、文学作品は僅かしか発掘されていない。出土した銘板の圧倒的多数――数万枚――は、行政についての記録文書である。文書の作成を任されたのは専門の書記階級で、古代メソポタミアを「維持・発展させるために大きく貢献し」、「神殿の祭司、裁判所の記録係、王の相談役、文官としての義務をこなし、［さらには］商業活動にも関わった」[13]。書記が作成した銘板の数々には、受領書、契約書、購入品のリスト、納税申告書、売約証書、在庫表、給与明細書、遺書などが含まれる。時間が経過すると、勅令や戦争の記録など物語性のある内容も加わったが、カタログの形式はある程度まで維持され、征服した地方、生まれた子孫、奉納あるいは冒瀆された寺院に関する情報が記された。

文字の発明がきっかけとなり、支配者が資源を監督・分配する能力を手に入れた結果、最初の国家が誕生したのか。それとも、誕生したばかりの国家で必要とされたから文字が発明されたのか。どちらが先だったかを巡っては議論が交わされている。しかしいずれにせよ、文書を残す技術が発達すると、知識を処理するための画期的な方法が提供され、高度な組織や高度な思考の発達を促したのである。粘土の銘板に名詞と数が別々に記録されたおかげで、王は税金の実態を把握しやすくなったが、これは認知革命に等しいと指摘する学者もいる。認知能力が大きく飛躍した結果、人類は周囲の世界を抽象化して分類できるようになったのだ。

記載された記録からは、認知能力が爆発的に発達した印象は受けないが、銘板の拡散をきっかけに初期の社会で新しい思考様式が発達し、世界を細かく分析して見るようになったとも考えられる。「記録のあいだに連続性はなく、不連続性が特徴になっている」と人類学者のジャック・グッディは指摘して、つぎのように補足する。「記録を残すことによって、項目が数や語頭音やカテゴリーなどによって整理された。そして外部と内部の境界が存在するようになると、カテゴリーごとの区別が明確になっただけでなく、抽象化に拍車がかかった」[14]。

話し言葉で情報を伝えるときには前後関係を重視する傾向があることについて、考えてみよう。たとえば一日を振り返って、こんなふうに説明する。「店を何軒か訪れ、パンケーキを作るための卵と小麦粉とミルクを買ってきた」。これと比べ、記録するときには細かい説明を続けず、各項目の背景など余計な部分が取り除かれる（購入品——卵、小麦粉、ミルクといった具合に）。こうした記述からは、心理学者が「チャンキング」

と呼ぶプロセスが発達する。すなわち、大量のデータを処理しやすい小さな断片に分割し、個別にまとめた形で世界を計測できるようになるのだ。ほとんどの人は、このアプローチの利点を直感的に意識している。たとえば大量の作業に取り組む必要に迫られ、漠然とした恐怖に圧倒されると、しばしば対策としてリストを作成する。すると世界の混乱状態が緩和され、一度にひとつの仕事をこなすことが可能になる。

こうした知識のカテゴリー化がメソポタミアの初期の社会で行なわれていた証拠としては、考古学者が「語彙集」と呼ぶものの存在がある。これは百科事典の索引のような文字リストだ。樹木の種類から体の部位や神々の名前まで、あらゆるものが含まれるが、それが一体どのように機能したのか明らかにされてはいない。語彙を教えるための教材かもしれないし、書記が練習用に使ったものかもしれない。いずれにせよ語彙集の存在からは、古代の人類が分類という問題に取り組んでいたことがわかる。

様々なテーマに関するリストの作成によって、「知識は増加し、経験は整理」されるようになったとグッディは主張する[15]。これは組織立った哲学体系の先駆けであり、最終的には科学の誕生につながった。数世紀後の紀元前四世紀、アリストテレスは偉大な著書『範疇論』のなかで、リストのフォーマットを参考にした思考に基づき、あらゆる現実の分類を行なった。この壮大な分類法では、多くの難解な特性の区別に取り組んでいる。永遠の移動性を備えた物質（天空）と移動性が消滅する物質（地球上の肉体）、移動性が消滅する魂のない物質（元素）と移動性が消滅する魂のある物質（生きとし生けるもの）などが区別された。古代ギリシャより以前にも、こうした形態の事例はあったが、哲学的な複雑さでは到底およばない。ただし、語彙集の手の込んだ美しさは決して引けを取らなかった。

なかでも有名な事例は古代エジプトのもので、紀元前一〇〇〇年頃まで遡る。それはエジプトの官僚文化の産物であり、アメネムオーペの語彙集として知られる。一言でいうなら、この語彙集はおよそ六一〇の見出しから成るリストで、項目は世界じゅうから集められた。導入部分には、つぎのような説明がある。この用途は

「無知な民を導き、この世に存在するものについてひとつ残らず学ぶことだ。プタハ神が創造したもの、トート神が書き留めたものがまとめられている」。最初に取り上げられるのは自然界で、「空」から始まり、「太陽」「月」「星」と続き、そのあとは「闇」と「光」、「日陰」と「日光」について取り上げてから、「川の土手」「島」「砂」「泥」など地球に関する様々なカテゴリーが登場する。自然界のあとは、地球の住人について取り上げる。最初は「神」「女神」「精霊」など超自然的な存在で、つぎに人間の項目では、最高位に当たる王族（「王」「女王」「王の母親」）、高位の文官や軍人（「将軍」や「要塞の副官」）を紹介してから、国のために働く様々な人たちへと続く。ここは最も記述が細かく、数百種類の項目によって当時のエジプト社会の実態を詳しく知ることができる。最初は職人（「彫刻」「時計の管理」「天体観測」）で、つぎに身分の低い職業へと進む（「操舵手」「庭師」「踊り子」など）。そして人民について紹介したあとは、エジプトの街並みにテーマが移り、建築物や地形について解説される。それが済むと、今度は自然の恵みに注目し、作物や野菜などの食物が一〇〇項目ほどにまとめられている。最後はこうした項目がさらに細かい構成要素に分割され、たとえば肉は生肉、調理肉、味付け肉に分類される。[16] リストの著者はこう胸を張る。ここには「ラー［太陽神］の光が当たるもののすべてが」取り上げられている。したがって壮大な神殿から肉屋の作業台まで、六一〇の段階を踏んで一気に学ぶことができる。

エジプト学者のアラン・ガーディナーは、この語彙集を構成する様々な記録を照合しても感銘を受けなかった。「アメネムオーペの語彙集ほど退屈で独創性に欠ける書物は、まず確実に執筆されていない」と、一九四七年に感想を述べている。[17] しかし三十年後、グッディは語彙集に大きな価値を見出した。オノマスティコンすなわち一覧表のリストでは、「分類に関する弁証法的な記述の効果」が絶大であることが明らかになったのである。[18] しかも聖なる領域と俗世の領域がひとまとめにされているので、権力の序列について学ぶための助けになる。リストでは「光」と「影」といった対照的な要素が組み合わされ、類似点と相違点が強調されている。あるいは、カテゴリーの移行は慎重に進められる。たとえばオノマスティコンで「露」が取り上げられる場所は、それが引き起こす現象が反映されている。太陽が昇ると草の上に結ぶ露は、地上と空の境界に位置する存在であり、ひとつの世界から別の世界へ移っていくプロセスを印象付ける場所で紹介されている。では、リストには詩的な要素が含まれるのだろうか。分類法は、記録の対象の情報を単に石に刻んだだけでなく、これらの存在についての私たちの意識を活性化してくれるのだろうか。私はそうだと強く確信している。

何千年も経過してから、作家のホルヘ・ルイス・ボルヘスは一九四二年に発表したエッセイのなかで、リスト作成の論理的矛盾や取り上げる範囲のおかしさを説明するため、事実に基づかない分類法を紹介している。これはおそらく、古代中国の『有益な知識に関する名物大全』という百科事典に記されている方法のことだと考えられる。ここでは正体不明の書記が、世界のすべての動物を一四のカテゴリーに分類しているが、なかには「皇帝の動物」「手なずけられた動物」「子豚」「人魚」「上記の分類に入る動物」といった項目が含まれる。「気がふれたように身震いする動物」という項目は、特に私のお気に入りだ。[19] 分類は細かくて簡潔だが、支離滅裂な点が目立つ。この百科事典の内容からは、リスト作成には慎重な配慮が必要なことがわかると、フランスの哲学者ミシェル・フーコーは指摘する。カテゴリーに分類したうえで、比較できなければならない。アメネムオーペの語彙集など古代の文献には、こうした特徴がさりげなく隠されているが、ボルヘスはそれを表に引き出して注目させた。フーコーはこう語る。「物事のあいだに秩序を確立するプロセスほど、経験が頼りであやふやなものはない。(少なくとも表面上) 鋭い観察眼や明瞭な言葉がこれほど必要とされるものはない」[20]。

神の意志と計測

計測が始まった当初、その目的は組織の強化だけではなかった。一定のリズムで行動を導いてくれる世界に対し、人間は探求心や好奇心をそそられ、世界と関わる方法として計測を始めたのだ。ナイロメーターが神の恩寵を測る能力を有していたことからもわかるように、古代の世界では特に、計測は実用目的の範囲に収まらなかった。自然界の仕組みには、神の意志が反映されているとしばしば考えられた。そのため黎明期の計測は往々にして、超自然的な存在と関わるための方法だった。この関連は、時間の計測の始まりで特に顕著に観察される。

時間の最も基本的な単位は、もちろん一日だ。地球が軸を中心にして一回転するためにかかる二十四時間が、一日とされる。創世記には「夕となり、また朝となった。第一日である」と記されている。この単位は、偶然に決まった地球の自転周期に他ならない。宇宙に漂う塵とガスから成る星間雲が集まって地球が誕生したとき、決定されたものだ（自転速度は、だんだん遅くなっている）。しかしこの時間の長さは、私たちの体内にも書き込まれている。二十四時間周期のリズムは、私たちのＤＮＡにハードコードされており、この生理現象のパターンによって、地球に暮らす私たちの体は自転速度とうまく調整されているのだ。夜には便通が抑えられ、夜明けには目が覚め、夕暮れにはメラトニンが分泌されて睡眠の準備が整う。こうしたリズムは動物だけでなく、植物や藻類、さらには一部のバクテリアにも存在する。つまりこの生命の形態は、十五億年から二十億年前という大昔に進化の道筋が枝分かれしたとき、すでに決定していたのである(21)。今日使われるあらゆる測定単位のなかで、心がそれを理解できるようになる以前から存在していたのは、一日が二十四時間という単位しかない。おそらく最古の人類もこれを認識したはずだ。そして、この単位が創造された地球を人類が離れても、体のなかで消滅することはない。たとえば、国際宇宙ステーションは地球を九十分ごとに周回するが、搭乗している宇宙飛行士の体からは、地球の二十四時間周期の影響がどうしても抜けない。そこで体を調節するため、毎日ステーションの照明の強さや色を調整し、二十四時間周期を再現している(22)。

ただし一日は、時間のなかでも短い。もっと長い単位は季節で、地球が地軸を一定の角度に傾けて太陽のまわりを公転する結果、季節は移ろう。季節ごとに変化する気候に合わせ、花や果実や作物は姿を変えていく。さらに動物の移動や、洪水やモンスーンといった気象事象も、発生する季節が決まっている。農業社会が繁栄するためにも、気象事象を正しく予想して対応する必要があった。農業が始まった当時は、種まきの時期や収穫の時期は季節の変化によって確認できたはずだ。標準化された暦がなくても、自然界からヒントを読み取れれば十分だった。

　しかし社会が発展すると、時間を計測するもっと高度なシステムが登場した。その多くは世界最古の科学、すなわち天文学を土台にしていた。季節が変化すると、夜空の様子も変化する。星座は現れては消えてゆき、惑星はゆっくりと位置を変える。そんな天上の変化と地球の変化が同期していることからは、当然ながら因果関係が推測された。そのため星の観察は、地球上の出来事を説明し予測するための手段になったのである。考古学者のイマン・モーリーはこう指摘する。古代文明で暦が発明されると、「自然と超自然を結びつけて世界を解明するようになった[23]」。たとえばプレアデス星団（昴）は、地球の多くの場所から肉眼で見ることができるが、少なくとも紀元前三〇〇〇年から神話に登場し、超自然的で重要な存在だった。空を移動する星団についての解釈は文化によって異なる。熊に追いかけられる七人の娘、夫に追放された妻たち、ヒナの群れを追い立てるめんどり、といった解釈がある[24]。南極圏を除けば、プレアデス星団は秋の夜明けの空に初めて現れる。日が経つにつれて見える場所は次第に天高くなり、真冬にいちばん高くなったあとは低くなり、春が訪れる前に姿を消す。古代ギリシャでこの星団は、巨人のアトラスを父とする七人姉妹が狩人のオリオンに追いかけられているところだと解釈された。姉妹が追いかけられているあいだ、その父親のタイタンには天を支える使命があったので、手出しができなかった。一方、プレアデス星団は農作業の合図にもなった。夜空から姿を消すと、それは航海の季節の終わりを意味するので、畑に戻らなければならない。紀元前八世紀の詩人ヘシオドスには、『仕事と日』というタイトルのつぎのような教訓詩がある。「プレアデスとヒュアデスと力持ちのオリオンが姿を消したら／地面を耕す季節が再びやって来たことを思い出そう／一年間、大地から豊かな恵みが得られることを祈ろうではないか[25]」。

古代の文明の多くは、時間は確実に神が管理するものだと考えた。現在知られているかぎり中国最古の君主制王朝で、紀元前一六〇〇年頃に中国を支配した商（殷）では、十日周期の暦が採用され、どの日にもそれぞれ異なる精霊や先祖が関わっていた。そこで、精霊や先祖が地上の出来事に介入してくれるよう、周期に従って生け贄が捧げられた。このような発想に基づいて生まれた暦は、現在に秩序をもたらしただけでなく、忠実に守れば未来を支配する手段としても役に立った[26]。一方、コロンブス到着以前のメソアメリカ社会のなかで、現在と未来の関連性が最も印象的な形で表現されているのは、マヤの長期暦だ。マヤの文化はおそらく、自然界で繰り返されるパターンから着想を得て、非常に長い周期を時間に取り入れた。「宇宙規模のオドメーター[27]」は五一二五年（一八七万二〇〇〇日）周期で、そのプロセスに従って宇宙はリセットされる。欧米人はこの暦を観察して興味をそそられた。特に、いちばん新しい周期は紀元前三一一四年八月十一日に始まり、二〇一二年十二月二十一日に終わるからだ[28]。終わりの日が近づくと、ドゥームズデイというアイデアに興奮し、妄想を抱く風潮が生まれ、それをビジネスチャンスととらえる動きも出てきたが、実際に長期暦が採用されていた当時のマヤの社会は冷静だった。非常に長い周期がリセットされると何が起きるのか、古代マヤでは特に明確にされなかった。世界が滅びるよりも、生まれ変わることのほうに関心があったようだ。その考え方は正しい。二〇一二年に訪れるとされる世界の終わりを密かに期待する人たちの前で、十二月二十二日の朝、太陽はいつもと同じように東の空から上ってきた。

こうした暦は、精神的なニーズと現実的なニーズのどちらも満たすように作られた。ただし、自然のサイクルから生まれたものなので、見かけほど規則正しくはなかった。大昔のある時点で――おそらく、狩猟採集民が動物の骨に意味不明の日盛りを刻んでいた頃にはすでに――月の周期に基づいた最初の重要な暦の単位が誕生した。月（month）である。空の月が規則正しく満ち欠けを繰り返すのは便利だった。おかげで古代の民族は、月が満ち欠けして同じ位相（形）に戻るまでの周期を測定し、太陰暦を創造した。満月、三日月、新月など、どこを出発点に選ぶかは場所によって異なった。月の位相の変化は、星を観測する神官によって発表された。「カレンダー」（暦）という単語は、ラテン語のcalareという動詞に由来するもので、この動詞には「呼び出す」という意味があった。

ただし、太陰月は信頼できる単位の基準をある程度満たしたものの、完璧な一貫性は備えていなかった。暦が計測単位として役立つためには、一貫性のある価値が必要とされる。問題なのは、太陰月の長さに半日以上の違いがあり、平均すると二十九日、十二時間、四十四分、二・八秒になる。したがって、月の満ち欠けに従った暦を将来もそのまま続けていくと、すぐに厄介な問題が発生する。たとえば、暦のひと月の長さを二十九日と三十日として、これを交互に並べてもよいが、実際に観察される月の形と徐々に同調しなくなり、三年ごとに丸一日のずれが生じてしまう。これでは、一生涯のうちに何度もずれを経験することになる。もしも記録や観察の能力が優れている人なら、そんな月による暦はまったく無視して、太陽に基づいた暦を作ろうと考えるだろう。月の位相ではなく、太陽が一年に二回だけ地球の赤道面を横切るとき、昼と夜の長さが同じになることに注目する。ただし、これにも問題はある。一年の平均の長さは三六五・二四二二日になるので、四年ごとに閏年《うるうどし》を加えても、何世紀も経過するうちに暦は太陽の動きと同調しなくなるのだ。どんな方法を選ぶにせよ、違いを修正するためには、何日か余計に加える作業が定期的に必要とされる。

古代文明は、こうした問題に様々な方法で対処した。神官や天文学者の裁量で、暦に数カ月が加えられるケースもあれば、複数の暦を使い分けるケースもあった。宗教儀式には太陰暦、政《まつりごと》には太陽暦を使ったのだ。ふたつの暦を同時に利用するシステムは古代エジプトでも採用され、政の暦のほうは、ナイル川の氾濫に基づいて一二〇日から成る三つの季節で構成された。これだと一年が三六〇日にしかならないので、十二カ月目が

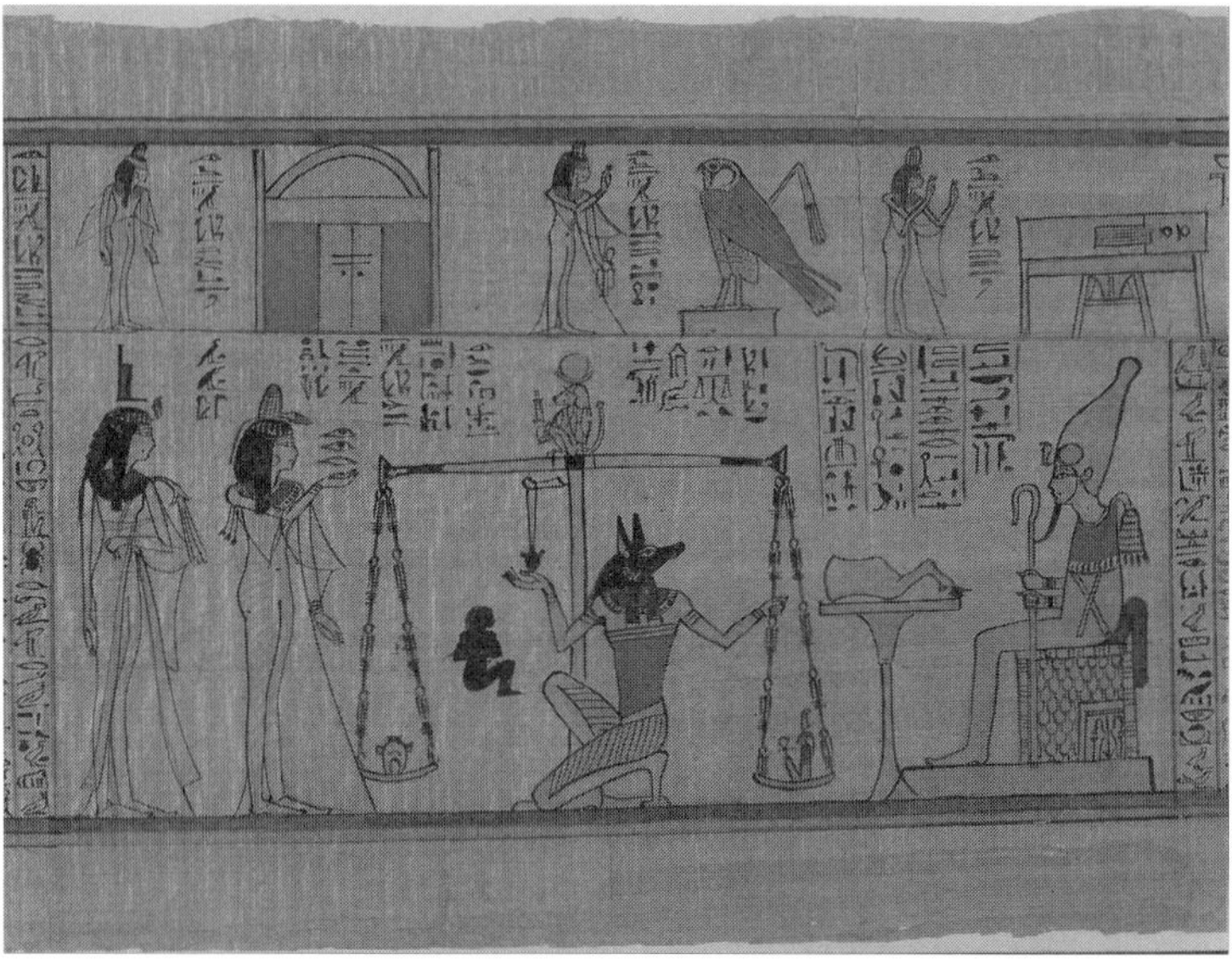

図4　計測にはしばしば神秘的な意味を伴った。それは、古代エジプト人が死者の心臓の重要性を信じ、秤にかけたことからもわかる。

終わったあとに五日間の「閏日《うるうび》」が加えられ、一年は全部で三六五日になった[29]。この習慣は、多くの文化で模倣された。

このように五日間を付け加えるのは奇妙な現象で、通常の生活の規則正しいスケジュールに組み込む余地はなかった。古代エジプトでこの五日間が労働者の休日に充てられたのは[30]、支配者が寛大な気持ちから譲歩したのではなく、念には念を入れたからだ。古い年から新しい年への移行期間として付け加えられた日々は、魂にとって危険な時期だと見なされたのだ。祭司は土地を守るために特別の儀式を行なった。男性も女性も自分の身を守るための呪文を唱えた。正体不明の巨大な悪を刺激しないよう、誰もが忍び足で歩いたとも考えられる[31]。この伝統がマヤの常用暦でも確認されるのは、決して偶然ではない。長期暦とは区別され、ワイェブと呼ばれ、一カ月が二十日の十八の月と、年末に付け足される五日間で構成された。ワイェブの期間は、「人間界と黄泉の世界を隔てる門が開放されるので」、悪霊が人間界に忍び込んで災難を招くと信じられた。[32] そしてここでも、人民を守るために儀式が行なわれ、呪文が唱えられた。すべては、太陽系の不規則な仕組みを十分に把握できなかった結果である。

欧米では多くの人たちが未だに、クリスマスと新年のあいだの五日間にほっと一息つく。あなたは働いているだろうか、それとも休んでいるだろうか。新しい年への準備が整っているだろうか。そして何を準備する必要があるか、わかっているだろうか。暦は人間の創造物であり、自然界から構造を引き出そうとする試みである。しかしあらゆる計測法と同様、独自の現実も創造する。計測は、私たちが生活を組み立てるための役に立つ。それゆえ私たちは、これらのシステムに力を持たせて重視する。だから、どんな影響がおよぶのか理解することは、ますます重要になってくる。

最初の単位

四〇〇〇年前のメソポタミアで書かれた『ギルガメシュ叙事詩』は、一覧表の記述が中心だった当時の文化では例外的存在だった。そしてある場面では、始まったばかりの計測の実践方法と限界に焦点を当てている。[33] それは叙事詩の最後のほうに登場するが、その内容もまた、英雄の悲劇をテーマにした最古の物語として知られる。悲劇の英雄は、タイトルと同名のギルガメシュという超人的なシュメールの国王で、体の三分の二は神、三分の一は人間だった。物語のなかで、彼はすべての生きとし生けるものに降りかかる不幸な運命を回避して、永遠の命を手に入れるために行動する。

ギルガメシュは死を免れる方法を発見するため、遠い昔から生き続けてきた謎の人物ウトゥナピシュティムのもとを訪れる。彼もかつては死すべき運命の人間だったが、世界じゅうで大洪水が猛威を振るったとき、家族を船に乗せて人類を滅亡から救ったため、妻と一緒に永遠の命を授けられたのだ（この話のように、叙事詩には聖書の物語と似ている場面が多い)。ギルガメシュはウトゥナピシュティムのもとに到着すると、自分も死の呪いから逃れるにはどうすればよいかと尋ねる。そこでウトゥナピシュティムは、簡単な試練を与える。もしも六日と七夜を眠らずにいたら、永遠の命を手に入れる秘密を教えてもらえることになったのだ。ギルガメシュは即座に同意するが、座ってこの試練の準備を始めた途端、長い冒険の旅の疲れが押し寄せてきた。「まるで羊毛を梳いて作られた毛糸のように、眠気にふんわりと呑み込まれてしまった」。意識は朦朧として、深い眠りに落ちてしまう。ウトゥナピシュティムは驚いた様子も見せず、妻につぎのような指示を与えた。壁に印を刻み、毎朝焼いたパンをギルガメシュの横に並べ、どれだけ眠っていたのか記録するように命じたのだ。日が経つにつれ、パンの数は増えていくが、ギルガメシュは眠り続けた。やがて、一日目のパンは固くなり、二日目のパンは皮のような触感になり、三日目のパンはふやけた状態になり、四日目のパンは生地にカビが生え始め、五日目のパンは表面がカビに覆われ、六日目のパンは新鮮で、七日目のパンはまだ焼いている最中であった。すると七日目にようやく、ウトゥナピシュティムはギルガメシュの体に触れて、眠っている彼を起こした。

　眠りから覚めると、ギルガメシュは目を休ませていただけだと言い張った。自分のように強い大男が、眠り込むはずはないと訴えた。しかし、日ごとに傷んでいく様子がわかるように、枕元にパンが並べられているところを見せられては、もはや言い逃れはできない。それでも、真実を受け入れれば身の破滅につながる。睡魔を克服できなければ、死を免れる望みはついえてしまう。「ウトゥナピシュティムよ、どうすればよいのだ。私はどこへ行けばよいのだ」とギルガメシュは嘆く。「すでに夜盗に足を掴まれている。死は私の部屋に住みついている。どこに足を踏み入れても、死が顔をのぞかせる」[34]。

　カビの生えたパンは、ギルガメシュの死が避けられない現実を象徴しているが、古代の計測の実態を垣間見せてくれる存在でもある。ウトゥナピシュティムの妻は壁に印を刻んだが、時間の経過に関する動かぬ証拠は、枕元に並べられたパンのほうだった。出来事が実際に起きたことを証明する時計や暦が存在しなくても、自然界から得られる証言は否定できない。さらにパンの一件からは、世界の側面の一部を計測し、量を明示して記録する必要に迫られたときには、日々の生活での行動や身近なものがしばしば計測手段に選ばれることもわかる。誕生から間もない計測では、即興の手段として重宝された。

サイエンスライターのロバート・P・クリースによれば、測定単位は三種類の特性を所有しなければならない。手に入りやすさ、釣り合い、一貫性の三つだ[35]。手に入りやすさが必要なのは、計測の基準がなければ何かを測ることはできないからだ。釣り合いが必要なのは、山をマッチ棒で測りたい人は誰もいないからだ。そして、おそらく最も重要な一貫性が必要なのは、いきなり変化するような測定単位は使い物にならないからだ（なかには、意図的に柔軟性を持たせて役立たせるケースもある）。ウトゥナピシュティムの妻が焼いたパンは、三つの基準をおおよそ満たしている。ただし、ここでの測定「単位」はパンそのものではなく、パンの腐敗が進行する程度である。

このパンのように信頼性の高い測定単位を私たち自身で創造するためには、キッチンで一週間の予定を事細かく決めなければならない。ドーナツ作りは統一されたレシピに従って進められ、焼くときの条件や室温は常に同じに設定し、腐敗が進行するプロセスの違いを最小限に抑えなければならない。しかし幸い古代の社会には、パンを焼く炉よりも優れた手段があった。周囲の物質界を計測する人間は、これによって何よりも役に立つ測定単位を提供されたが、しかもこれはごく身近な存在だった。そう、私たち自身の体だ。計測を行なうどの文化でも、体はこのような形で利用され、その結果として生まれた単位はほぼ完璧に機能した。利用しやすく、常に身近にあり、そもそも人間を計測するのに便利で、どの人のあいだでも（多少の違いはあるが）一貫性があった。足を基準にした何らかの単位がほぼすべての文化に存在する一方（通常は足が単位の名称として採用された）、通常は上半身の様々な部位や腕が単位として採用されたのも意外ではない。キュビット、ファゾム、スパン、ハンドなど、古代の単位の多くは今日でも馴染み深い。

古代の文化では、小さな単位は体を使って測定されたが、他にも定期的に測定手段として使われるものがあった。手に入りやすく、釣り合いがよく、一貫性のある単位を身近で探せば、種なら条件に完璧に合うことがわかる。ケシ、キビ、小麦の種は、長さや重さの計測する手段として使われ、一部は未だに利用されている。たとえば大麦の粒は、長さの単位としてイギリスで古くから使われてきた。これは三分の一インチ、すなわちおよそ〇・八センチメートルに相当し、少なくとも十四世紀初めから長さを測る尺度だった。当時エドワード二世は、「丸くて乾燥した大麦の粒を三つ並べれば」一インチになると宣言した。後にこの定義は、帝国の計測系の一部として標準化された。そして今日でも、イギリスやアメリカで靴のサイズの違いを表現する手段として使われている。[36] サイズは三分の一インチごとに大きくなっていくが、これを靴のメーカーはバーリーコーンと呼んでいる。植物を使った馴染み深い測定単位には、種を長さではなく、重量を測るために使うものもある。ポンドを基準とするイギリスの様々な重量単位のなかでも、穀物の粒は最も小さい単位として長らく使われてきた（一粒は、六四・七九八九一ミリグラムとして規格化された）。あるいは、ダイヤモンドやエメラルドなどの宝石の重さには未だにカラットが使われるが、[37] この単位は中東のキャロブの種子が語源になっている（いまでは二〇〇ミリグラムで規格化されている）。

ただし、人間の体では測りきれない距離を推測するために使われた手段は、日常的な測定単位のなかでも独創性が際立っている。人間が地図や基本的な測量器具を使えるようになる以前は、遠く離れた地点までの距離を知るには創意工夫が必要とされた。ごく一部の文化は、体の長さを掛け算して長い距離を計測したが、こうした小さな単位では無理がある（いまでも都市間の距離をメートルやフィートで測定する機会は多くない）。そこで、何度も掛け算する必要のない単位を考案するが、結果として正確さは犠牲にされた。初期の文明では、矢の届く距離、投げた石や斧の届く距離が、計測手段としてよく使われた。あるいは誰かの叫び声や犬の鳴き声が聞こえる距離など、音を基準にしたものもめずらしくない。それよりさらに長い距離はより独創的で、消費行為をヒントにしたものも多い。たとえばカナダ先住民のオジブワ族は、夏はカヌー、冬は雪靴で移動したが、その行程で消費したパイプタバコの数によって距離を測定し、移動距離が短いときは、関係者のコメントが参考にされた。「目的地に到着したとき、パイプの火はほとんど消えていなかった」という具合に[38]。一方、インド洋のニコバル諸島の住民は、移動中に汁を吸ったココナッツの数によって距離を測った。環礁を横断するあいだにココナッツを七つか八つ消費したと表現すれば、距離に関する情報だけでなく、旅に必要な蓄えに関する情報も得られる。そして時間の計測と同様、予測可能な単位を創造するためには、自然の一貫性がしばしば注目された。たとえば北欧のサーミ人の文化には、およそ六マイルに相当するポロンクセマという単位がある。これは「トナカイの小便」に注目したもので、トナカイが排尿せずに移動できる距離を指す。このように新しく考案された計測手段は興味深い。特定の動物からヒントを得た単位が、人々の生活様式を規定している。サーミ人は何世紀にもわたり、食糧や移動、さらには労働もトナカイに頼ってきた。このような密接な関係から、その行動に注目するようになり、ある日のこと観察結果から閃いたのだ。おい、トナカイは規則正しく小便するぞ、と気づき、最初はほんの冗談で、それを距離の単位として採用したが、最後は習慣として定着したのだろう。

　いまの私たちは、こうした単位から風変わりで突飛な印象を受ける。世界が多様性に満ちあふれ、本当に信頼できる方法で整理する必要があった時代の産物だと考えたくなる。しかし、その場しのぎで過去に考案された計測手段は、決して消滅していない。いまでも時間や行動などを、状況に応じた尺度として距離を測るために利用することはある。たとえば友人に向かって、つぎのパブまでは自転車で五分かかるとか、海辺までは車でちょうど一時間だと説明する。あるいは、新しい単位を即興で考案することもある。職場まで歩いて移動するときの距離をポッドキャストで測るときもあれば、このフライトでは映画を三本しか観られないと考えるときもある。こうした計測手段が役に立つのは、距離に関する客観的な情報が、経験という主観的な情報に置き換わるからだ。周囲の世界を具体的な状況のもとで解釈して理解することができる。眠り続けた日数をギルガメシュに教えたパンと、同じように役に立っている。

測定単位の可能性を最大限に生かすためには、ある程度の一貫性が必要とされる。主観的な単位には役に立つ知識が含まれるかもしれないが、結局は個人の経験に基づいているので、みんなで共有するのは難しい。科学史家のセオドア・M・ポーターは、計測は「離れた場所を結びつけるテクノロジー」だと語る。(39) すなわち、共通のルールを使って異なる文化や地理の橋渡しをするツールであり、おかげで情報の交換が可能になる。この論理に従い、計測はもうひとつの言語だとするなら、言葉のケースと同様、情報の伝達のためには個々の単位に信頼できる定義が必要とされる。

大昔の社会では、こうした定義はひとつの定住地のなかで共有されれば十分だった。つまり、単位が体の部位と同じ長さに匹敵することさえわかっていれば、それ以上に複雑な定義は不要だった。しかし共同体の規模が拡大すると、このシステムの不備は明らかになった。たとえば、商売や年貢を巡る意見の相違を想像してほしい。双方の言い分が食い違えば、それをきっかけに、もっと一貫性のある計測単位が求められるようになった。

調整が必要だったことを裏付ける証拠は、複数の社会で確認されている。動植物などに由来する曖昧な計測手段を、何とか正確に使いこなそうとする努力のあとが見られる。たとえば古代中国の文献では、男性と女性の体が区別された。(40) エチオピアでは人々が知恵を働かせ、市場に用があるときは自分の代わりに「腕の長い」友人を行かせた。腕が長いほうが、商売には有利になるからだ。(41) これに対する妥結策については、法律で正式に記されたときもある。たとえば一一五〇年頃にスコットランドを治めたデイヴィッド一世の布告によれば、インチを定義するためには親指の「付け根の部分の幅を測る」が、「体格の異なる三人の男性の平均値を採用しなければならない。大柄な男性、中位の男性、小柄な男性の平均値を割り出す必要がある」[42]。そうすれば、結果が経験則であることに変わりはないが、法律は測定単位の曖昧さに多少なりとも対処できた。

数多くの収蔵品が集められたカイロのエジプト考古学博物館を訪れると、古代エジプトで最初の一貫性のある計測器が展示されている。それは世界で初めて規格化された測定単位、すなわちキュビットを測るための物差し（キュビットロッド）だ。石と木で作られ、手の平と指を使って目盛りが等間隔に刻まれており、長さの単位として中央権力から正式に採用された。

こうした計測手段は、古代エジプトにとって確実に重要だった。ナイロメーターのように水位を測るための手段もあれば、農業や建築の発展を後押しするものもあった。毎年ナイル川が氾濫すると、川の周辺の農地を区切る境界は大量の水によって消滅してしまう。すると、ハルペドナプタエ（harpedonaptae）、すなわち「縄張り士」と呼ばれる測量士の専門家集団がやって来て、土地の秩序を回復した。結び目のあるロープがたるまないようにピンと張りつめたまま、測量士たちは泥のなかに足を踏み入れて畑の境界を引き直し、川が運んできた大量の水が有効活用されるように努めた。ここでは、調整作業と意思の疎通も大切な仕事だった。農民同士の争いを最小限に抑え、肥沃な土地が無駄遣いされないように配慮する必要があった。そして同じロープは、ナイルの恵みから得られた富で造られる建築物の土台の計測にも使われた。寺院、墓、そしてもちろん、私たちが古代エジプトを理解するうえで欠かせない大ピラミッドの計画を立てるために活躍した。

今日、カイロにあるギザの古墳群のピラミッドを訪れると、想像力だけでは大きな成果を達成できないことがよくわかる。これらの遺跡は本や映画やポスターに繰り返し登場するので、姿かたちをはっきり思い浮かべることができるが、それでも現地で見ると圧倒される。あまりにも巨大で、風景のなかに永遠にとどまり続けるような印象を受ける。迫力満点の建築物は見る者の心に直接訴えかけ、何千年も昔の先祖からメッセージを送られているような気分になる。「我々は過去の人間で、おまえたちはいまの人間だ。だが、過去の人間である我々は、いまもここに存在し続ける」と語りかけているようだ。

大ピラミッドを建造するために必要な労力と資源を調整する作業だけでも、想像すると厳粛な気持ちになる。大ピラミッドを創造するには、数十年にわたって何万人もの労働者が動員された。労働者の生活を支えることだけを目的に町が作られ、職人に食べるものを提供するパン屋や厨房、眠るための大部屋、死後に遺体を葬るための墓地などが準備された[43]。アメリカの歴史家であり社会学者でもあるルイス・マンフォードは、人類が他の生物種と一線を画したのは、こうした大衆組織を結成したおかげだと論じる。個人が優れた知性を発揮しても、何か特別の道具の使い方が上手でも、それだけでは十分ではない。「車輪付き馬車、鋤、ろくろ、二輪戦車はどれも素晴らしい発明品だが、それだけでは、エジプトの大渓谷やメソポタミアやインドの文明を大きく変容させるほどの成果は達成できなかっただろう」と、マンフォードは書いている[44]。むしろ、「抽象的・機械的なシステム」や「正確な計測法」[45]など、秩序の概念が発達したおかげで、「権力は爆発的に拡大できたのである」[46]。結果として生み出された社会秩序を、マンフォードは「メガマシン」と呼んでいる。このシステムは今日の私たちにとってお馴染みの機械と似ているが、部品が機械ではなく、人間である点が異なる。

考古学者が発掘したキュビット計測用の物差しからは、計測と文明構築が密接に関わっていたことがよくわかる。たとえば、カーという人物の墓について考えてみよう。カーは優秀な建築家で、第一八王朝（紀元前一四〇〇年頃）の歴代の三人の王に仕えた。そして苦労を報われ、豪華な墓に妻と並んで葬られた。一九〇六年に発見された夫婦の墓は貴重な掘り出し物だ。生前に準備されたと思われ、死者が来世への旅路に持っていく何百もの品々で埋め尽くされていた。そこには家具、食料、洗面道具に混じって、キュビット計測用の二本の物差しがあった。ふたつはデザインも意味も大きく異なる[47]。

一本目の物差しは儀式用で、古代エジプトの墓から発掘されることが期待されるのは、こちらのタイプだろう。精巧な作りで、金メッキが施され、刻まれた象形文字からは、ファラオのアメンホテプ二世からカーに贈られたことがわかる。間違いなく、それまでの功績が認められたしるしだ。対照的に、もうひとつの物差しは質素だが機能的だ。重量のある栗色の硬材で作られ、ピカピカに磨き込まれている。等間隔に刻まれた目盛りには白い鳩の姿が使われ、栗色の背景との対照が鮮やかだ。物差しは中心に蝶番《ちょうつがい》がある折りたたみ式なので、持ち運びに便利だ。そして、運搬用のハンドル付きの柔らかい革のかばんに入れられた状態で発見された[48]。こうした証拠から推測するなら、これはカーが生前に個人的に使っていた物差しだと考えられる。あまりにも重要だったので、死後にも手放せなかったのだろう。二本の物差しが豪華な品々と並べられていることからも、古代エジプト人にとって計測がいかに重要だったか理解できる。一本は木製、もう一本の黄金の物差しは魔法の杖であり、高度な技術と権力を象徴する存在だった。物差しはカーが砂漠に寺院や墓を建てるための手段であり、そこには本人の墓も含まれたのである。

第2章　融通の利く計測

初期の国家と社会の基礎構造にとって計測学が果たした重要な役割とは何だろう

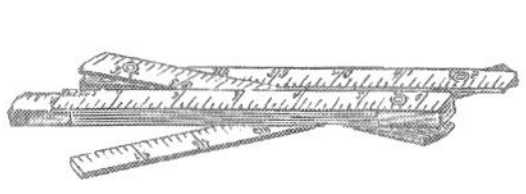

公正な天秤、公正な秤は主のもの。袋の重り石も主の造られたもの。

箴言　第一六章一一節（ジェームズ王訳）

商人の計測、王の計測

パリのルーブル美術館の中心に位置する近東古代美術品のコーナーには、古代の世界で計測が大きな力を持っていたことを象徴するものが展示されている。それは男性の頭のない彫像で、モデルとなったグデアという人物は、紀元前二一四四年から紀元前二一二四年にかけてメソポタミアの都市国家ラガシュを治めた人物である。彫像の素材は閃緑岩という小さな斑点の付いた黒い岩石で、よく磨き込まれて美しい光沢を帯びている。王は裸足で座り、質素なマントを羽織り、信心深さを象徴するように、胸の前で両手を組んでいる。指は細長く、櫛の歯のように整然と並んでいる。そして膝の上には、彼の遺産が置かれている。それは新しい寺院の建設計画書と、それを設計するための目盛り付きの定規だ(1)。ここで描写されている定規は史上最古の計測器のひとつで、長い三角柱をしている。ちょうどチョコレート菓子のトブラローネを大胆に表現したような印象で、表に見えるふたつの面には等間隔に目盛りが刻まれている。実はこの定規は、グデアの偉業を象徴している。彼は敬虔な信者として、そして寺院の建立者として記憶されたかったのである。ある歴史家によれば、古代の世界で寺院の建立は「神と王のための事業」だった(2)。初期の国家では、寺院は統一の要となる機関であり、その建立計画は神から授けられたものだとしばしば考えられた。したがって計画が実行されれば、権力が正しい

図5　グデアは紀元前2144年から紀元前2124年にかけて都市国家ラガシュを治めた王で、素晴らしい遺産を後世に伝えるために寺院を建造した。

人物の手に渡った証拠と見なされた。[3] だからエジプトの建築家のカーと同様にグデア王も間違いなく、大切な計測器は死後の世界に持っていくべきだと考えたのだろう。

来館者でごった返すルーブルを逃れ、市の反対側にひっそり佇むパリ工芸博物館を訪れてみよう。ここでは、計測と政治権力の結びつきが十九世紀まで生き残った証拠を確認できる。彫像は展示されていないが、重さや長さや容量を標準単位で測るための計測器が、展示キャビネットのなかにびっしり並べられ、ひしめき合っている。機能を重視した簡素なものもあるが、ほとんどは手の込んだ作品だ。凝った彫刻が施された水差しもあれば、紋章が刻印された金属の塊もある。正面がガラス張りの背の高いケースには、過去何世紀ものあいだに長さを測るために使われてきた様々な計測器が集められている。たとえば、計測用の短いステッキは、木や銅や鋼で作られている。グデア王の定規と同様、これらの用途はひとつではない。長さを測る器具であると同時に、王権の象徴の杖でもあり、社会秩序の構築に計測が役に立ったことの証拠をいまに伝える。古代の世界からずっと、計測は実益がもたらされる点だけが評価されたわけではない。建設事業や貿易などの役に立ったのは間違いないが、みんなが同じように予想を行ない、規則を共有できる場所を創造するためにも重宝された。計測は、私たちが世界や仲間と経験を共有できるように調整してくれる。だから、同じ測定単位が採用される場所では他人同士でも信頼し合い、安心して交流できるのである。

このような共有のスペースを創造するためには国家が必要だったとしばしば推測されるが、計測の発達に関する歴史的証拠を見るかぎり、別の可能性が考えられる。たとえば、古代に質量の基準として使われたものについて考えてみよう。石が紡錘形や立方体や球体にきれいに整えられ、天秤の片側に載せてモノの重さを量るために使われた。このような秤については大昔の考古学的資料のなかに記録されており、紀元前三〇〇〇年頃から登場している。これは「王が定めた」基準について初めて記述されるより数世紀も前のことで、そこからは、当時の有力者が統一された計測基準を創造するために協力し合った可能性が考えられる。中央の権力から規制されなくても、古代の質量の基準は驚くほど統一されている。メソポタミア、エーゲ海、アナトリア、ヨーロッパの各地で使われた二〇〇〇以上の質量の基準を分析した結果からは、計測に使われる石の重さが紀元前三〇〇〇年から紀元前一〇〇〇年にかけてほとんど変化していないことがわかった。数千キロメートル離れた場所から発掘されたものも含め、計測の基準の違いは全体で九パーセントから一三パーセントにすぎない。そこからは、青銅器時代の商人が最高権力者の力を借りなくても、測定単位を上手に調整できたことがわかる。商人同士の交渉からは、重さを比較して調整する機会が提供された(4)。そのたびに性能の優れた秤を使いながら、異なる集団のあいだで守るべき約束事が決められたのである。長さや容量などと異なり、この時代の重量の計測は、二本の等しいアームが付いたてこから成る秤で、つくりは単純でも正確だった。この道具はデザインがシンプルで完成度が高いので、何千年も経ったいまでも世界の多くの地域で同じ形のまま使われている。

ただし、中央権力の介在なしに計測単位が統制されたからと言って、支配者がこれらの体系の潜在性を無視したわけではない。歴史家のエマニュエル・ルグリによれば、権力者にとって測定単位は、「臣民を服従させるための狡猾な手段」だった。測定単位が導入されるたび、世界は「権力者の領土となり、測定単位を合法化した権力者が存在し続けるかぎり、それは意味をなした」[5]。要するに、計測は権力の恩恵を受けただけでなく、権力を創造する手段でもあった。だからこそ、測定単位の統一は、何千年にもわたって様々な政治体制で進められたのだ。そして古代の世界から近代初期の国民国家に至るまで、このように信頼性の高い単位を使用することは特権でもあり義務でもあった。指導者が支配を正当化するためにも、罪人を罰したり道路を保守したりするためにも、必要とされたのである。

誤った測定単位を使って不正を働く行為への警告は、最古の法律文書として知られる記録の一部にも書き残されている。たとえば、紀元前一七五〇年頃に編纂されたハンムラビ法典は、「目には目を」という復讐法で悪名高いが、ワインの販売価格をごまかしたら「水に放り投げられる」（溺死刑の婉曲表現）と記されている[6]。石の表面に刻み込まれた状態で最古の法律が最初に発見された石柱には、ハンムラビ王が儀式用の物差しとロープをバビロニアの太陽神シャマシュから手渡されている場面も彫刻され、王の権力の強さを象徴している。そして何千年も経過した十三世紀のヨーロッパでも、度量衡の統一はきわめて重要な事業と見なされた。神聖ローマ帝国のフリードリヒ二世は、計測をごまかした人物は、初犯ならその場で鞭打ちの刑。二回目は両腕を切断され、三回目は絞首刑にされることを義務付けた[7]。そして度量衡の統一に失敗すれば、政権の安定が損なわれる可能性があった。たとえば一二一五年にイングランドでマグナカルタが承認されたとき、ジョン王は不満を募らせた貴族に対し、不本意ながら数多くの譲歩を行なった。たとえば、「全王国を通じて単一のブドウ酒の枡目、単一のエールの枡目、単一のトウモロコシの枡目［……］染色布、小豆色粗布、くさりかたびらの単一の幅が用いられる［……］目方についても同様とする」と記され、度量衡の統一が約束された[8]。

これらの文書で計測の重要性が強調されているのは、社会の統一を維持するために必要とされたことからも説明できる。軽犯罪なら影響を受けるのはごく少数の個人だが、計測を偽れば、共同体全体に不信感が広がる可能性もある。その点を認識したタルムードの法律には、多くの犯罪は本人が悔い改めれば贖うことができるが、計測の不正行為にはそんな余裕がない。なぜなら、共同体全体に広がる不正行為の影響は計り知れないからだと記されている。犯罪に手を染めた途端、その影響は瞬く間に広がり、信頼を傷つけ、不信感を助長する。「計測の不正行為に対する罰則は、不道徳な行為に対する罰則よりも重い。なぜなら、不道徳な行為は神に対する犯罪だが、計測の不正行為は仲間に対する犯罪だからだ」とミシュネー・トーラー（強き手）には記されている。[9] 計測は共同体同士を結びつける契約であり、個人のレベルで対処すべき問題ではない。そしてここからは、すでに紹介した青銅器時代の重量単位の事例と同様、共同体のメンバーのあいだで計測単位を統一すれば、トップダウン式のアプローチがうまく機能することもわかる。正しい単位が使われれば、誰もが利益を享受できる。

　時には、計測と政治権力と社会秩序の関連性が、驚くような形で表面化する可能性もある。たとえば古代中国では、計測は宮廷儀式で使われる音楽と密接に関わっていた。この宮廷儀式は、役人や貴族のあいだで権力の流れを滞らせないために重要な役割を果たした。計測と音楽の関連性は、伝説上の人物である黄帝の物語まで遡ることができる。黄帝から世界で最初の竹笛の制作を命じられた楽人は、オスとメスの鳳凰の鳴き声から複数の音律を聞きわけ、それに合わせて竹管を切って音律を定めたと言われる。[10] この竹笛はlülüとして知られ、中国の伝統音楽で調律用にも使われ、宮廷で使用される楽器の音程はこれによって調節された。つまり、竹笛は美的重要性が評価されただけでなく、「宇宙と結びつくための重要な手段」である点も注目された。竹笛は、黄帝の支配を半神半人的な偉業と結びつける手段だったのである。[11]

　竹笛の音程が竹間を切る長さによって決定されると、その長さを測る単位の重要性がクローズアップされ、政治的に利用された。なかでも露骨だったのが、紀元三世紀の高級官僚だった荀勗《じゅんきょく》である。現在の中国の南東部を統一した晋王朝で新たに誕生した政権のもとで、彼は帝国国家再編の任務を与えられた。[12] そこで、新しい主人である武帝の支配を合法化するために宮廷政治を操り、様々な改革を実行して皇帝の権力を強めた。そしてその一環として、長さの基本単位であるchiを変更することにした。測定単位を刷新するため、荀勗は古代周王朝の墓を暴いた。中国で存続してきた政治的・文化的伝統の多くは、周王朝から脈々と受け継がれてきたものだ。彼はかつて周王朝で使われていたヒスイの物差しを掘り起こすと、それをひな型にして晋王朝の新しい測定単位を定め、それに基づいて竹笛の音程を変更した。それによって、武帝は古き良き時代の叡智の回復に努める皇帝だが、彼以前の支配者は文字通り、素晴らしい先祖から見て調子はずれな存在である点を強調した。晋王朝が計測や音楽の分野で進める改革によって、過去の栄光の復活が実現するはずだった。

ただし荀勗が介入した測定単位の変更は、期待通りの結果につながらなかった。音程を新しく変更した楽器のお披露目となる宴会が宮廷で開かれても、出席者は旋律の美しさを楽しまなかった。楽団が演奏を始めると、優れた学者であり楽人でもあり、かつては魏王朝に仕えていた阮咸《げんかん》は、これでは音の調子が高すぎると不満を述べた。「甲高い音は深い悲しみを連想させる」と阮咸は指摘したという。「これは繁栄する国家の音ではなく、死にゆく国家の音だ。死にゆく国家の音は悲しげで、満たされない願望や人民の嘆きを表現している」(13)。そんな阮咸の予言は正しかった。それからほどなく武帝は没し、八人の皇子による権力争いが始まり、晋王朝は大混乱に陥った。たくさんの競合する基準の統一は、賢い荀勗にとっても荷が重すぎたのである。

計測の融通性

荀勗の事例からも推測できるように、初期の計測の特徴は、複数の測り方があるという点で、その時々のニーズに合わせ、地域や商取引ごとに異なる単位が発達した。確かに単位が統一される時代もあった。政治が安定している時代には、広い地域で採用される基準の数が少なくなるものだ（たとえばローマ帝国の興亡を見ると、支配下に置かれた領土でローマの単位の影響が長続きしたことがわかる）。それでも十九世紀にメートトル法とヤード・ポンド法が採用される以前には、計測の最も大きな課題は変動の大きさだった。ただし、こうした多様性が秩序を乱すと考えるのは間違っている。

中世ヨーロッパの計測に関する優れた研究のなかで、ポーランドの歴史家であり社会学者であるウィトルド・クラは、初期の測定法は多様性を特徴としながらも、生活や労働の現実を反映した独自の複雑なルールのもとで機能していたことを明らかにした。それによれば、この時代の計測は「今日の私たちが思うほど不正確ではなく、測り方の違いがあったとはいえ、それが共存することが社会的に重要な意味を持った」[14]。中央政治の直接の管理下に置かれなくても、小さな町や村は地域社会が裁定した測定法を通じ、公平な取引を行なうことができたという。ただし、測定単位の最も顕著な特徴は、優れた融通性だった。多くは使われる方法や場所に応じて変更され、人々や社会のニーズを反映した。

この融通性は決して標準ではなかったが、初期の測定単位の多くに備わっていた。たとえば、中世の土地の計測について考えてほしい。最も一般的な単位は、一日に耕すことができる面積によって定義された。土地を物理的な面積ではなく労働の成果によって計測すれば、地形の性質に応じて単位は調整される。土壌が堅いときや地面が平坦ではないときは、耕すための時間が長くなるので小さな単位を使う。このような形の測定単位には地理や農業に関する情報がコード化されており、労働作業において便利だったため、この時代にヨーロッパ全土で採用された。たとえばドイツ語圏で使われるTagwerkとは、一日で耕すことができる面積という意味で、およそ三四〇〇平方メートルまたは三万六六〇〇平方フィートに相当する。その下の単位のMorgen（モルゲン）は、午前中に耕すことができる面積を指した（興味深いことに、モルゲンの面積はTagwerkのおよそ三分の二である。そこからは、早起きの農夫は一日の仕事の大半を昼食前に済ませたと考えられる）。イタリアではgiornata、フランスではjournal、ロシアではobzhaがTagwerkに相当し、牛ではなく馬が一日に耕せる面積が、地元独特の農作業の習慣を反映して計算された。さらに多くの地域では、一定の時間内の労働量によって決定される面積の単位は、特殊なタイプの農作業にも適用された。たとえばワインの生産地のブルゴーニュ地方では、穀物を栽培する畑の面積の単位にはjournalが使われるが、ブドウ畑にはもっと小さいouvreeが使われた。ふたつの異なる単位の存在は、ブドウの世話は畑を耕す作業に比べ、時間をかけてじっくり取り組む必要があった事実を反映している。

イングランドには、他にも実際の作業に由来する単位が存在する。たとえばファーロング（ハロン）は、古英語のfurh（畝）とlang（長さ）に由来するもので、面積ではなく長さの単位である。具体的には、牛が休息を必要とするまでに耕すことができる畝の長さを指した（いまでは二〇一メートルまたは六六〇フィートで標準化されている）。ファーロングは、一日の作業量を表す単位のakerを計算するために使われた。akerの語源であるaecerは「広い畑」を意味し、そこから発展して現代のエーカー、すなわち四〇四七平方メートルまたは四万三五六〇平方フィートという定義が生まれた。そもそも一エーカーは長方形で、縦が一ファーロング、横が一チェーン（二〇メートルまたは六六フィート）だった。これは土地を細長く分割する農業の習慣から生まれた結果だ。こうすれば畑が川に面して連なるので、どの土地も水を簡単に確保することができた。さらに、複数の牛に重い鋤を引かせて畑を耕す作業は、長方形以外の形では難しかったので、そんな現実的な理由からも長方形が単位として使われた。興味深いことに、土地を耕す時間によって決定される単位は、数世紀が経過するうちに大きくなったようだ。おそらくこれは、農作業の効率が向上したことを反映している。農家が作業の方法や道具を改善すると、一定の時間内に耕せる面積は拡大した。そのため一日の仕事量も、仕事量を計測する単位も、それに応じて増えたのである。[15]

あるいは、土地の単位が作業時間ではなく、種を蒔く間隔に応じて変化する時代もあった。フランスのブルゴーニュ地方では十八世紀、土地の面積を測る単位にsetereeが使われたが、これはsetierすなわち種を蒔く間隔を意味する。[16] 肥沃な土地ではsetereesが使われ、やせた土地ではそれよりも大きな単位が使われたのは、土が肥えていれば間隔を狭めて種を蒔き、収穫量を増やすためだ。一般に、こうした可変性のある単位は、少なくとも十九世紀まで使われたが、その魅力は理解しやすい。土壌の質や地形の勾配など、環境の細かい特徴に応じて拡大や縮小が可能なら、現代の計測方法では把握できない情報が得られる。一日にどれだけの面積を耕せるか、あるいはつぎの季節にはどれだけの種を蒔く必要があるか理解しておけば、農業経済にとって貴重な知識が手に入る。実際、環境に応じた計測単位の流行りすたりは、経済や産業の発展状況を知る手がかりにもなる。たとえばイタリアのピサでも種まきの間隔を使った計測は行なわれたが、その研究からは、農業が中心の村ではこの測定単位が長続きしたが、都市部ではすぐに消滅し、代わりに融通性のない単位が使われたことがわかった[17]（計測といえば、現代の私たちにはこちらのほうが思い浮かぶ）。クラはこう指摘する。中世の計測に関する歴史的研究の多くは、可変性のある単位が「原始的」で「洗練さに欠ける」と決めつけているが、実際には、計測する人のニーズに合わせて変化するスグレモノだった。人間と土地の関係が具体的に表現されており、作業に何が必要なのかも一目でわかる。

ただし、融通性のある計測方法は、農民にとって常に役に立つわけではなく、金持ちや権力者に悪用される機会も多かった。良い例が穀物の計測で、これは中世でも特に評判が悪かった。穀物は通常、重さではなく容量で計測された。たとえばいまでも馴染み深いブッシェルは、帝国単位ならばおよそ八ガロン、アメリカの慣用単位ならば三五〜三六リットルに定められている。「ブッシェル」という言葉が英語に登場したのは十四世紀で、古フランス語のboisseに由来している。これもやはり穀物の測定単位で、中世ラテン語で「一握り」を意味するbostiaが語源になっている。土地の測定単位と同様、ヨーロッパのどの国も穀物の容量の測定単位には様々な種類があって、穀物の種類によって異なるケースも多かった（小麦など価値の高い穀物の測定単位には、オーツなど価値の低い穀物よりも小さいものが使われた）。しかし、キッチンで計量カップを使った経験があれば誰でもわかるが、乾燥したものの容量を測るときに厄介なのは、粒と粒の隙間がカップへの入れ方によって異なることだ。たとえばオーツを入れた計量カップを横に何度も振れば隙間が小さくなり、粒を追加することができる。要するに、入れる方法によって値が異なるのだ。

こんなのはスキャンダルの種にもならないと思うかもしれないが、ちょっとここで、自分が中世の農民になったところを想像してほしい。畑から収穫される穀物は、家族を食べさせるために必要だが、封建領主に年貢を払い、市場で物々交換するためにも必要となる。市場に売り物として持っていけば、誰かが容量を測る様子をじっと観察する。何カ月もの労働の成果、そして家族の未来がその結果によって決まるのだ。凶作の年には、粒と粒の隙間を埋めるために容器を縦や横に揺さぶった結果次第で、このあと生き残れるか飢えに苦しむことになるかが決まった。そのため、この時代に穀物の計測方法は細かく管理され、測り方を制約する法律がいくつも成立した。たとえば、こんな問題が判決の対象になった。穀物は肩の高さから升に注ぐべきか、それとも「腕を降ろした状態で」注ぐべきか（こちらのほうが粒はぎっしりと詰まる）。升の縁いっぱいまで穀物を入れるには、升を揺さぶるべきか、それとも穀物を上から手でギュッと押さえるべきか。穀物を測るときは、升に「山盛り」にしてもよいのか、それとも「表面を平らにすべきか」（すなわち、升の縁からはみ出してもよいか、それとも升掻き〈ストリクル〉という特殊な棒で升の縁からならすべきか）。いずれも、小さな問題として見過ごすことはできなかった。たとえば小麦やライ麦が山盛りになった部分は、全容量の三分の一を占める可能性があった。そして、山盛りにするのが簡単なオーツ麦などの場合は、容量が五〇パーセントも増えるときもあった。[18]

計測をこのような形で認識する傾向はいたるところで見られ、ついには諺にも登場した。ポーランドのある処世訓では、穀物の測り方を引き合いに出して、成功しても油断はならないとつぎのように警告している。「ブッシェル升から頭を出したら最後、升掻きで押さえつけられる」[19]。そして一六一一年版の欽定訳聖書

（ジェームズ王訳聖書）では、イエスキリストが平地の説教で群衆に対してこう語る。「与えなさい、そうすればあなたがたにも与えられる。押し入れ、揺すり入れ、あふれるほどに量りをよくして、ふところに入れてもらえる」[20]。要するに、しまり屋の封建領主と異なり、神は穀物を気前よく提供してくれるので、一粒でも無駄にされたくないと悩む必要はない。天の恵みはたっぷり与えられる。ちなみに、計測方法についての警告は近代に入っても続いた。一八四六年に印刷された農業マニュアルでは、製粉業者の作業場で小麦を売るのは避けるようにと忠告している。機械が動きっぱなしで「建物が揺れ続ける」ので、「升に注がれる穀物は隙間なく詰め込まれる」からだ[21]。こうした習慣は、ヨーロッパ以外の場所でもめずらしくなかった。一九二〇年代のビルマ（現在のミャンマー）の農業経済についての研究には、ある地主についての逸話が含まれている。その地主が借地料を回収するために使ったバスケットはあまりにも大きかったので、「手押し車の壊し屋」という異名で呼ばれたほどだった[22]。

このように不正確な測り方が考案されるたび、権力者や不届き者には利益を得る機会が提供された。農奴は虐げられるが、荘園領主は勝手に行動してもほとんど処罰されなかった。そのため借地人から好きなだけ労力や物を取り上げるようになり、不当な搾取が蔓延した。貴族や商人のあいだに最もよく見られた違反行為では、自分たちに都合の良い測定単位を使うことを相手に強要した。穀物で支払いを受けるとき、農民は普段と同じ測定単位を使うことが許されなかった。このような不正操作については克明な記録も残されている。そのひとつCahiers de doleancesは、フランス革命の直前に行なわれた調査で、農民の不満や苦しみが各地から集められている。農民の不満のなかでは計測の問題の比重が大きく、度量衡に関する封建領主の権限を剝奪してほしいと訴えている。ある教区の住民は、気の毒な借地人が不正な計測で水増しされた支払いに苦しむだけでなく、非情にも家禽まで地代として納めることを要求されたと非難している。あるいは、「貴族にせよブルジョア階級にせよ平民にせよ、今後はすべての地主が［……］レンヌのシャトージロン侯爵の定めた測定単位を受け入れることを義務付けてほしい。これはすべての農奴から無条件で承認されている」という要求もあった。[23] これらの文書を統計分析した結果からは、当時最も多く記録された五〇件の苦情のなかで、計測方法の標準化を求める声は一四番目に多かったことがわかる。税金についての苦情と、「個人の自由」の問題に上下をはさまれている。[24] そして陳情では、「ひとりの王、ひとつの法律、ひとつの度量衡」が繰り返し要求されている。荀勗が計測方法を操作したケースと同様、ここでも計測は実生活上の問題というだけではなかった。自分勝手な方法がまかり通っていた事実は、不正が蔓延して社会秩序が乱れていた状況を象徴している。農民は封建領主に支払いをごまかされる生活に愛想をつかし、当然の扱いを受けることを望んだ。

融通性を備えたこの時代の測定単位の最たる例で、しかも生活や仕事の現実を体現しているものは、驚くなかれ時間だ。有史時代の大半において、時間には固定された長さがなかった。最初は古代のバビロニア人とエジプト人が、一日を二四分割した。[25] 古代エジプト人は、日の出から日没までを一〇に分け、それに夕暮れと夜明けを加えて十二時間とした。そして夜は、黄道に三六の星座（デカン）を設定し、その動きに基づいて夜の時間を一二分割した。「時間観察者」と呼ばれる専門の書記官が、地平線に新しいデカンが現れるのを観測し、時間の経過を確認した。夜空には一〇個の星が姿を現すが、どの星が見えるかは、地球の公転によって十日ごとに変化した。[26] 一二分割されたのは、月の周期がおよそ三十日で、一年がだいたい一二の月で構成されることに合わせた結果かもしれない。あるいは、親指以外の指の関節の合計が一二だったからかもしれない。いずれにせよ、星の動きを記録する星座早見盤は重要な存在だったので、棺の蓋の内側にも刻まれている。死者の見えなくなった目と向かい合った場所に刻まれたのは、死者の魂が夜空を渡り、夜明けによみがえるまでの羅針盤だったからだ。[27]

しかし、日の出と日没の時間は一年を通じて変化するので、時間は季節ごとに変化した。夏は長くなり、冬は短くなった。このいわゆる不定時法時間は中世のヨーロッパに受け継がれた。そのためたとえばロンドンでは、一時間の長さに三十八分から八十二分まで大きな開きがあった。[28] ただし当時、この事実は注目されなかったばかりか、こうした観察結果にはまるで意味がなかった。統一された計測単位など、ほとんどの人にとって馴染みのない概念だったからだ。分や秒は共通の単位として存在すらしていなかった（一時間を六十分に、一分を六十秒に分割する方法はバビロニア人によって決められた。当時、天体観測には六〇を底《てい》とする六十進法が使われていた。後世のギリシャ人はこれを採用し、円形の天体図を作製して三六〇分割した。後にこれは時計に応用され、一周が三六〇度に設定された）。むしろほとんどの農民は、季節が変化するリズムに合わせて働いた。そして短い時間は、長い距離を測るときと同じように、臨機応変な形で測られることが多かった。たとえば十四世紀の料理本には、「ミゼレーレを声に出して読むあいだに、水に入れて火にかけた卵はゆで上がる」と読者に教えている。[29] ミゼレーレとは旧約聖書の詩篇第五一篇のことで、寛大な処置を求め、「神よ、我を憐みたまえ」という嘆願から始まる。神への献身が表現された美しい詩だが、実際に試してみると、卵は半熟になった。

　時間の長さに、修道士は特に関心を持った。[30] 一日に七回、祈禱を行なうシステムを守るために時間を確認し、それに応じて異なる内容の祈りを唱えた。朝課、賛歌、三時課、六時課、九時課、晩課、終課の七つでその時間は教会の鐘の音で伝えられ、中世の世界では最も信頼できるタイムマーカーだった。ただし、当初は時間が固定されていなかったことは、正午の時間が歴史を通じて移動したことからもわかる。はじめは九時課の時間が正午で、午後三時頃に鐘が鳴らされた。しかし時代が進むと少しずつ早まり、十四世紀には現在と同じ時刻に落ち着いた。それはおそらく、修道士は九時課まで飲み食いを禁じられたことも理由のひとつだったと考えられる。これは日が長い夏には特につらかったため、六世紀の聖ベネディクトは、「九時課は早めに、すなわち八番目の時間の中間あたりで」唱えるべきだと忠告した。[31] 歴史家のアルフレッド・W・クロスビーによれば、修道院のシステムでは、時間は「点ではなく幅」として見なされた。[32] 出来事を順番に配列するための方法であり、変化するのが当然だと考えられた。今日では時間に融通性はないが、生活には未だに時間の見当をつける習慣が残っている。だからあと数時間、あるいは昼食まで働こうと言い聞かせる。あるいは不愉快な経験は長く、愉快な経験は短く感じられるのは、誰でも経験がある。人々が夜を楽しむのは、それも理由のひとつではないかと私は考えている。私たちのほとんどは、果てしなく時を刻む時計から夜には一時的に解放されるので、堅いスポンジをお湯に入れたときのように、時間がかつての融通性を取り戻すのだ。夜には考え方が柔軟で寛容になって、解放感を味わう。やがて誰かが時計を見ると、舞踏会で深夜の鐘を聞いたシンデレラのように夢から覚め、翌日には普段の規則正しい生活に戻る。

不定時法時間は世界じゅうの文化に見られる。やがて機械式時計が正確に時を刻むようになると、ようやく時間は規則的に細かく分割されるようになった（それには、定期的に時間を知らせなければならない修道士が関わっていた）。しかしそれでも、融通性のある時間設定は驚くほど長続きした。たとえばユダヤ教では、一日のなかでどんな儀式がいつ行なわれるのか決められていたが、実際にはその多くが相対的な時間を基準にしている。したがって、一日の三時間目に行なわれるべき儀式は、かならずしも午前三時や日の出の三時間後に厳密に実行されるとは限らない。日の出の時刻は日によって異なるが、その三時間以内であればかまわない。あるいは日本ではかつて、一日をまず昼と夜に分けてから、それぞれを六分割していたが、昼と夜の長さは季節によって異なった。このシステムは、スペインの宣教師たちが一五〇〇年代に機械式時計を持ち込んでも廃れず、一八七三年に西洋式の暦と時間が採用されてようやく廃止された。[33] このように不定時法時間と機械式時計がユニークな形で共存した時代に製作された美しい時計は、いまでも一部が現存している。この和時計は、まるいレールの上で文字盤を動かせるようになっていて、季節の変化に合わせて数字を移動させると、針が正しい時刻を示すように工夫されていた。[34]

こうして季節に応じて時間を変更する伝統は、いまでもサマータイムという形で市民生活に受け継がれている。時計を一時間遅らせたり早めたりする習慣は、北半球の大半の地域で維持されている。古いやり方への譲歩は時代遅れだという指摘も多いが、世の中の時間はかならずしも人間が決めた通りに進まないことをサマータイムは教えてくれる。計測は、私たち人間が現実に構造を当てはめるためのツールかもしれないが、一部の領域では未だに適応や譲歩が必要とされる。

信仰と計測

近代以前の計測は融通性のおかげで驚くほどの威力が備わり、神秘的な分野にも応用範囲を広げた。計測は民間伝承や魔法や宗教でも行なわれ、多くは癒やしが目的とされた。あるいは、支配者が権力を誇示するために行なわれるときもあり、計測の対象となる人民を支配する手段として大いに役に立った。さらに、計測には実体のない領域を理解する能力があると信じられた時代もあったようだ。おそらくそれは、単位に一貫性が欠如している点が評価されたのだろう。このように、計測は混乱状態を整理する能力を優れた資質として備えていたため、社会の基本的な側面、たとえば宗教などに応用されたと考えられる。

なかでも最も広く普及したのは、おそらく魂の重さの計量で、学問の世界ではサイコスタシアとして知られる。これは古代エジプトまで遡る習慣で、死者の心臓は、真実と正義の女神マアトが頭に挿しているダチョウの羽根と天秤で重さが比べられた。もしも裁きの場に出された死者が正直で誠実な生涯を送っていれば、羽根のほうが重くなるので、魂はセケット・アアルすなわち平和の野原に到達することができる。ここは緑豊かな楽園で、ナイル川のデルタに似た草原が果てしなく続いている。一方、心臓の重みで天秤が傾いたら、それは羽根の純潔を死者の悪行が上回った証拠で、心臓は床に放り投げられ、ワニの頭をした女神アメミットに食べられてしまう。この二回目の死からよみがえることはできず、悪事を働いた者にはここまで厳しい罰がふさわしいと考えられた。この神話は古代エジプト末期に登場したもので、新王朝時代（およそ紀元前一五二〇年から紀元前一〇七五年）になって、ようやく完全な形になった[35]。それ以前にも死者の魂の評価には、裁判や法廷での裁きと同じ枠組みが当てはめられていた。具体的に重さを量る方針に変更されたのは、このプロセスの公平性を示す神学上のニーズがあったからだと考えられる[36]。心臓の重さを量れば、議論の余地はなくなる。レトリックを駆使しても、神を心変わりさせることはできない。秤の判断には落ち度がないのだから、従うしかない。

運命の重さを量るたとえ話は、他の文化にも見られる。たとえばギリシャの『イーリアス』には、ゼウスが決闘の結果を黄金の秤にかける場面がある。この判断は、生前に犯した罪とは無関係だが、秤が闘いの結果を決めたのか、それとも他で下された決断を秤は伝えただけなのか、どちらかを巡って文学や神学の関係者は議論を展開する[37]。一方、サイコスタシアはエジプト人からアフリカ東部のコプト派に受け継がれた可能性があり、そこを介してキリスト教に入ってきたと考えられる。魂の重さを量るという直接的な記述が聖書にあるわけではないが、キリスト教のイコンには裁きの秤が描かれ、だいたいは神の軍団を率いる大天使ミカエルがそれを持っている。

聖書の歩みからは、実用的な手段である計測の権威が時間と共に高くなり、精神的な問題に影響をおよぼすようになったことがわかる。モーセ五書またはトーラーとして知られる旧約聖書の最初の五つの書には、計測に関して実際的で教訓的な忠告が記されている。すでに紹介したタルムードと同様、社会的誠実さが計測でも重視されている。欽定訳聖書のレビ記第一九章三五節には、つぎのような記述がある。「あなたたちは不正な物差し、秤、升を用いてはならない。正しい天秤、正しい重り、正しい升（ephah）、正しい容器（hin）を用いなさい」（ephahとhinは古代セム族の計測単位で、それぞれおよそ一五キログラムと六リットルに相当する)。その後、申命記の第二五章一三節から一四節にはこう記されている。「あなたは袋に大小二つの重りを入れておいてはならない。あなたの家に大小二つの升を置いてはならない」。やがて時間が経過すると、こうした重さや釣り合いは聖書で象徴的に取り上げられることが多くなった。そして申命記から数世紀後に書かれた新約聖書では、イエスキリストは計測の概念を純粋に比喩的に使っている。山上の垂訓では、集まった人たちにこう語っている。「与えよ、そうすれば自分にも与えられるであろう」。要するに、計測は正義の強力なシンボルとなり、人生で必要な道徳的行為だけでなく、それに伴う精神的な報酬や罰を象徴するまでになった。おそらくこの象徴としての可能性に注目したのだろう。聖書には慈善行為よりも計測についての記述のほうが多い(38)。

しかし、計測の精神的効果が最も顕著に表れた例は、人生で苦しんでいる人たちを実際に助けるための儀式だ。ここでは計測は魔法の手段となり、治療のために体を測るケースがしばしば登場する。キリスト教の奇跡の物語を集めた十三世紀の書物には、慢性的な痛みに苦しむ学者の物語がある。自分の体を自分で治療するため、彼はひもを取り出し、最初は自分の身長を測り、つぎに腰に巻き付けて太さを測るが、そのたびにイエスキリストの名前と、天文学者の守護聖人である聖ドミニコの名前を繰り返し唱えた。やがてひざまずくと、学者は「突然痛みが消え」、こう叫んだ。「ようやく解放された!(39)」。同じ時代には、mensura Christiすなわちキリストの身長への信仰があった。中世の写本には線のイラストがあって、その長さを読者は自分で測ってから、それを何回か延長すると、イエスキリストの身長がわかると言われた。これは単なる献身的行為ではない。信者にとって身長は、超自然的な力が吹き込まれた遺物に他ならなかった。「この長さを一二回延長すれば、主の身長[mensura]になる」と、一二九三年の写本には書かれている。計算で身長がわかったら、書いたものを身近に置いておくようにと、別の写本には書かれている。「計算で割り出した身長を身に着けている者、家に保管している者、あるいは毎日かならず見る者は、ある日突然死ぬことがない[……]火事や水の被害を受けないし、悪魔にも嵐にも襲われない」[40]。

こうした信仰は、思いのほか長く生き残った。二十世紀までの記録がある北米の民間伝承にも、似たような治療法は登場する。もしも怪我や感染症に苦しめられていたら、患部を麻ひもで測ってから、その輪郭を生木の横に描くようにと教えている。そのあと「汚れた」地面をくり抜き、傷の処置をするように軟膏を塗ってから包帯で包めば、実際の体の患部も治癒する。そして、子どもが喉頭炎や喘息など慢性的な症状に苦しめられていたら、身長を測ってから、木（多くの場合はニワトコ）の枝をそれと同じ長さに切り取り、重要な場所に保管しておく。埋めてもよいし、病弱な子どもの部屋の隅に置いてもよい。やがて子どもの身長が枝の長さを上回れば、病気も克服される[41]。

これらの話に登場する計測は、見えない力を引き寄せるためにそれぞれ異なった方法で作用している。写本からキリストの身長を計測する行為は、信仰による祈りのようなものだ。「祈りを暗唱することで信仰は具体化される」とエマニュエル・ルグリは指摘するが[42]、それと同様、昇天して地球から消え去ったキリストの体を再現すれば、聖霊は実体を伴う。一方、痛みを抱える学者にとって、計測はいわば現状を把握して問題を証明するための観察行為で、医者の診察を受けるようなものだ。そして北米の民間伝承に登場する治療法での計測は、オリジナルとコピーがまったく同一であることを保証している。そのため病気は肉体から物体へと移動して、解放された肉体は健康を取り戻すのである。計測が内在するものを把握するため、つまり物差しの前にあるものを測るだけの行為に限定されていたら、いま紹介したような機能はあり得ない。融通性のある土地の面積の単位と同様、計測が仲介役として機能することが理解されているから、様々な場面で応用されている。計測は人間を周囲の世界と結びつけるツールであり、外の力との交流にも役立つ。計測についてのユニークな解釈は、思いのほか長く生き続けている。

地域独自の計測法

中世が進むにつれて、測定単位の標準化と認定への新しいアプローチも発達したが、その多くは政治的状況の変化を反映している。イタリア中北部の都市国家は、こうした進展のユニークな事例として際立っており、地域独特の計測法の維持が、この時代には重視されたことがわかる。イタリアでもこの地域は肥沃な農地に恵まれるだけでなく、東方への貿易ルートに当たり、しかも金融業が急成長していたため、ルネサンス直前のヨーロッパでは最も豊かな地域に数えられた。ヨーロッパ大陸の他の地域は、ほとんどが君主による支配を受けていたが、イタリア中北部は政治体制がはるかに多彩だった。多くの町がコムーネとして運営され、封建制度の枠組みの外に存在していた。やがてこれらの都市国家は自らの政府を設立する。その多くは民主主義的な特徴を備え、主権のなかには独自の度量衡を設定する権利も含まれた。

こうした特権は、常に簡単に勝ち取られたわけではない。当初、この地域は神聖ローマ帝国のフリードリヒ一世、別名フリードリヒ・バルバロッサの支配下に入った（イタリア語でバルバロッサは、「赤ひげ」を意味する）。彼は一一五五年、即位してイタリア王国を手中に収めるにあたって勅許状を発行するが、そのなかで、橋の通行料や市場の税金を管理する権利と共に、測定基準を決定する権利を主張したのである。この特権を主張するためには、かつてのシャルルマーニュの先例を参考にした。フランク国王のシャルルマーニュは、八世紀から九世紀にかけてヨーロッパ中部の多くを戦いで征服して統一した。その後は計測をはじめ数々の分野で改革を行ない、「かなり平和な」時代が到来したため、歴史では黄金時代として評価されている[43]。ただし、宣言しても実行に移すのは難しい。シャルルマーニュの改革が日々の計測にどのような影響を与えたのか評価することはできないが、感動的な伝説としての効果は確実に維持された。だから赤ひげ王だけでなく、王に虐げられている大衆の心に訴えたのだ。一〇〇〇年後のフランス革命の前夜、科学者のアレクシス＝ジャン＝ピエール・ポークトンは、つぎのように嘆いた。「かつての王たちの時代には、あらゆる計測が平等に行なわれた」が、強欲な諸侯によって歪められてしまった。[44] 結局のところ赤ひげ王にとって度量衡を設定する権利は、現実の政策に比べれば王の特権としての重要性はなかった。独立心の強いイタリアの都市国家に権力を行使するためには、交換してもよい貴重な商品だった。そこで十二世紀に締結した数々の平和条約のなかで、彼は度量衡を設定する権利を都市やコムーネに譲り、時には永遠に許可した。権利を勝ち取った人たちは大喜びで、民主主義を掲げるコムーネで彼のこの行ないは特に高く評価された。

たとえばトスカーナ地方のシエナ共和国では、「良い政府と悪い政府の寓意画」のなかで、計測が中心的な位置を占めている。これは一三三八年から一三三九年にかけて制作された一連のフレスコ画で、この共同体のプブリコ宮殿すなわち役場に飾られている。これは、当時としてはめずらしい作品だ。信仰芸術が盛んだった時代に、世俗的な絵画が制作される機会は滅多になかった。この時代には、教訓的・寓話的な意味が込められた絵画はまず見当たらない。巨大なフレスコ画は、九頭の間（Sala dei Nove）の三つの壁に描かれている。ここは、シエナの治安判事たちが都市の業務について判断するために集まった場所だ。長い会議のあいだ絵画の人物たちからずっと見つめられる治安判事は、誰もが自分に委ねられた権力について思い出さずにはいられなかったはずだ。ひとつの壁には悪い政府の影響が描かれており、田舎では農家が燃え、都市では暴動が発生している。その反対側には良い政府の効果が描かれている。農民は畑で豊かに実った作物を収穫する。それを賑やかな都市の市場に持っていくと、街路では女性たちが踊っている。一方、真ん中のフレスコ画には、正義を司る人物の姿が大きく描かれている。真上にいる叡智の女神は、天秤を慎重に調整している。左側にいる人物は正義の裁きを下す役目を与えられ、一方の手で罪人の頭を斬り落とし、もう一方の手で正直者に王冠を授けてと、休む暇がない。右側に描かれているのは正義を伝える人物で、待機しているふたりの商人に三つの秤を手渡している。いずれの秤もシエナの測定基準が採用されており、乾いた穀物を量る単位はスタイオ（ブッシェルに相当）、製造業や建築で長さを測る尺度はパセットとカンナのふたつだったことがわかる[45]。これらの秤からは二本の編んだひもが垂れ下がり、それをコンコルディア、すなわち調和の女神が、シエナの市民たちの助けを借りて受け止めている。

このフレスコ画は比喩的であると同時に写実的であり、教訓的であると同時にユートピア的で、対照的な要素がうまく共存している点が印象的だ。測定基準が伝統的な正義の行為（罪人の首を斬るなど）と同等に優先されているだけでなく、商人や市民が測定基準の維持に同等の義務で臨んでいる。シエナの共和制そのものと同様、信頼性のある測定基準の確立には地域全体の努力と協力が必要とされた。そのために人々は結束し、それがお互いの繁栄につながったのだ。壁の近くには、つぎのように書かれている。「女神の姿に目を向けなさい。この土地を統治するあなたたちは、［正義を司る者］として絵のなかに描かれている。女神から王冠を授けられたのだから、常にあらゆる人に正義を心がけなければならない[46]」。

ただし、測定の標準となる単位の恩恵を感じるためには、実施されなければならない。十三世紀にピサの数学者のフィボナッチは、世界にはふたつのタイプの商人が存在することをつぎのように説明した。「自分の腕や前腕や歩幅で計測する商人」と、「ペルティィケすなわち別の測定基準を利用する商人」である[47]。ピサの活気あるドックや倉庫で働いていたフィボナッチは、当時の計測の習慣を観察するには絶好の立場にいた。そして、計測をはじめ様々な事柄について仲間の市民を教育するため、数々の取り決めに関して執筆した。一二〇二年に発表された『算盤の書』には、地中海全域の港で使われている様々な測定単位の細かい目録が編纂されている。「iugerum, aripennio, carruca, tornatura, cultura」といった単位を紹介したうえで、公平な計測を行なうためには、あらゆる素材に共通の単位が適用されるのが望ましいと指摘している。

フィボナッチが計測にこれだけ注目したのは、この時代に計測に対する「文化的意識が新たに高まった」[48]ことの反映だとルグリは指摘する。ただし取り決めについて執筆するだけでは、体を使った計測を続ける人たちと、もっと正確さを求める人たちとのギャップを埋めるための橋渡しとして十分ではない。橋渡しを達成するためには、公の基準について話し合い、それを役人が実施する必要があった。厳密に言えば、公の基準は新しいイノベーションではない。結束力のある社会の興亡に合わせて、ヨーロッパでは数世紀にわたって好まれる時期と廃れる時期が繰り返されたようだ。[49]たとえば、古代アテネのアクロポリスや古代ローマのカピトリヌスの丘には公の測定基準が保管されていて、そのコピーが市場などに流通していたことが知られている。アテネのアゴラからは、測定単位が記された銅板や粘土板が発見されているし、[50]ポンペイの廃墟で噴火の難を逃れた市場からは、様々な測定単位が記された銘板をはめ込んだテーブルが見つかっている。刻まれた文章によれば、単位の大きさは「町議会議員の命令にしたがって」規制された。[51]ただし、こうした習慣がどれだけ普及していたのか確認するのは難しい。しかも古代の市場を発掘した結果からは、認可されていない度量衡の多くも普及していたことがわかる。[52]

イタリアでは十二世紀以降に豊かになったおかげで、こうした公の測定基準の人気が復活したようだ。ルグリは測定基準が記された記念碑をピエトリ・デ・パラゴン、すなわち「礎石」と呼んだ。その多くは、重要な建築物や公共のインフラの傍らに置かれた石に刻まれたからだ。中世のコムーネでは、他の重要な権利や義務も同じように記録された。そこからは、測定基準の地位はこれらに匹敵していたことがわかる。たとえばルッカの大聖堂の正面には、「この中庭では盗むなかれ、ごまかすなかれ、偽造するなかれ」という商人への警告が刻まれている。[53]ペルージャのコムーネは一二三四年に新しい税制を発表したとき、その内容を石板に刻んで大聖堂の鐘楼に取り付けた。[54]そしてピエトリ・デ・パラゴンも同じように扱われた。教会や市場では、測定の基準となる長さの直線が壁の石に刻み込まれていた。そのえぐれた部分に計測したいものを置いてみれば、役人は自分たちが使っている基準の正しさを点検できる。壁に作られた窪みを利用して単位を確認するのは、改竄を回避するためのシンプルながら賢明な方法だった。これなら短くできないし、両端に金属製のエンドキャップがはめられているので延長もできない。ルグリはこう語る。「物体は操作できるが、空洞はごまかせない(55)」。

基準となる値の正しさをこのように確認することは、現代の計測学者からは「トレーサビリティ」と呼ばれる。そこからは、測定単位が信用されるためには、その起源まで遡り、変更されていないことを証明する方法が必要なことがわかる。ピエトリ・デ・パラゴンのなかでも、長さの基準は最も普及していたが、他の単位も石に刻まれていた。パドヴァのラジョーネ宮では一二七七年から、標準サイズのレンガや屋根のタイル、パンの大きさが石に刻まれた。パンは丸い形で中央に十字が刻まれ、聖体拝領で使われるウエハースを特大サイズにしたような印象を受ける。市場でパンを買ったパドヴァの市民は、購入したパンを石にくり抜かれた形に重ね合わせ、正しい大きさかどうか確認したのだろう。これは、良いガバナンスの象徴としてシエナのフレスコ画に匹敵する。コムーネは文字通り、市民が日々食べるパンのサイズの正しさを証明したのだ。

公の測定基準は数世紀にわたって各地で使われてきたが、工業時代が始まる頃にはその必要性に疑問が生じた。たとえばロンドンのトラファルガー広場では、長さの帝国単位を刻んだ銅板が、一八七六年から北西の角の階段に埋め込まれた。そこにはヤード、フィート、リンク、チェーン、ロッド（またはパーチ）の長さが記されているが、取り付けられても参考にされた可能性はなさそうだ。外科医でもあったエドワード・ニコルソン中佐が一九一二年に出版した度量衡の歴史では、訪問者につぎのように警告している。「トラファルガー広場に刻まれた［測定基準を］手軽に参考にしようとすれば、誰でもかならず後悔するだろう。好ましくない人物のたまり場なのだから、そんな場所に記された規定など当てにならない(56)」。結局のところ、アクセスのしやすさはこうした代価を伴う。

役人はこうした測定基準を設定するだけでなく、商人が用いる度量衡が公式の単位と乖離していないか確認する作業にも駆り出された。この習慣もやはり、古代の世界から存在していたもので、古代ギリシャではmetronomoiがアテネで度量衡を点検した。これは中世に入っても様々な形で継続し、ビザンチン帝国ではbullotaiが、ピサではsensalesがこの仕事を引き継いだ。いずれも測定単位を点検するだけでなく、製品の質に関して偏見のない意見を述べて、言うなれば自由に移動する買い物相談係のように行動した。[57] イギリスでは、市場で計測を巡る論争が発生すると、「泥足裁判所」として知られる特別法廷で解決された。これは「イングランドの法律で規定された最もランクの低い裁判所だが、同時に最も手際が良い裁判所でもある」と、ある法律の歴史書には記されている。[58] 泥足裁判所の起源は少なくとも十一世紀まで遡る。イギリスで通常の法廷制度が誕生するよりも早く、市《いち》の立つ日に発生する犯罪行為に関して迅速な判断を下した。犯罪行為は窃盗や暴行から商品の正しい計測を巡る論争まで、広い範囲におよんだ。泥足裁判所という名前は、フランス語で不正行為をpieds poudrésすなわち「泥足」と表現したことに由来する。旅商人は、汚れた靴であちこち移動して問題の解決に努めたものだ。自由に移動する人物が計測に関する裁きを行なう習慣は、今日でも存在する。たとえばイギリスでは、商売に関する不正行為が告発されると、取引基準担当官が駆り出される。そして市場の秤が改竄されていないか、パブはビールの量をごまかしていないか、立ち入り検査を行なう。

しかし、測定単位が公に認められていたことを伝える最も愉快な事例は、十六世紀の地理の教本に紹介されている。しかもこの事例からは、測定単位の認定が共同体全体の責任だった可能性がうかがえる。この教本を執筆したのはジェイコブ・コーベルという人物で、町の職員として働くかたわら、Rechenmeisterすなわち「計算のマスター」（算術の教師）を務めた。この教本には、塔の高さを地面から測る方法、畑を測量する方法など、実践的な教訓がいくつも紹介されている。しかしそれ以外にも、ルードを再現する方法について記されている。ルードはヨーロッパ全域で長いあいだ普及してきた長さの単位だが、一六・五フィート（およそ五メートル）から二四フィート（およそ七メートル）まで大きな幅があった。コーベルは新たに誕生した計測学者たちに、かつて存在した基準や門外漢の権力者に頼るのではなく、自分の手でルードを定義するようにと助言している。具体的には、日曜日の礼拝が終わった頃に教会の扉のあたりで待機して、「たまたま通りがかった会衆のなかから背の高い者と低い者を合わせて一六人呼び止める」。そして、「左足を右足の後ろに交差させた姿勢で」、全員を一列に並ばせる。このように密着して並んだ集団の列の長さが、コーベルによれば「正しく合法的なルード」に匹敵するという(59)。このようにして導き出された単位は、文字通り民衆の体によって決定された。選ばれた住民の歩幅を合計した結果であり、それが地域の土地を計測する単位として使われるのだ。こうして計測は住民の生活を結びつけ、それによってお互いの理解が深まり、社会秩序の土台が出来上がったのである。

第3章　世界を測る

科学革命は計測の範囲をどのように拡大していったのか

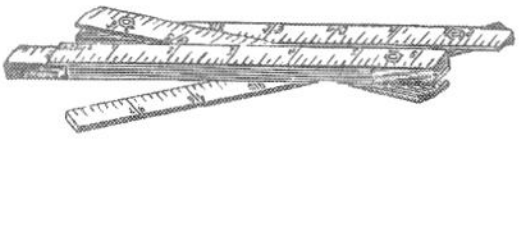

これまで実行されなかった事柄が、まだ試されたことのない手段を使わずに実行できると期待するのは、根拠のない空想であり、自己矛盾している。

フランシス・ベーコン　ノヴム・オルガヌム（一六二〇年）[1]

計測と近世初期の精神

計測が始まった当初は、生活に欠かせないものが関心の対象だった。耕す土地の長さや、食べるものの量を測ればよかった。しかし今日の私たちが理解している計測は、名前を持つあらゆる現象に使われる。私たちは雨や放射線の量を測り、カロリーや歩数や布の数を数える。宇宙の奥行きも、原子と原子のあいだの空間も、同じように正確に測ることができる単位がある。さらに、計測できないと明言されるもの、たとえば幸福や痛みや不安なども、敢《あ》えて計測に挑戦する。詩人のW・H・オーデンが指摘したように、私たちが所属する国では「重さや長さを測れるものの研究への愛が尽きない」[2]。では、私たちの生活のこれほど多くの側面に計測がこれだけ圧倒的な権限を持つようになったのは、いつからなのか。

計測は最初、実益のために重宝された。認識する手段として重宝されるようになったのは、哲学や科学の最大の謎に取り組む能力が発達したおかげだ。計測による妥当性の確立は、いわゆる科学革命が進行した時代の幕開けと共に始まった。知的文化が混乱状態のなかからゆっくりと、矛盾を克服しながら育まれた時代だ。やがて知的文化は十五世紀以降、ヨーロッパの外にも広がった。この時代の出来事は、様々な形で評価されてきた。それまで顧みられなかった人間の主観性が、脚光を浴びるようになった点が注目されたこともあれば、「意識の世俗化」が進んで来世への関心が薄れた結果、現世をいかに生きるかが重視されるようになった点が注目されることもあった。そして、ギアやレンズや機械が発明された物質革命の時代だったという評価もある。[3] しかし、どの側面に注目しようとも、とびきり大きな変化が進行したことは間違いない。イギリスの詩人ジョン・ダンは、十七世紀初めにこう嘆いた。この「新しい哲学はすべてを疑う／火は元素に分解され／太陽も地球もかつての姿を失い、人類は混乱している／このままで、人類を正しい道に導くことができるのだろうか」。[4]

この革命は、知的発想の変化の数々に支えられた。たとえば、伝統的な権威の正しさは疑われ、何事も試してみる姿勢が新たに評価されるようになった。ただし、計測と定量化の影響は見逃せない。近代初期（十五世紀末頃から始まる）に先立つ数世紀は、計測に値する対象に限界を設ける習慣が知識人のあいだに定着していた。穀物の重さを計測するために秤を使うのは大いに結構だが、その同じ秤が、宇宙の性質や燃焼の仕組みの解明に役立つとは、ほとんど誰も考えなかった。実際、経験によって証明される知識の多くには、懐疑的な見方が定着していた。神学者が数学を賞賛するのは、神の創造物について説明する場合に限られた。そして自然哲学者は（今日では「科学者」として知られる集団の前身）、古代ギリシャから受け継いだ世界観にしばしばこだわったので、自然現象の仕組みは根底にある「原因」によって主に説明された。

現実をこのような形で理解すると、ドングリから水に至るまであらゆるものが、魂のような目的を持つことになる。それを最善の形で理解するためには、実験ではなく理性が必要とされる。ちなみに、アリストテレスはこう書いている。「人間は、『なぜそうなるのか』把握しないかぎり（すなわち主な原因を把握しないかぎり）、物事を理解したとは考えられない」。[5] 計測は大工や商人が行なうもので、思想家とは無縁だった。それは、私たちが見たり聞いたり触れたりする地上の世界は流動的で絶えず変化していると、古代の学者やその弟子たちが信じていたからでもある。プラトンによれば、世界は常に形を変化させ、ひとつの存在に決して落ち着かない。そんな世界を観察によって理解しようとするのは、夜空を研究するために、たゆたう海に反射した風景に注目するようなものだ。プラトンはつぎのように警告する。「体の有用性にばかり注目して研究すると」、魂は「肉体から引き離され、移り気な世界に放り込まれる。その結果、道に迷って混乱し、目がくらんでしまう」。不変のものについて理解するには、物理的な世界の混乱状態の先まで到達しなければならない。

こうした姿勢は中世を通じて少しずつ変化した。それは、聖書に関するふたつの解釈を比べるとよくわかる。千年の隔たりがあるが、第二正典に当たる知恵の書の同じ一節の解釈にどちらも取り組んでいる。問題の箇所にはこう書かれている。神は世界を創造したとき、「あらゆるものの長さと重さを測り、数を数えるように命じた」。これは、厳密にはどういう意味だろう。

古代末期の最も影響力のある学者であり、西方教会の創始者であるヒッポの聖アウグスティヌスは、紀元四世紀末にこの一節の解明に取り組んだ。それによると、神が世界の数を数えたり、重さや長さを測ったりしたと想像するべきではない。こうした概念は、天地創造の以前には意味をなさなかったからだ。むしろ、計測とは何かの限界を規定する神の原理であり、「数」とは物質が様々な形をとることに言及している。そして「重さ」は、物理的な物体を引き寄せて安定させる天から授かった資質である（すべてのアイデアは、古代ギリシャから直接取り入れたものだ）。アウグスティヌスはつぎのように指摘する。「重さは底辺ではなく、本来の場所へ向かう。したがって火は上に、石は下に向かう傾向がある。重さによって移動して、本来の落ち着き場所へと向かう」[6]。それに比べ、ドイツの哲学者であり天文学者のニコラウス・クザーヌス（一四〇一年〜一四六四年）は十五世紀、同じ一節を別の形で解釈した。そこからは、同じものに対する期待が時代と共に変化することがわかる。人間は日常の仕事で必要とされる計測を行なうが、同様に神も、壮大な事業のために必要な計測を行なったとニコラウスは考えた。そして一四四〇年に発表した著書『De docta ignorantia』（『学識ある無知について』）のなかで、つぎのように説明している。神が「あらゆるものの長さと重さを測り、数を数えるように命じた」というくだりは、「世界を創造するときに、神が算術と幾何学、さらには天文学を使った」ことを意味する。[7] ニコラウスによれば、こうした習慣は理性の産物である。これらの行為によって「人間は獣に勝る存在になった。なぜなら獣は数を数えられないし、重さや長さを測ることができない」[8]。さらにニコラウスは、何かを測ったり数えたりするときは、神の事業を引き継いでいるのだと指摘する。世界の謎を解き明かすために計測を行なえば、最初に「流れる水の量を調節し、地球の土台の重さを決定した」神の先例に倣うからだ。[9]

古代ギリシャ人と数字

中世から近代初期にかけて計測の分野で進行した革命を十分に理解するためには、アメリカの歴史家アルフレッド・W・クロスビーが中世ヨーロッパの「計測への」偏見と呼んだ現象の起源について理解する必要がある。[10] この反感の究極の源は、古代ギリシャまで遡る。当時の著述は、主にアラビアの学者による翻訳や注釈を通じてヨーロッパに伝えられ、アクィナスなどの思想家が大きく発展させたキリスト教文化に統合された。

なかでも最も影響力が大きかったのはプラトンだった。彼は最も重要な教義のひとつのなかで、世界をふたつの領域に分割している。すなわち、物質の領域とイデアの領域だ。物質の領域は、触覚、視覚、嗅覚、聴覚、味覚といった感覚によってアクセスできる現実である。一方、イデアの領域は永遠かつ不変で、心を通じてしか触れ合うことができない。イデアのなかには、今日では抽象名詞に分類される美や善などが含まれるが、同時にイデアは日常生活の青写真でもあり、青い、四角い、寒いなど、周囲の世界を表現する形容詞も含まれる。要するに、世界の中心的な資質——おそらくエッセンス——を強調し、文化として普及している知識にアプローチする手段である。たとえばカナダの詩人であり古典主義者であるアン・カーソンによれば、古代ギリシャの文学は、人々や物体に本来備わっている資質へのこだわりが非常に強かった。「ホメロスが語る血は、黒い血だったと、カーソンは記している。「女性ならば、美しい女性や目立つ女性が登場する。ポセイドンは常に、眉毛のそり跡が青いポセイドンだ。神は笑いを抑えられない。人間の膝は敏感だ。海は疲れを知らない。死は不吉だ」[11]。こうした形容語句は、初期の詩が口述された結果でもある。同じ言葉の繰り返しならば暗唱しやすい。しかし同時に、哲学の伝統の本質を的確にとらえた結果でもある。

程度の差はあるが、形は物質的領域に存在するものによって具体化されるとプラトンは語る。空や海は、青さや冷たさを様々な程度で反映する。あなたが描く円は、完璧な円が不完全な形で再現されたものだ。完璧な円は感覚ではなく、合理的思考を介さなければ理解できない。こうした知識の屈折――私たちが経験する世界は間接的なものだというアイデア――は、プラトンの有名な「洞窟の比喩」でわかりやすく説明されている。『国家』に登場するこのストーリーのなかで、人間の存在は洞窟のなかで鎖につながれた人間にたとえられている。後方では火が燃えているが、拘束されているので振り返って見ることはできない。火の前を物体が通り過ぎても、前方の壁に映る影しか見えない。見えるものは影だけで、影を創造する物体は見えない。物体には実体がなく、現実が歪められる。そして影は、世界についての人間の認識であり、不完全で曖昧さを伴う。このイメージは印象的で、今日でも未だに影響力を持っている。いまではプラトン主義者はそう多くないかもしれない（少なくとも、哲学科の学生以外には多くない）。それでも時には、見たり聞いたり触れているものが粗悪な模造品で、本来の姿に劣っているように感じられることがある。

古代ギリシャ人や彼らに影響された人たちにとって、この形而上学からは知識のヒエラルキーが創造される。そこでは超越的な存在が物質的な存在よりも、理にかなったものがじかに観察されるものよりも優先される。そうなると理解を助けるための手段として、計測や定量化はヒエラルキーの下のほうに位置付けられる。『国家』のなかでプラトンは、感覚がいかに誤りやすいか説明するために、簡単な実例について紹介している。まず、手のひらを上にした状態で腕を前に伸ばし、つぎに指を観察する。最初は小指、つぎは薬指、そのつぎは中指。そうしたら、どの指がいちばん大きいか自分に問いかけてみよう。薬指は小指よりも大きいけれど、同時に中指よりも小さいと、直感的に考えるだろう。だが、これはどういう意味なのか。同じ物体が何かよりも大きいと同時に小さいことがあり得るのだろうか。プラトンは、「知覚は信用に値する結果を生み出さないようだ」と結論した。知覚が提供するのは「矛盾する印象だけで、正反対の資質が同じように明確に示される」。そう指摘したうえでプラトンは、この法則は大きさだけでなく、重さから硬さに至るまで、様々な資質に当てはまると述べた[12]。そんな世界では、計測からは劣等なデータしか生み出されない。物質的な現実について理論を立てることはできるが、その性質は変化が目まぐるしく、矛盾をはらんでいるため、どんな結論に達しようとも信頼性に欠ける[13]。もちろん、計測の道具にも用途はある。プラトンは、建築のような作業で使われるとき、「計測とそのための装置からは、実に正確な結果がもたらされる」と賞賛している[14]。しかしどんなに素晴らしい建築物も、哲学思想から提供される堅実性にはかなわない。建築物は、壁に映る影と同じようなものだ。

こうした姿勢にかかわらず、古代ギリシャ人やその影響を受けた中世の思想家は、数学の重要性を認めないわけではなかった。むしろ反対で、数字は永遠の意味を持つ不可欠な集合体だと考え、敬意を払った。そして数学の研究の一部は（特に幾何学は）、卓越した知識を立証する重要な存在だった。数字は抽象的な計算や公理として見なされるかぎり、潔白性を失わなかったのである。四世紀末に執筆した『自由意志論』のなかで、聖アウグスティヌスはこう語っている。「五感で経験するものがどれだけ長く持続するのか、たとえば空や地面、あるいはそこで認識される他の物体がどれだけ持続するのか、私にはわからない。しかし七と三を足せば一〇になるという事実は、現在に通用するだけでなく、永遠に変化しない。七と三を足して一〇にならなかったことはないし、これからもずっと七と三を足せば一〇になる[15]」。

ただしこうした視点は、今日の私たちが考える数学よりも、数秘術に共通している。たとえばプラトンは、国家の理想的な人口は五〇四〇人だと述べているが、これは食料の供給や分業などについて計算した結果として正当化された選択肢ではない。五〇四〇人の市民から成る都市国家が正しく適切なのは、七×六×五×四×三×二×一の積なので、象徴的に重要な数字になるからだ。[16] これに関してプラトンは、彼よりも以前に活躍したギリシャ人哲学者ピタゴラス（紀元前五七〇年〜紀元前四九〇年）の影響を受けている。ピタゴラスは「すべては数で表される」と明言し、数の原理は現実の基底をなす要因だと考えた。そして、数字ごとにユニークな特徴を当てはめるアプローチで臨んだ。それによれば、数字の1はモナド、すなわち神という単一の本質を指し、あらゆるものの起源である。2はダイアド、すなわち二次的原因であり、物質の変形を表現する。1と2から生み出される3は最初の男性的な数字だが、始まりと中間と終わりがあるので、完璧な存在でもある。こうなると数字は計算ではなく象徴になる。それでも歴史家は、少なくとも物事の性質を問いただす方法として、数学には意義があったと主張している。[17]

中世にアウグスティヌスや彼の後継者たちは、数字にはこうした象徴的な意味があるという解釈を受け継いだ。これだけ興味深いものを手放すのはもったいないと考えたのは間違いない。そのためキリスト教の信仰にも組み込まれ、数字は「神による天地創造の青写真」「創造主の心を理解するための秘訣」と見なされた。[18] たとえば数字の3は三位一体を象徴し、その倍数である6は神が天地創造にかけた日数になる。さらに、3を何度も繰り返せば33、すなわちキリストが死んだとされる年齢になる。10はモーセの十戒の数で、法律を象徴する。それよりもひとつ大きい11は、ユダが死んだ後のキリストの弟子の数で、混乱と罪を象徴した。[19]

こうした信仰は古代ギリシャ哲学と同様、数の質的側面を強調する姿勢を促した。クロスビーによると中世初期、数は主に修辞的効果を狙って利用された。十一世紀の叙事詩『ローランの歌』の主人公は、「一〇〇〇回の打撃を与え、そのあとさらに七〇〇回の攻撃を加える」と敵に警告している。あるいは聖書には、一〇万人の兵士から成るシリア軍をイスラエルが打ち負かし、追い詰められた残党は都市に一気に押し寄せた結果、壁が崩壊してさらに二万七〇〇〇人が命を落としたと記されている。[20] 一方、料理のレシピでは正確な単位にこだわらず、「少々」とか「中くらい」といった表現が好まれるし、時間や日にちも同様に曖昧な形で表される。[21] こうした姿勢には、入手できる道具の影響が大きい。実用的な作業に使われる秤や物差しは存在したが、数や計算の体系が応用される範囲は限られていた。中世の大半、数の計算に使われる道具には、ローマ数字が原則として採用された。ローマ数字では、20未満はラテン語と縦棒の組み合わせで表記され、それより大きい数にはアルファベットの大文字が使われた（5はV、10はX、50はL、といった具合に）。この体系だと数字を記憶しやすいが、計算には不向きだった。+、−、÷、=といった数学記号はいっさい存在しない。十三世紀に入ってインド・アラビア数字が徐々に導入されると、ようやく位取りやゼロの概念が知られるようになった。

中世の思想で量よりも質を重視する傾向はおそらく、ラテン語百科事典の編纂に貢献した学者たちの研究成果に最も顕著に表れている。学者たちは活躍した時代も場所も様々で、古代ローマでは大プリニウスやマルティアヌス・カペラ、ヨーロッパでは七世紀に西ゴート族出身のセビリア大司教イシドールス、八世紀にはイギリスのベネディクト修道士だった尊者ベーダなどが注目される。十二世紀から十三世紀までには、こうした学者たちの集団によってヨーロッパの学問の大黒柱が完成し、最終的には中世の学問を構成する七つのリベラルアーツ（自由七科）が規定された（言葉に関連したトリヴィウムは文法、論理、修辞学の三つ。数学に関連したクアドリヴィウムは音楽、算術、幾何学、天文学の四つ）。

学者たちのアプローチは、まるでガラクタを無差別に収集するかのように、様々なソースから目についたものは何でもかき集めて編纂した。彼らは噂話さえも、信頼できる事実と見なして満足した。たとえばプリニウスの『博物誌』は三七冊から成り、五〇〇ちかくのソースから集めた知識が含まれるが——発見や芸術に関してだけでなく、「人類の過ちに関して［……］膨大な情報が記されている」。[22] あるいはセビリア大司教イシドールスの『語源録』は簡潔で、その書名からもわかるように、言葉の起源の探求こそ知識に至る最も信頼できる道だと示唆している。イシドールスによれば、世界の歴史は物事の原因、すなわち具体的な名前を付けられるに至った経過についての説明力によって形成され、そこからはしばしば、「なぜ」という基本的な疑問への回答が提供されるという。たとえば「これはなぜ存在するのか、その目的は何か」と問われたとしよう。すると、rexという言葉（「王」）は、君主にはrecteに（「正しく」）行動する義務があることに由来するもので、homo（「人間」）は、私たちがhumus（「土」）から形作られたことに由来すると回答する。こうした語源によって説明される原因には、対象と関連する場所や人物や行動が含まれるケースが多い。たとえば、vultur（「ハゲワシ」）は、volatus tardus（「ゆうゆうと空を飛ぶ」）ことにちなんだ名前であり、架空の存在であるbasiliscus（「バシリスク」）【訳注／ギリシャ神話に登場する、トサカのある爬虫類】は、他のヘビに対してβασιλεύς（「王」）のように振る舞い、目の前にいるヘビをにらんで蹴散らす行動が名前の由来になっている。（イシドールスはつぎのように説明して私たちの不安を取り除いてくれる。バシリスクの恐ろしさは評判だが、イタチが簡単に撃退してくれる。「このように自然の創造主は、あらゆるものに救済策を準備している[23]」）。イシドールスの作品は、こうした語源学が大半を占めたが、それは何世紀にもわたって非常に人気が高く、丁寧な写本で何百回となく再現され紹介された。それに比べ、幾何学のような量に関わる科目は表面的な記述にとどまり、数学は聖書数秘学への洞察が主に評価された。イシドールスは、数量化への読者の嫌悪を見越し、こう記している。「数の計算を見くびってはならない。なぜなら聖典の多くの節のなかで、数にはいかに素晴らしい謎が込められているか明らかにされている[24]」。

『語源録』のようなテキストで提供される情報は、私たちから見れば些細で場当たり的で、集められた逸話は過去のプリミティヴィズム（原始主義）の象徴としか思えないかもしれない。しかし今日の現代的・科学的な方法と同様、宇宙を質の側面から理解すれば、混沌とした存在に秩序の感覚が提供される。これは単なる動植物の索引ではない。世界で自分の居場所を確かめるために役立つ認知地図でもある。

アリストテレスとオックスフォードの計算者たち

プラトンの影響力は中世を通じて強力だったが、十三世紀以降、彼の地位は次第に弟子のアリストテレスに取って代わられた。アリストテレスは知識を構築するにあたり、観察と計測に独自のアプローチで臨んだ。この時代、アリストテレスの思想の求心性や重要性は、どんなに誇張しても十分ではない。彼の教えのすべてが無条件に受け入れられたわけではないが、広範囲にわたる独創的な著作に触れた学者たちには、実に魅力的な世界の全体像が提供された。古代人への崇拝がめずらしくなかった時代に、アリストテレスの教えは特に高く評価された。ダンテは彼を「知識人の巨匠」と呼んだ。アクィナスは、「キリスト教の信仰の恩恵に頼らず、可能なかぎり最高の人間」に達した人物として賞賛した。そしてイスラムの哲学者アベロエスは、アリストテレスの貢献をつぎのように要約した。「アリストテレスの教えは至高の真実だ。なぜなら、彼の心は人間の心の究極の表現である(25)」。

おそらくアリストテレスの思想のなかで最も重要な側面は、抽象的なものから実証的なものへの焦点の移行だろう。アリストテレスはプラトンのイデア論を受け入れたものの、それを物質のなかに受け継がれた特質と考え直し、空間や時間の外に存在する概念としてとらえる発想と一線を画した。このような移行の結果、物質的な世界や感覚でとらえた姿が新たに注目されるようになった。これはアリストテレスにとって、決して最も重要な知識の形態ではなかった（実際これは、人間が普遍的な真実という高みに達するための足がかりでしかなかった）。しかし、見たり聞いたりするものを観察すると知識から注意がそれるのではなく、知識の構築に役立つことが認識されるようになったのは大きい。アリストテレスにとって、そのために不可欠なのは帰納のプロセスだった。すなわち、世界の特殊な部分についての観察から一般論を導き出すのだ。「帰納のプロセスがなければ、普遍的な事柄については考えられない。そして知覚なしには、帰納することは不可能だ」と、彼は『分析論後書』に記している。[26]

ホメロスが黒い血や敏感な膝という表現を使ったのと同様にアリストテレスは、自然界には先天的な資質が備わっていて、それが行動を決定づけるのだと理解した。彼の哲学のこの側面に、中世の自然哲学者たちは最も関心を持った。世界で物事がどうなっているのか知りたければ、歴史が教えてくれるが、自分たちの目標は原因の解明だと、自然哲学者たちは理解していた。アリストテレスにとって、物事の最も重要な原因は目的、すなわちテロスだった。アリストテレスの目的論的な世界では、煙が空に向かって上昇し、岩が地面に向かって転がるのは、逃げるウサギをオオカミが追いかけるのと同じ理由からだった。アメリカの科学史家スティーヴン・シェイピンの指摘によれば、これはアニミズムに近い見解で、無生物にも魂のような目的があると見なす。「アリストテレスの物理学はその意味で生物学をモデルにしており、生きとし生けるものを理解するときと同様、説明に際してカテゴリー分けが行なわれた」とシェイピンは記している。「ドングリが成長して樫の木になると、潜在的だったものは現実のものに変容を遂げる。それと同様、高いところにある石が落下すれば、石の潜在力が現実化し、本来の性質が実現したことになる[27]」。

ただし、アリストテレスの教えはヨーロッパじゅうに広まったが、彼の手法の一部は疑問視され始めた。最も古い事例のひとつの震源はオックスフォード大学だ。マートンカレッジに所属する学者グループは十四世紀初め、自然哲学への数学的・定量的アプローチを新しく考案し、歴史家のあいだでオックスフォードの計算者たちというニックネームで呼ばれた。この思想家のグループには、トーマス・ブラッドウォーディン、ウィリアム・ヘイツベリー、リチャード・スウィンシードらが名を連ねた。彼らが執筆した論文やテキストはその後、数世紀にわたってヨーロッパの思想に影響を与えた。[28] グループの事実上の創設者であるブラッドウォーディンは、数学の原理を自然界に応用できると強く確信していた。彼によると数学は、「正真正銘の真実をあまさず明らかにしてくれる。なぜなら数学は隠された秘密のすべてを理解しており、あらゆる難解な文書を解明するための鍵を握っているからだ[29]」。

計算者たちは、運動と変化に関するアリストテレスの説明に特に興味を持った。ここでは思想が拡大解釈されており、いまでは科学の領域と思えない現象まで研究の対象に含まれた。アリストテレスはこう語る。変化を理解すれば自然を理解したことになる。なぜなら、自然は常に流動的で、姿をつぎつぎ変えていくからだ。彼の教えのなかには、科学的法則のような印象を受けるものもある。たとえば、他から働きかけられないかぎり、何も運動を始めないという原理もそのひとつだ（後にニュートンは、他から働きかけられないかぎり、何も運動を変化させないという形に修正し、慣性の原理に取り入れた）。しかしなかには、もっと形而上的な変化もある。たとえばアリストテレスは、すべての変化は四つの基本的な原因の所産だと述べている。すなわち、質量因（物体の構成要素）、形相因（物質の配列）、作用因（物体をもたらした行動）、目的因（目的論）の四つだ。この図式のなかでは、像の質量因は銅や石、形相因は像の形状（たとえば人物や馬）、作用因は像を制作した彫刻家、目的因は像の美的または宗教的アピールとなる。

これを見ると、この時代には物理学と哲学を区別して語るのは時代遅れだったことがわかる。アリストテレスや弟子たちにとって、原因を理解するには運動について理解する必要があり、それには経験的観察と哲学的推論の両方が欠かせなかった。計算者たちの画期的な成果は、経験的観察への傾斜を強めたことだ。アリストテレスの思想に修正を加え、運動は時間や空間の範囲内で観察可能だと考えて、物体はいつ世界を移動するのか、目に見えるものをどのような形で説明する（そして計測する）のが最善なのか問いかけた。そしてその回答として、世界に新しい形の区別を加えた。古いアイデアを取り除いたうえで、運動の原因と結果を別々に処理するようになったのだ。さらに、ゼロ速度のような新しい概念を採用するだけでなく、運動を定量化するための定理を考案した（たとえばマートン規則は、加速度が一貫して変化する物体の平均速度を計算するために使われた）。

　このように意味が徐々に変化すると、それは計測への考え方にも重要な要素として反映された。その結果、何かを計測するためには、近くの存在との区別が必要だと考えられるようになった。これは間違いなく七だと断言しなければならない。六ではないし、八とも絶対に間違えられてはならない。それは注意力と集中力が必要とされる作業だ。自分には何がわかるのか推測するのではなく、新たな知識の創造に取り組まなければならない。計算者たちはこのアプローチを採用した結果、アリストテレスの教えの一部を覆すことに成功した。たとえば、物体の速度は他から働きかけられる力に比例して変化する一方、抵抗が加えられればそれに反比例して変化するという原理もそのひとつだ。この教えはいかにも筋が通っているような印象を受けるが、実際には現実を説明していないことをブラッドウォーディンは発見した。もしも正しければ、いかなる力もいかなる物体を動かすことができる。長く押し続ければ、アリだって山を動かしてしまう。でもそんなはずはない。他から加わる力よりも抵抗のほうが大きければ、物体はいつまでも抵抗し続けるものだ。そこでブラッドウォーディンはアリストテレスの原理を修正し、物体の速度を倍増させるには、抵抗をはねつける力の大きさを二乗して、抵抗を克服する必要があると考えた。その理論の正しさを証明するため、彼は一種の一般式まで考案した。手書きの式は、現代の表記法にすればつぎのように表現できる。$V \propto \log F/R$（Ｖは速度、Ｆは力、Ｒは抵抗）[30]。

　こうしてオックスフォードの計算者たちは定量化に大きな関心を寄せたが、それは今日の私たちが定量化という言葉から連想するものと同じではないことを強調しておきたい。計算者たちは実際に実験を行なったわけではないし、定規や物差しのような計測器具を使わなかった。むしろ言語による抽象的な推論を重視して、自分たちのアプローチを採用すれば運動を計測するだけでなく、変化しながら存在し続けるものを何でも計測できると信じた。そこには熱や光や色など、今日の私たちが定量化できると考えるものも含まれるが、恩寵、確実性、慈善など、もっと微妙な概念も含まれる（こうしたものを計測すれば、神学論争の解決に役に立つ手段が提供されると思われた）。それでも計算者たちは重要な功績を残した。彼らの功績が転機となり、計測の理解は新たな段階に進んだ。実際、鋭い洞察のおかげでブラッドウォーディンは有名になり、チョーサーからは、この時代の優れた啓発者のひとりとしてアウグスティヌスと共に取り上げられた。一方、現代のある歴史家は冗談半分でこう述べている。計算者たちの研究のおかげで、オックスフォードのカレッジは「過去から姿を変え、未来もまた姿を変える存在」としての評判を確立した(31)。

芸術、音楽、時間を計測する

近代初期の定量化革命は、大学や学者たちの議論のなかだけで進行したわけではない。古代の測定単位と同様、定量化には手工業の職人も貢献している。そもそも科学革命が始まったのは、自然哲学者が手仕事の定量的手法に影響されたからだと主張する歴史家もいる。オーストリア系アメリカ人の歴史学者エドガー・ジルセルは一九四〇年代、第一世代の科学者たちは、こうした「芸術家兼エンジニア」から影響を受けたと記している。彼らは「絵を描き、像を作り、大聖堂を建設するだけでなく、昇降装置、土塁、運河や水門、銃や要塞を築き、新しい顔料を発見し、遠近法の幾何学的法則を見出し、工学や砲術に必要な計測器具を新たに発明した」(32)。古代の世界の寺院や穀倉と同様、こうした実践的なイノベーションが計測の効用を証明したおかげで、新しい領域で大きな力を持つようになったのである。

ジルセルが引用した事例のひとつ、遠近法の絵画への導入について考えてみよう。古代文明でも、芸術に遠近法を取り入れられることはある程度理解されていたが、その可能性を十分に利用した文化はなかった。たとえば古代ギリシャ人は、スケノグラフィアすなわち舞台の背景画に遠近法を取り入れた。平面の画板に奥行き

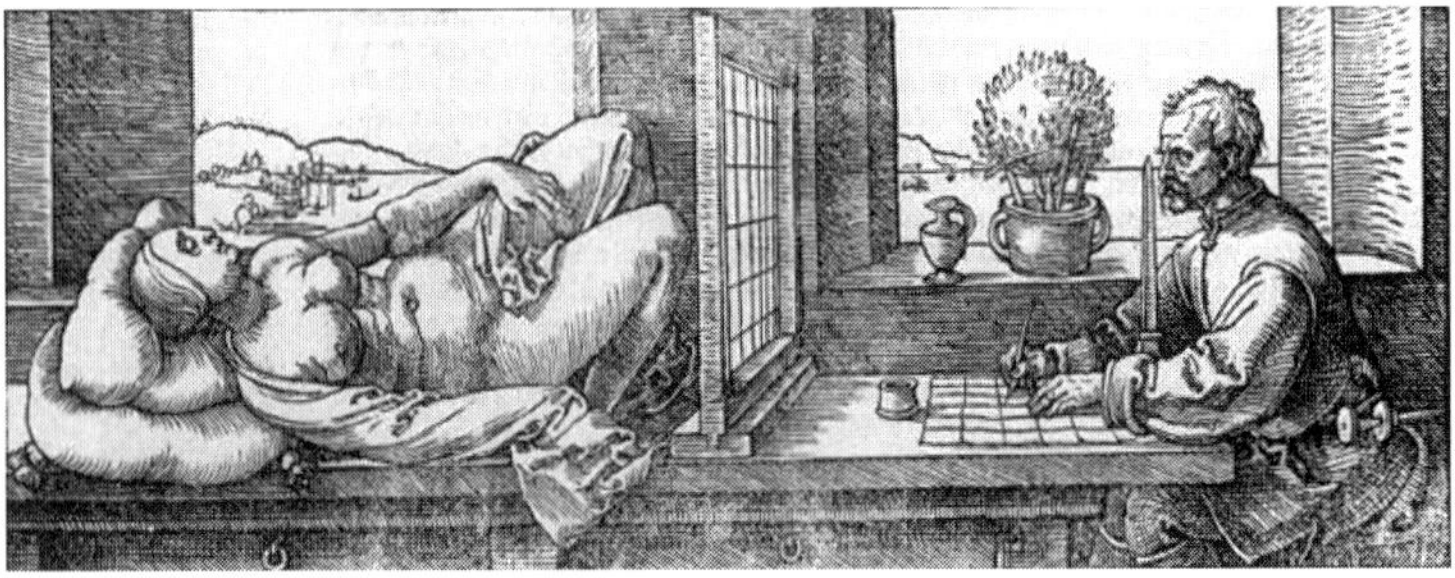

図6　アルブレヒト・デューラーが描いたこの挿絵では、中世の製図者が正方形に区切られた格子を使い、遠近法でモデルの大きさを確認している。

を見せかけることが目的だが、円柱やポーチなど建築物の正面に応用範囲はとどまった。一方、中世の芸術家のほとんどにとって、目の錯覚を起こす遠近法は、ヒエラルキーが高い存在を際立たせるための従属的な手段でしかなかった。古代エジプト人や少し前のマヤ人と同様、最も重要な人物はフレームのなかで最も大きく描かれ、時の権力者、あるいは宗教的実力者だったことが強調された。あるいは、建築物の内側と外側を同時に見せる描き方や[33]、発生した時間が異なる出来事を並列して描く手法もあった。目で見たままの現実ではなく、心が理解した現実を描くことが重視されたのである。

十五世紀に入ると変化が訪れたが、それは主にふたりのルネサンス的教養人、すなわちフィリッポ・ブルネレスキとレオン・バッティスタ・アルベルティのおかげだ。ふたりとも、当時独立したコムーネとして栄えたフィレンツェの住民で、芸術、建築、詩、哲学と複数の分野に重要な貢献をした。絵画で最初に遠近法を考案して披露したのはブルネレスキだったようだ。彼は古代ローマの建築物の研究を通じて学んだ消失点（平行な線が合流するように見える点）を絵画に応用した。ただし徹底した秘密主義者だったので、どんな手法を使ったのかいっさい説明しなかった。「発明や成果の情報をあまり披露しすぎると、せっかくの天才が台無しになる」と警告している[34]。むしろ、線遠近法のルールをコード化して普及させたのは、アルベルティのほうだった。

それ以前にも、遠近法の事例はあった。そのひとつ、ファン・エイク兄弟が制作した壮大な「ヘントの祭壇画」は、一四三二年に完成した。しかしアルベルティは遠近法に関して最初の理論入門書を執筆し、それをヨーロッパじゅうに広めた。[35]そのなかで彼は、イメージの消失点を見つけるためのシンプルなステップを紹介している。カンバスに奥行きを縮めながら格子を描き、それを視覚的な足がかりとして使いながら大きさを調整していくのだ。そして、被写体の輪郭をカンバスに移しやすくするためには、自分と対象物のあいだをvelumすなわちベールで遮断するとよいと以下のように忠告している。

つぎの手順に従うこと。細い糸をざっくり編んでベールを作り、それを好きな色で染める。つぎに、太い糸を使ってベールを好みの数だけ格子状に分割する。そうしたら、それをフレームの上に広げる。私はそれを、自分の目と被写体のあいだに立てかける。そうすれば、ベールの柔らかい布を通して視覚的ピラミッドが透けて見えてくる。[36]

アルベルティが言及した「視覚的ピラミッド」は、中世の光学理論の一環である。十三世紀よりも以前に西洋の思想家は、視覚は「外送」を通じて機能すると信じていた。すなわち、目から放たれた光が外の世界に届くと、「まるで指のように視覚対象に触れる」[37]（このメカニズムをシェイクスピアは、「感情で見なければならない」と表現している）。その後、十一世紀のアラビアの学者イブン・アル＝ハイサム——西洋ではアルハゼンとして知られる——の研究が大きく貢献し、今度は「内送」理論が登場した。ここでは外送理論と因果関係が逆転され、現実から送られてくる印象を目が受け取ると考えられた。これらの理論にアルベルティをはじめとする芸術家の作品は触発されたのだろう。その結果、遠近グリッドという幾何学的技術を思いつき、世界を抽象的な空間単位に分割する新しい方法を創造したのだ。アルベルティの手引書は出版されると、たちまちヨーロッパじゅうに広がって、従来のスタイルに取って代わった。あるエピソードによれば、十五世紀の画家パオロ・ウッチェロが描いた幾何学模様は非常に正確で細かく、まるでデジタルモデルのようだった。ある晩、彼はいつまでも寝ようとしなかった。そこで妻が耳をそばたてると、小声でこうつぶやくのが聞こえた。「ああ、この遠近法は、何と素晴らしいのだろう！」[38]。

同様の変化は、中世の音楽の世界でも進行した。それを促したのは、やはり定量化のツールである記譜法だった。中世の大半、音楽は歌い継がれるだけだった。百科事典の編集者として私たちにはすでに馴染み深いイシドールスは七世紀、「音は人間に記憶されなければ消えてしまう。書き留められないのだから」と嘆いた[39]。実際、音楽の伝統で単旋律聖歌が主流を占めたのも、こうした制約が反映された結果だ。無伴奏の単旋律聖歌のなかで最も有名なグレゴリオ聖歌は、メロディーの進行が遅く、音域が狭い（一オクターブ未満のものが多い）。速さにも音量にも劇的な変化がなく、そのため現代人の耳には、音楽は哀愁を漂わせ、単調にも感じられる。やがて九世紀になると、音楽は譜面に書かれるようになった。このネウマ譜は、聖歌の歌詞の上に音部記号が書かれている（ネウマという名前は、おそらく息を意味するギリシャ語が語源だと考えられる。現代では、そこから「pneumatic」〈空気の〉という単語が生まれた）。これは、相対音感——先に示された音との高度差——を確認できるが、リズムはわからない。記号が前のものよりも上昇していたら、歌い手は音程を上げる。下降しているときは音程を下げる。記号は当初、カンポ・アペルトすなわち何も書かれていない「白紙」に記された。やがて、音の高度差を確認しやすくするため、学生も教師も紙に複数の水平線を引くようになった。話を先に進めて十一世紀になると、こうした水平線は五線として標準化された[40]。さらに話を進めて十三世紀には、様々な音符記号が標準化され、音の長さの確認が可能になった。

音のリズムと高さを測れるようになると、多声部から成る音楽は発達を促された。メロディーをいくつも積み重ね、和声的音程【訳注／同時に響く二音間の隔たり】を表現できるし、物悲しいリズムは明るい雰囲気に変化する。複雑なメロディーを表現するために表記法が発明されたのか、それとも新しい表記法に刺激されてメロディーが複雑になったのか、いまとなってはわからない。しかし、一方がなければ他方も存在しなかったことは間違いない[41]。新しいスタイルは当時の理論家たちにアルス・ノバ（「新しい芸術」）あるいはmusica mensurata（「測定された音楽」）として知られた。そして音楽革命の例に漏れず、エスタブリッシュメントに衝撃を与えた。十三世紀のベルギーの音楽理論家ジャック・ド・リエージュはこう嘆いた。「音楽は本来、控えめで上品で、簡素で力強く、高い道徳性が感じられた。ところが近代に入ると、計り知れないほど煽情的になった[42]」。一方、リエージュと同時代人のローマ教皇ヨハネ二二世は、最初の大勅書である一三二四年の教書で、音楽にアルス・ノバを使うことを実際に禁じた。それから七世紀が経過した今日でも、勅書の指摘には説得力がある。それによれば、「声は絶えず上がり下がりを繰り返し、耳に心地よいどころか耳障りだ。そして歌い手は、大げさな動作を交えて音楽の感動を伝えようとする」。さらに勅書は、この好ましからぬ変化は音楽を測る方法のせいだと名指しで批判して、つぎのように説明した。「テンポラ［楽節、すなわち、まとまりのある最小単位］に分割された」結果、「大して価値のない」音符がやたら目立つようになり、「緩やかに上下を繰り返す単旋律聖歌の美しい調べが台無しになった」。まるで、きれいに手入れされた庭園を荒らす雑草のようだ[43]。計測や定量化や分割は見事な成果を上げたが、度を越してしまったのである。

ただし中世にはもうひとつ、定量化に関して他のすべての成果を圧倒する素晴らしい発明があった。それは自然から特権を取り上げ、私たちの生活のすべてに規則正しいリズムを刻み込んだ。この逸品とは機械時計だ。機械時計は発明されると、十三世紀末頃までに世界を席巻した。ただし、ギアと機械的結合の仕組みを取り入れた時計を最初に設計したのはヨーロッパ人ではなかった（中国とアラビアの時計学者が先行し、十一世紀以降、きわめて正確な天文時計をいくつも製作した）。しかし、ヨーロッパで技術的にも理論的にも洗練されたおかげで、時計は社会で新たに中心的な地位を占めるようになったのである。

　技術の成果のなかでも特筆に値するのが、オシレーターと脱進機だ。今日では、規則的に刻まれるリズムのおかげで時間を測ることができるが、この規則的なリズムはオシレーターと脱進機のメカニズムによって創造される。このふたつが、中世の時計の動力源である「錘《おもり》」のブレーキとして作用した（一六〇〇年代には、コイルばねが代わりに普及した）。錘は時計の中央にひもでぶら下げられ、歯車列を介して脱進機とつなげられる。この歯車とオシレーターが一緒になって、錘の下方向への加速を食い止めるので、蓄積されたエネルギーは少しずつ放出され、時計は規則正しいリズムを刻むのだ。[44] 古代文明の時間計測システム、たとえば日時計や水時計と比べ、機械時計にはいくつもの利点がある。夜にも時間を確認できるし、屋内でも屋外でも利用可能だ。寒くなっても凍結しない（寒さが厳しい北欧では重要だった）。そして、時計のメカニズムが統合されたため、持ち運びに便利だ（水時計を動かせば、水の流れが乱れてしまう）。しかも、小型化も簡単だ。

　けれども何よりも重要なのは、機械時計の登場をきっかけに、人々の意識に時間の新しい概念が吹き込まれたことだ。それまで時間は絶えず流れていくものだと認識され、規則的に落下する水や砂や水銀によって時間は確認された。けれども機械時計によって、時間は量を測るものになった。分割し、区別して、計測可能なものになった。そして、技術が改良されると時間はますます細かく分割され、数世紀をかけて精密さを増した。一三〇〇年代の最初期の時計の場合、オシレーターは一回の振動におそらく数秒を要したが、十八世紀になると、当時の最先端のマリンクロノメーターは、一秒に二回振動した。やがて二十世紀に入ると、デジタル時計に導入された水晶振動子は、一秒間に何万回も振動するようになった。そして一秒の長さは、セシウム１３３という原子の振動数によって定義されるが、これはなんと、一秒間に九一億九二六三万一七七〇回にもなる。

　中世の時計に関する最も古い記録の一部は宗教関係のもので、[45] そこからは、修道院の生活で時計の需要があったことが考えられる。修道士は決められた時間に祈禱を行なう必要があったので、それが機械時計の発明を促したのだろう[46]。この時代の修道院では様々な作業が行なわれた。修道士や召使いは図書館、製粉所、畑、庭などで仕事に精を出す一方、聖務日課を忠実に守った。このスケジュールを伝えるために鐘が使われ、時間通りに進めることが非常に重要だった。修道院の秩序を保つためにも、そして魂の清浄のためにも必要とされた。十一世紀のフランスの年代記編者ロドゥルフス・グラベールの訓話には、悪魔が登場する。この悪魔はある修道士に、朝課を伝える鐘を無視して眠っていればよいとささやく。「いいかい、鐘が聞こえたら真面目に飛び起きることはないよ。三度目の鐘が聞こえるまで、ゆっくり休んでいればいいのさ[47]」。似たような不安は、フランスの童謡「フレール・ジャック」でも歌われている。

ブラザー・ジャック、ブラザー・ジャック
まだ眠っているの？　まだ眠っているの？
朝課の鐘が鳴っているよ！　朝課の鐘が鳴っているよ！
ディン、ダン、ドン。ディン、ダン、ドン。

修道院の世界は、時間の「解明や配分」への関心を促したかもしれないが、時間の計測に備わった可能性を最大限に生かしたのは市民の世界のほうだった[48]。一三〇〇年代には、時計は各地の町に瞬く間に広がり、裕福な中産階級は時計の製作に必要な税金をたびたび自発的に導入した。毎日決まった時間に祈りを捧げる義務はなかったが、商売は毎日が決まった仕事の繰り返しだったからだ。市場や店を開け、商品の受け取りや発送があり、商談や取引が進められる。この時代の時計は当初、非常に大きくて高価で、針や文字盤がないものも多かった。代わりに修道院のように、鐘が時を告げた。そもそも「時計」という言葉の語源は古フランス語のcloqueとラテン語のcloccaで、どちらも「鐘」を意味した。そして計測の基準と同様、時計のメカニズムも鐘塔や市役所など公共の場所に設置されて、誰の目にも留まった。その多くは信じられないほど複雑で、黄道の軌跡が表示され、暦の役割も果たすものや、毎日決められた時間に聖人のからくり人形が動くものもあった。「かつて市民は大聖堂の建築に誇りを持ったものだが、いまや複雑で手の込んだ天文時計の製作に関心が移った」と、歴史家のリン・ホワイトは記している。「町の中心に時計が設置され、そのなかに星々が丸く配置され、時が告げられるたびに天使がラッパを吹き鳴らし、雄鶏が鳴き、使徒や王や預言者が前進や背進を繰り返さなければ、ヨーロッパの共同体は胸を張ることができなかった」[49]。

こうした装置は勤勉さを促すので、市民に恩恵をもたらす公共施設とも見なされた。たとえば一四八一年にリヨン町会議に提出された請願書には、「時を告げる鐘の音が全市民に聞こえるような、大きな時計がぜひとも必要だ」と書かれていた[50]。一方、一三一四年にカーン【訳注／フランス北西部の都市】に設置された時計の横には、つぎのような碑文が刻まれている。「ここに、時間に声を与える。その声は庶民を喜ばせるだろう」[51]。ただし、「庶民」が実際にどう感じていたかはわからない。この時代の記録に書かれているのは、豊かな権力者の考えや感情がほとんどだ。時間の測定は、今日と同様に手放しでは歓迎されなかっただろう。新たに秩序や効率がもたらされたことを歓迎する人たちもいれば、時計による制約や監視を腹立たしく感じる人たちもいた。いずれにせよ修道院の鐘と同様、公共の場所に時計が設置されると、ばらばらだった市民の行動に統一感が生まれた。かつては個人のペースで営まれていた生活に協調性が生まれ、みんなが同じように起きて働き、床につくようになった。農民の作業は太陽の動きに基づいて決定されたかもしれないが、新興階級である都市の労働者には、このように生活を管理して支配する存在がなかった。その空白を時計が埋めたのだ。ルイス・マンフォードはつぎのように指摘する。「時計は、時間を確認するだけの手段ではない。人間の行動を同期させる手段でもある」[52]。

時計仕掛けの宇宙

時計は非常に強い影響力を持つ機械だったため、宇宙を想像するまったく新しい方法の象徴的存在になった。その方法とは、機械論的哲学だ。その世界観は、アリストテレスの見識への反論として最も成功を収めた。そして十七世紀末までには、今日の私たちが「科学的な」ものの見方と関連付ける思想の要素が数多く組み込まれ、定量法を重視する姿勢もそのなかに含まれた。

機械論的哲学者はつぎのように理由づけて考えた。時計は星の動きをとらえることができる。そして精巧に作られたからくり人形を本物の人間のように動かすこともできる。ならば、自然界も同じ論理で動いているのではないか。宇宙とは、ムンディ・マキーナすなわち驚くほど複雑な時計にすぎないのではないか。「世界生成機械」であり、まだ発見されていないギアやレバーを使って物質に活力を与えているのではないか。もしもその説が正しければ、アリストテレスの目的論的説明は成り立たない。岩が地面に転がり、煙が空に立ち上るのは自然の摂理だという発想は、未熟であり不十分である。もしも自然が機械のように機能するなら、観察可能な原因と結果が必要になる。魂のような不可解なものでは説明できない。世界の仕組みを解き明かすために、形の世界に注目する必要はない。必要なのは実験と観察だけだ。あるいは、十七世紀フランスの数学者であり哲学者だったルネ・デカルトはつぎのように書いている。「力学の法則のなかには、物理学で通用しないものはひとつもないと確信できる。［……］なぜなら、必要な数のホイールから作られた時計が時を告げるのは、種から成長した樹木に果実がなるのと同様、いたって自然な現象なのだ[53]」。こうした世界では、計測は収穫された果実の重量を測るだけでなく、そもそもなぜ木が根づいたのか説明するためにも重要だった。

デカルトをはじめとする思想家は、機械の視点からの説明を広範囲に応用し、消化から磁気に至るまで様々な現象の説明を考案した（ただしデカルトは、心を機械と見なすところまでは考えなかった。彼は心身二元論を唱え、意識は実体を伴わない活動の結果だと主張した）。なかでも機械的哲学が最も重要で持続的な影響をもたらしたのは、天文学の分野だった。その結果、アリストテレスが唱えたアニミズムの世界に代わり、生命のない宇宙という発想が注目されるようになったが、この宇宙は計算に適していた。古代からずっと、人類は宇宙の規則正しい動きのなかに、何か大きな秩序の痕跡を見出してきた。科学革命が始まる以前には、天文学の知識を持つ聖職者が天体の動きの予測に基づき、王に助言を行なってきた。しかし科学革命をきっかけに登場した科学者は、霊的な前兆についてほとんど語らなかった。その代わり、自然を理解して支配するために、もっと明確なテンプレートを提供した。

十六世紀半ばまで、宇宙の中心は地球だという発想が広く受け入れられていた。地球は同心球の中心で動かず、そのまわりを太陽、月、星、惑星が回転すると思われた。アリストテレスによれば、宇宙は大きいけれども有限で、変化することがない（永久に繰り返される円運動は除く）。そして天界は、地球では発見できず、絶対に破壊できない物質から成り立っていた。私たちが暮らす世界は四つの元素――土、水、火、空気――で構成されるが、永遠不変の世界である天上界は、五番目となる不滅の元素エーテルすなわち真髄で満たされていた。このモデルは何世紀にもわたって正論として支持されてきたが、やがて精度が高くなった望遠鏡で夜空をよく観察すると、矛盾が明らかになった。地球が動かないことを前提とすると説明できず、地球中心の宇宙という単純な発想と矛盾した。こうした奇妙な現象を従来のモデルで説明するための研究は続けられたが、数学でいくら丁寧に補足説明を試みても、正しさに疑いがあるのは間違いなかった。

そこで望遠鏡の重要性がクローズアップされ、職人が使う道具を改良すれば、科学の研究に役立てられると考えられるようになった。望遠鏡の発明は、腕の良いレンズ研磨工によって始められた。研磨工が製作した拡大レンズに測量士や陸軍将校は関心を示し、最初の得意客になった。やがてこのふたつの専門領域、すなわち学者と職人の領域は、ある人物のなかで一体化した。それはイタリアの天文学者ガリレオ・ガリレイだ。一五六四年に誕生したガリレオは、若い頃は砲兵将校が使うコンパスの設計で生計を立てていた。後に物理学の研究で砲弾や放物線をよく使ったのは、若い頃に関わった分野の影響だと考えられる。かつてのオックスフォードの計算者たちの研究を受け継ぎ、天体の動きを実際に数学で表したのは、ガリレオが最初だった。彼は実証実験を行ない、アリストテレスの叡智の間違いを実演してみせた。ある有名な実験では、ピサの斜塔から砲弾とマスケット銃の弾を落下させた（ただし、これはガリレオの説明通りには行なわれなかった可能性が高い）。そして、アリストテレスの説とは異なり、物体は質量にかかわらず、一定の割合で加速することを証明した。あるいは別の実験では、斜面にボールを転がして、つぎのように推論した。もしも障害がなくて、摩擦のない平面に置かれたら、ボールはいつまでも転がり続ける。この洞察は、動きを維持するには常に外からの力が必要だというアリストテレスの原理の間違いを証明した。

一六〇九年からは、ガリレオの研究は新しい次元に進んだ。彼は説明書を読みながら望遠鏡を手作りすると、それを使って夜空の観察を始めた。すると、たくさんの思いがけない光景を目にした。たとえば木星のまわりを複数の衛星が回っていた。惑星のまわりを他の物体が周回することは、このとき初めて観測された。つぎに彼は、月の表面に望遠鏡を向ける（古代の学者は表面が滑らかだと主張したが、「どこもかしこもこぶだらけで、深い亀裂が入り、曲がりくねっていた」[54]）。さらに太陽では、黒い点が表面を西から東に移動していく様子を観察した。これは惑星なのだろうか。いずれにせよ、アリストテレスの主張とは異なり、天界は変化しないわけではないことがわかった。天上の世界も地上の世界と同様、日々変化するのだ。このような間違いが生じたのは、感覚をおざなりにして、伝統や権威を信じたからだ。いまでは太陽の黒点として知られる存在を発見したあと、ガリレオはつぎのように記した。「実際のところ、太陽は最も純粋で最も透明な存在だという発想にこだわるかぎり、どんな影も不純物も認識されない。しかしいまや太陽には、不純物や斑点が混じっていることがわかった。太陽は斑点のある不純な存在と呼ぶべきだ。なぜなら、名前や特性は物事の本質に合わせなければならない。本質が名前に合わせてはならない。最初に物事が存在し、あとから名前が付けられるのだ(55)」。

ガリレオは、ニコラウス・コペルニクスの理論を支持するため、星に注目した。コペルニクスは十六世紀ポーランドの天文学者で、一五四三年に地動説を発表した。彼の理論に教会は間違いなく動揺したが、知識人の世界では当初、あまり支持されなかった。このモデルは地球を宇宙の中心から外したので、人類の特殊性を宇宙の視点から保証できなくなったが、アリストテレスの思想体系を支える要素の一部には、コペルニクスは手を付けなかった。たとえば速度は常に一定だという説や、惑星の円軌道についてはそのまま残したので、このメカニズムでは数学が恐ろしいほど複雑になってしまった。十七世紀になってようやく、ドイツの天文学者ヨハネス・ケプラーの研究によって、この体系は簡素化された。この頃になると、コペルニクスには手に入らなかった観測データを利用できるようになったのだ。ケプラーのモデルでは惑星は楕円軌道をとり、太陽に近づくと速度が上がり、遠ざかると速度が下がった。こうした変化のおかげで、惑星の動きを以前よりも正確に予測できるようになったが、同時にケプラーは、自分の研究成果によってアリストテレスの世界観に真っ向から挑戦した。一六〇五年に友人に宛てた手紙に、彼はこう書いている。惑星の動きの「動力源」が「魂」だと信じるのはもうやめた。いまでは「物理的原因の解明に没頭している」。「そして、宇宙の仕組みは神の創造物よりも、むしろ時計に似ていることの証明を目指している」とも書いている。「この物理的概念は、計算と幾何によって表現される(56)」。

コペルニクスから始まり、ケプラー、ガリレオと続いた思想は、イギリスの数学者アイザック・ニュートンの研究成果によって大きく花開いた。少年時代のニュートンは、木を観察して力学モデルを考案することに熱中し、道具を使って風車や日時計を製作したり、デザインを改良したりする作業に何時間も費やした。なかでも水時計は秀逸だった。しかし大人になると、まだ解明されていない宇宙の仕組みの決定的な全体像の解明に取り組み、一六八七年には『自然哲学の数学的諸原理』を発表した。そのなかでニュートンは、地上の領域と天上の領域を統一し、三つの運動法則を紹介した。ここではガリレオの砲弾の代わりに惑星が研究の対象となり、すべての惑星は彼の考えた万有引力の法則の影響を受けて運動を続けた。これはアリストテレスの四原因に匹敵する大胆な構図で、自然界のあらゆる領域をひとつの微積分に収めてしまった。もはや天上と地球は区別されず、宇宙は有限だという明確な意識はなくなった。世界の境界は無限に向かって勢いよく開かれ、その仕組みは力学と数学によって追跡された。

スティーヴン・シェイピンによれば、ニュートンをきっかけに「あらゆる自然のプロセスは、時間と空間の抽象的な構造に基づいて発生すると考えられるようになった。それは自己完結型で、局所的かつ限定的な人間の経験にはいっさい言及されない」[57]。これは計測の歴史のなかでも絶大な力を発揮した。抽象化が進んだ結果、計測の対象となる範囲は拡大したのだ。しかも抽象化によって狭い場所や特殊なものとの結びつきは弱まったので、従来の制約から解放された。ただしその一方、代償も伴った。本章の冒頭では「新しい哲学はすべてを疑う」というダンの不安を紹介したが、科学革命の始まりと共に心理的なコストが発生した。科学革命のもとですべてが抽象化され計測されると、信仰は揺らぎ、古代人のような慰めを見出せなくなった。人間が宇宙のなかで文字通りの意味でも抽象的な意味でもどんな場所を占めているか、新しい知識によって思い知らされたのだ。ドイツの社会学者マックス・ヴェーバーは、こうした批判を「世界の幻滅」という言葉で要約した[58]。一部の人たちは、新しい存在によって物質的には豊かになったものの、精神的には貧しくなった。そしてアニミズムと生来の目的という枠組みに支えられたアリストテレスの物理学は、このプロセスのなかで主役の座を奪われた。ニュートンの世界は、人間の感覚と関連する資質によってもはや支配されない。量によって支配されるようになった。そして量は、世界との関係を断ち切ったとき、最も効果を発揮する。

ただしここまででは、この時代の全容が明らかにされたとは言えない。少なくとも、こうした研究の結果として実現してほしい文化的な変化は、一気に実現したわけではなく、徐々に進行した。おそらくニュートンはこの時代の誰よりも、この時代の大きな矛盾を体現している。彼のなかでは信仰と理論が混在し、現代人の目には一貫性が欠如している。彼は厳しくも独創的な姿勢で実験に取り組んだ。光の性質を調べるため、太陽にじっと目を凝らし、眼球に針を突き刺した。しかし同時に、彼は熱心な錬金術師であり数霊術師であり、自分の実験によって証明されない領域まで、論理学の理論を延長した（あるいは批評家はそう主張する）。この時代、重力や運動の法則によって宇宙は機械化され、音楽の領域には秩序が導入され、ビリヤードのゲームのように規則正しく進行するようになった。しかしその一方、ニュートンは自然界の見えない力の重要性を強調した。そして磁気や電気などの現象は、自らの哲学の範囲に収まらないものと考え、「自然哲学」の中心に非物質的な原理を据えて、万有引力定数のGで表した。Gが、宇宙をひとつにまとめていると考えたのだ。この力が正確にどんなものか、ニュートンは定量化も説明もできなかったが、自分の計算が機能するために必要な存在であることはわかっていた。「私は様々な現象から重力の［……］原因を発見できない。そして、どんな仮説もでっち上げられない」と彼は認めている。[59]実際、見えない力があらゆる物質におよび、惑星や人間など、まったく異なる目的を持つすべてのものに平等に作用するというアイデアは、にわかには信じがたい。イギリスの経済学者でありニュートンの研究者でもあるジョン・メイナード・ケインズはこう語る。「ニュートンは理性の時代の最初の人物ではなかった。彼は最後の魔術師だった」。[60]

第4章

計測基準を定める

世界への幻滅、そして暑さと寒さの歴史

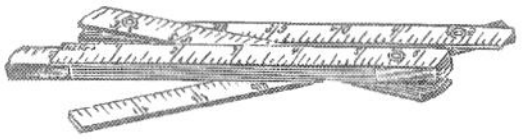

世界は炎に包まれて終わるという人たちもいれば
氷に閉じ込められて終わるという人たちもいる

ロバート・フロスト『Fire and Ice』（炎と氷）[1]

世界を解剖する

「ねえ、これはすごいでしょ」。アンナ＝ザラ・リンドボムは、スウェーデンのウプサラ大学キャンパスの中心にある解剖学の講義室で、堅い木の解剖台を叩きながら言った。

　大学で最も古い建物であるグスタビアヌム博物館の屋根には、巨大な円屋根のドームが作り付けられており、リンドボムと私はその真下にある劇場型の講義室、いわゆる解剖劇場に立っている。講義室も円屋根も一六六〇年代に建てられたもので、自然光をうまく取り入れている。解剖は中世にはタブー視されていたが、この時代になってようやく日陰の存在から抜け出した。そして、私たちが訪れた日と同じように空気がひんやりと心地よい秋の日の午前中、処刑された罪人たちの遺体が医学生のためにこの場所で切り開かれたのだ。こうして死んでから科学に貢献した見返りに、死者はキリスト教徒として埋葬されることを許された。一方、急勾配の階段状の木のベンチから解剖の様子を眺めていた学生たちは、生きている人間を救う方法を学んだのである。解剖台がある講義室の中心部は肌寒く、じょうごのような形をした階段状の木のベンチにぐるりと囲まれている。まるで、冤罪で裁判にかけられているような気分になる。

「向かい側に大聖堂があるでしょう」とアンナ＝ザラは、窓から見えるウプサラ大聖堂の尖塔を指さして言った。尖塔は、まるで石槍の穂先のように空に向かって勢いよく延びている。「だから、大学からは反対されたの。学生たちはここに来て」と言いながら彼女は解剖台を叩き、「神の」と言いながら今度は窓を指さし、「創造物を敢えて解剖するんですもの」と説明した。私はうなずきながら、両手をこすり合わせて少しでも暖を取り、死者の冷たい体以外の何かを想像しようと努めた。

ふたりで話していると、辛子色のブレザーを着た若い男性が背後の階段を歩いてきた。それから解剖劇場に足を踏み入れると、あいさつ代わりに死体を解剖台にどさっと下ろした。いや、死体ではなく、ありがたいことにプラスチック製の人形だった。等身大のモデルは臓器の取り外しが可能で、顔には穏やかな表情が浮かんでいる。「早く見学を終わらせてくださいね」と、私たちは男性から念を押された。あと数分もすると、解剖学の入門コースを受講する医学生たちが、こちらに向かってくる予定だった。グスタビアヌムはいまでは博物館になったが、解剖劇場の古い歴史と圧巻の光景は簡単に無視できない。そのため円屋根が建設されてから四世紀ちかくが経過しても、ウプラサ大学の学生は光が差し込む劇場に集まって、神の創造物を解剖する方法を学ぶのである。

階段を下りながら、グスタビアヌム博物館の科学史部門の学芸員を務めるアンナ＝ザラは、スウェーデン人の「計測への強いこだわり」について語ってくれた。十七世紀から十八世紀にかけてはスウェーデン人が定量化に熱中した時代だった。それは、ヨーロッパ全体で進んだ自然界の数値化の一環である。そして、ケプラーやガリレオらの功績がこの時代の知的枠組みに影響をおよぼした結果、経験的手法から新しい洞察と力が得られることに疑いの余地はなくなった。そのため歴史家からは、「定量化精神」が満ち満ちていた時代だったと評価されている。自然界の秩序をポルターガイスト現象で説明するような学問は廃れ、代わりに観察や実験や計測に基づく定性的理論が脚光を浴びた。(2)「とにかく何でも計測したかったの」と、真鍮製の望遠鏡や天秤ばかりや測量器具でいっぱいの部屋を歩きながら、アンナ＝ザラは説明を続けた。「『我々は地球を計測する。空を計測する。そして人間も計測する』と威勢が良かったのよ」。

この精神は知的好奇心だけでなく、地球の支配を目論む政治的野心も原動力になっている。イギリスの哲学者フランシス・ベーコンは『ノヴム・オルガヌム』のなかで、人類は「自然に対する権利を神から授けられているのだから、それを復活させる」のが定めだと論じている。ベーコンによれば、中世の学者をはじめとする知識人の過ちは、物事ではなく言葉の研究に集中したことで、おかげで論理を操るようになったものの、自然を支配する力を獲得できなかった。したがってこれからは、「体系的な発見」に基づく実証的な探求の手法を取り入れるべきだと提唱している。物質的な現象を秩序立てて記録すれば、人間に有利な形で世界を構成し直すこともできる。ちなみにベーコンはユートピア小説『ニュー・アトランティス』のなかで、理想の国家の青写真を描いている。そこは敬虔な君主が支配する島国で、王の権力は秘密結社でもあり研究機関でもある「ソロモンの館」によって維持されている。この機関の拠り所となる以下の信条は、当時登場し始めた経験主義者たちの大いなる野望を要約している。「我々の結社の目的は、原因の究明である。未だ解明されない物事の仕組みについて知識を得ることで、それに基づいて人間の帝国の範囲を拡大し、できる限りの目標を達成する」(3)。

その点を考慮すれば、スウェーデンが計測に夢中になった時期が、大国として台頭し、軍備を増強した時代と一致しているのも意外ではない。多くのヨーロッパ諸国と同様、スウェーデンの国家を支える官僚制度は、近代初期に複雑さを増して権力を拡大した。国じゅうから集められた資源は、貿易や産業や軍事力を強化するために配分された。厳格に訓練され最新の兵器で武装したスウェーデンの軍隊は、ヨーロッパのなかでも精鋭ぶりをきわめて高く評価され(4)、実際に今日のフィンランド、ノルウェー、ロシア、エストニアの多くを支配下に収めた。一六五五年には二重国家のポーランド・リトアニア共和国をあっという間に侵略し、残虐の限りを尽くしたため、国民の三分の一が命を落とした。この侵略行為は、歴史家のあいだでは「大氾濫」として知られる[5]。

アンナ＝ザラが立ち止まって指さしたオロフ・ルドベックの肖像画を見たとき、計測と征服との関連性をはっきりと確認できた。彼は十七世紀の医学部の教授で、ウプサラ大学の解剖劇場の創設を監督した人物である。グスタビアヌム博物館に飾られている肖像画のなかのルドベックは、メスを手に持っているものの、人間の死体を解剖するのではなく、ミニチュアの地球にメスを入れ、その表面をオレンジの皮のように剝がしている。ルドベックは、体内で老廃物を回収して感染症退治に役立つリンパ系の発見者として有名になったが、新しい学問分野のパイオニアでもあった。それは岩石層を考古学的に研究する学問で、いまでは層序学と呼ばれる。失われたアトランティス文明の所在地はスウェーデンで、近代のスウェーデン人はそこで暮らした古代人の子孫だと、ルドベックは信じていた。そしてリンパ系の構造の解明に成功すると、今度は陸地にメスを振るい、スウェーデンの粘土層や干上がった水路を掘り起こして地図を作製した。ルドベックによると、これはアトランティスの失われた運河や水路の痕跡だった。こうして国じゅうで解剖を進めれば、スウェーデンの偉大さを支える複数の器官の存在が明らかになると彼は期待を寄せた。

ただし私がグスタビアヌム博物館を訪れたのは、計測に熱中したスウェーデン人の発明品のなかでも特に素晴らしい逸品をこの目で見たかったからだ。それは、私たちが毎日の生活でかならず遭遇する現象を明確にするための計測器、すなわち世界最初の摂氏温度計だ。発明者でありウプサラ大学の天文学教授だったアンデルス・セルシウス（一七〇一年～一七四四年）自ら目盛りを記入している。

アンナ＝ザラは、摂氏温度計が収められているケースまで案内してくれたが、それを見つけるまでに少し時間がかかった。この温度計が博物館の計測器具のなかでも突出しているのは、仕組みが複雑で目立つからではない。手で触れれば壊れそうなほど繊細に作られているからだ。温度計は木の枠に収められて、一枚の色褪せた紙が結びつけられ、そこには二種類の異なる温度目盛りが書かれている。温度計はガラス製で、なかには銀色の水銀が充塡されており、鏡のような光沢を放っている。胴体部分は細く、直径は僅か二ミリメートルしかないが、下の部分は球状に大きく膨らみ、まるで銀色の熟れた西洋梨のような印象を受ける。一七四一年のクリスマスの日、セルシウスは雪のなかでこの器具を使い、初めて温度を読み取った[6]。やがて、いまでは彼の名を冠した有名な温度目盛りが確立され、氷点は〇度、沸点は一〇〇度とされた。アンナ＝ザラの説明によれば、セルシウスは素晴らしい理論を考案した成果によって、温度測定の分野に貢献したわけではない。しかも、有名な温度計も手作りではない。作ったのはフランスの天文学者であり器具製作者のジョゼフ＝ニコラ・ドリルで、彼もまた対抗する温度目盛りを発明していた。アンナ＝ザラは、こう語る。「セルシウスのイノベーションは、目盛りの信頼性を高めたこと。とにかくテストや実験が大好きで、どこへ行っても欠かさなかった。あらゆるものを証明したかったのね」。

こうした信頼性の確立は計測の基本中の基本だが、温度測定が始まった当初は信じられないほど難しかった。今日では、温度表示に関して困惑するのは、華氏に慣れている人が摂氏の数字を見せられたとき、逆に摂氏に慣れている人が華氏の数字を見せられたときぐらいだ（メートル法の単位である摂氏は、温度測定の世界基準になっており、華氏はアメリカなど少数の国で使われている）。しかしセルシウスが暑さと寒さの問題に取り組んでいるときには、ヨーロッパでは少なくとも三〇種類の競合する温度目盛りが存在していた。温度測定の基本についてはよく知られていたので、誰でも独自の温度目盛りを考案することはできたが、一貫性と信頼性のある装置の作り方を誰もわからない点が問題だった。

ケンブリッジ大学の歴史学と科学哲学の教授であるハソク・チャンは、こうした問題について広範囲にわたって執筆している。そんなチャンによれば、信頼性のある温度計の創造からは、未知の領域で科学的真実を確立する難しさがよくわかる。温度の場合、問題点は簡単に特定できるが、答えを見つけるのは恐ろしいほど難しい。そもそも基準となる信頼性のある温度計を所有していなければ、温度計の信頼性をどのようにテストすればよいのか。セルシウスをはじめとする科学者のおかげで、いまの私たちは水が摂氏〇度で凍り、摂氏一〇〇度で沸騰すると断言できるが、信頼できる温度計で計測できるようになる以前には、どうやってその事実を立証したのか[7]。こうした問いかけは、何もない場所に釘を打ち込むように理解の限界を超えている。信頼できる知識の枠組みがないまま、世界との接点をどこかに見つけ出さなければならない。

こうしたジレンマは計測の歴史で一貫して見られるが、ジレンマからはこの学問分野の課題が浮上するだけでなく、効用が生み出される。つまり不確実性を何とか計測しようと努力するうちに、新しい知識が構築される。するとその結果、世界についての理解は必然的に見直されるのだ。セルシウスの温度計は、この事実を物語っている。色褪せた紙に書かれた目盛りをもう少し注意して眺めてみよう。今日の私たちは、温度は暑くなれば上昇するものだと理解しているが、セルシウス本人は逆に考えていた。実際、彼が最初に考案した目盛りはいちばん下の摂氏一〇〇度が氷点で、いちばん上の摂氏〇度が沸点だった。これには環境が影響したという説明もある。スウェーデンでは、冬には温度が氷点を下回る日が多かった。したがって氷点が一〇〇度ならば、氷点下の温度を負の数で表示する必要がない。結局は最初に誰が考えたのかわからないが、数年後までそのまま使われた。水が摂氏〇度で沸騰する世界の存在は、計測に関する知識が人工的なものだという事実を何よりも如実に物語っている。

温度をとらえる

温度の計測は、他の現象と比べて重要度が低いように思えるかもしれない。商業や建設などの活動にとって、暑さや寒さは不可欠な要素ではないし、時間の計測と違い、世界の概念を理解するために役立つわけでもない。しかし、このような態度は現代に特有の習慣であり、温度を制御できるようになった結果として生み出されたものだ。エアコンやセントラルヒーティング、ダウンジャケットやハンディ扇風機のおかげで、人類は極端な寒さや暑さの影響を和らげられるようになった。火や氷は未だに脅威として存在するが、日常生活ではほとんど制御されている。熱はサーモスタットで調整し、氷はアイスキューブや冷凍庫に閉じ込めるものになった。先進国で暮らすほとんどの人にとって、温度が本当は厄介で手に負えないことを思い出すのは、気候変動の影響で山火事やハリケーンや猛吹雪に襲われるときぐらいだ。

私たちの先祖は、間違いなく温度をこのような形で理解していた。かつて計測可能な概念としての温度は存在せず、暑さや寒さは自然界に生気を吹き込む原理として認識されていた。古代ギリシャの哲学者ヘラクレイトスは、火は物質現象であるだけでなく、宇宙の一番目の原理だと考えた。彼によると火はあらゆる生命の源であり、世界のなかで燃えながら絶えず変化を繰り返し、物質を変容させていく。万物の秩序は「神や人間が創造したものではない」と、ヘラクレイトスは教えた。「常に存在する火」だけが、胎内で命を形成し、枯れた木を燃やしては、新たな成長のための空間を準備する。「品物が黄金と換えられ、黄金が品物と換えられるがごとく、万物は火の交換物であり、火は万物の交換物である」のだという(8)。

ヘラクレイトスよりも数世紀後、プラトンやアリストテレスは自分たちの哲学のなかで熱の重要性を引き続き唱えたが、全体像は複雑になり、暑さと寒さ、湿気と乾燥という、二組の相反する特徴のひとつと見なされた。紀元前五世紀のヒポクラテスや紀元二世紀のガレノスなどの思想家は、この前提をさらに推し進め、ユーモア理論のなかに熱を取り入れた。この医学・道徳体系は長いあいだ支持され、西洋では一〇〇〇年以上にわたって体の仕組みを理解するための大前提となった。ガレノスにとって熱は、人生の旅路を歩むために欠かせない燃料だった。熱は胎内で生命体を形成し、子どもの成長を促し、年をとると体外に漏出する。大人が運動し、一定の食べ物(ワインは特に好まれる(9))を摂取すれば、熱は新たに生み出される。しかし熱が体外に出てしまうと、死は間近に迫ってくる。世界をこのような形で理解するのは神秘的だが、直感を働かせれば不可能ではない。暑さは生命、寒さは死を象徴することを理解するために、いまの私たちは解剖台の上の死体をわざわざ観察する必要もない。

温度は基本的な要素と見なされると、当然ながら詳しく研究されるようになった。ガレノスは、「暑さや寒さには程度がある」という前提を立てて、区別を試みた最初の思想家のひとりだ[10]（彼は、四段階の区別でおそらく十分だと考えた）。ただし具体的に温度を測るのではなく、おおよそ四つのカテゴリーに簡単に分類した。四度はすごく暑い、三度はそれほど暑くない、と続く。一方ちょうど同じ頃、温度の変化を記録する器具が創造され始めた。通常は水を入れた容器に中空管がストローのように挿し込まれた。温度が変化すると容器のなかの空気は収縮・膨張して真空が作り出され、管のなかを水が上がり下がりする仕組みだ。紀元一世紀の数学者であり技師だったアレクサンドリアのヘロンは、こうした器具について早くから記録を残しており、「太陽に向かって水を少しずつ放出する噴水」と呼んだ[11]。

やがて一五〇〇年代になると、自然哲学者がこうした器具に数字を加えるようになった。なかでもベネチアの医師サントーリオ・サントーリオと我らがガリレオ・ガリレイは、先頭を走っていた。ガリレオと同様にサントーリオも実験にこだわったが、医師だったため、体の仕組みの解明に計測を応用することに特に熱心に取り組んだ。そして脈拍数を測定するpulsilogium（「医学の歴史で最初の精密機器」[12]）を発明するだけでなく、人間の代謝についての理解を深めるため、人間が座って体重を測定できる椅子を作った。そしてサントーリオ本人がこの巨大な秤の上に座りながら仕事をこなし、眠り、飲み食いし、排便や排尿をし、その前後の体重の変化を測り、体内から出入りする物質の量を計算した。彼はこれらの要因の均衡を保ち、「百歳まで生きられる完璧な健康基準」への達成を目指した[13]。

サントーリオやガリレオが考案した器具はヘロンの噴水と似通っているが、使い方はもっと厳格で、特定の物体や環境を対象に熱の変化を比較した。ただし目盛りが正確に刻まれていたわけではないので、温度計とい

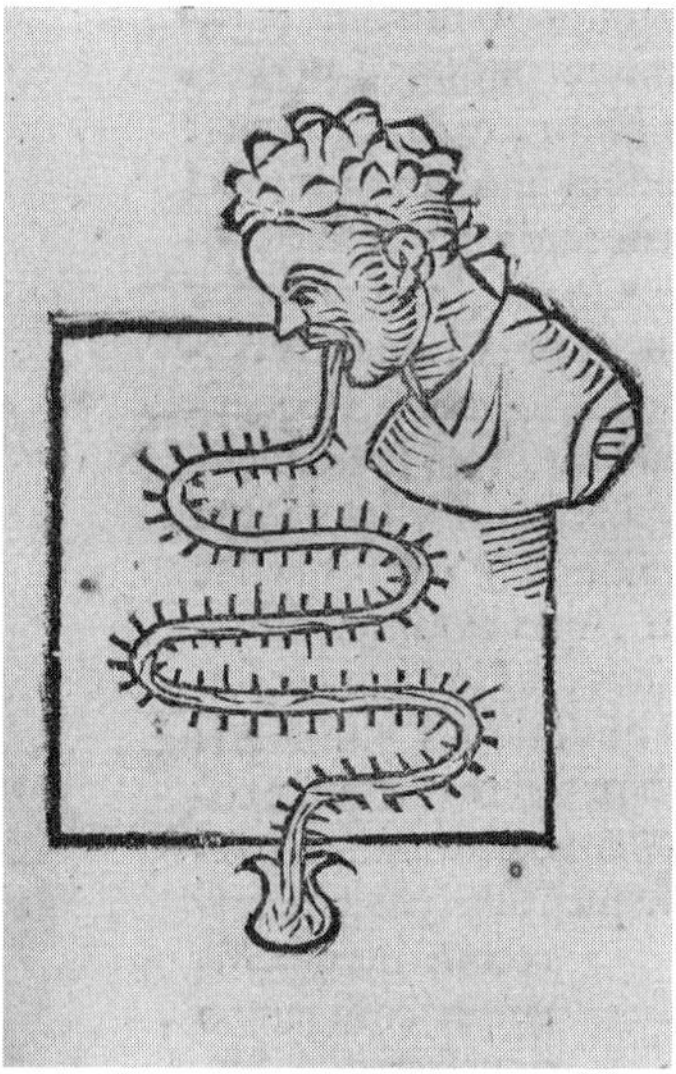

図7　信頼性の高い温度計が製作される以前、ベネチアの医師サントーリオ・サントーリオなどの科学者は、図のような温度測定器を使っておおよその温度を測った。

うよりは、測温器と呼ぶほうがふさわしい。こうした器具の目盛りは順序尺度を表した。すなわち、上から下までいくつも刻まれているが、一度の変化がどこでも等しい温度計と異なり、間隔は統一されていなかった。たとえばこんな違いだ。あなたの幸福度を一から五までの五段階で評価する顧客調査では、あなたの反応をランク付けするので順序尺度が使われる。幸福度は主観的なもので、明確に示すことはできないため間隔尺度にはならない。増え方や減り方には個人差がある。あなたの五という評価が、周囲の人物による三という評価と同じかどうかはわからない。

サントーリオは測温器を人体に直接応用し、一六二六年に発表した文書のなかで体温計について紹介している。これは長い管に目盛りが刻まれ、一方の端を口にくわえて体温を測定する。一方、ガリレオが考案した器具に関する最も興味深い記録は、友人のジョヴァンニ・フランチェスコ・サグレドの手紙に記されている。彼はガリレオの設計に基づいて複数の測温器を製作し、実際に使って発見した事柄についてガリレオに報告した。夏の盛りには、「暑さを計測し、それに合わせてワインを冷やす」ことが唯一の楽しみだと記した愉快な手紙を送り、寒くなれば「様々な驚くべき」現象を発見したと報告している。たとえば、空気はしばしば水よりも冷たいが、塩を混ぜた雪はさらに冷たく、「似たような物質の違いは微妙だ」と書いている。(14)

いま紹介したような実験からは、定量化によって温度などの概念に変化が引き起こされたことがわかる。初期の測温器の助けを借りれば、暑さや寒さはもはや物体の奥深くに隠された不可解な特徴ではなく、源から引き出せる情報になった。抽象的なデータに変換された情報は、収集も共有も比較も可能だ。実際、こうした器具から得られる証拠は非常に強力なので、人間の感覚が間違っていることさえ指摘するほどだ。たとえば私たちは、天然の泉の水を触れば冬よりも「夏のほうが冷たいように感じる」が、サグレドの計測結果によれば、水は冬のほうが冷たい[15]。そして、ちょうど同じ時期の一六二〇年にフランシス・ベーコンは、測温器は「暑さや寒さを鋭く繊細に感じ取る。その能力は人間の触感をはるかに上回る[16]」と述べている。科学機器は人間の経験に代わり、現実について判定を下すようになったのである。

一六二四年には、「温度計」という単語がフランス・イエズス会の神父ジャン・ルレションによって新たに造られた。これはギリシャ語のthermos（「熱」）とmetron（「計測」）に由来している[17]。この時点で、温度計は今日では馴染み深い形をとるようになった。ルレションによれば、「ガラスの器具で、てっぺんは小さな球状に膨らみ、その下に細長い管が延びていて、その先端は『酢やワインや赤く染めた水』を入れた容器に差し込まれていた」。この器具を寒い場所から暑い場所に移動させると、管のなかの液体は下がっていく。なぜなら、「希薄になって膨張した空気はもっと広いスペースをほしがるので、水を押し下げる」からだという。一方、暑い場所から寒い場所に移動させると、「空気が冷えて凝縮するので、逆の結果が生み出される」。その裏に隠れた原因はわからなかったが、これはいかにもシンプルで信頼性のある現象だった。ルレションはこの魔法にすっかり魅せられ、温度計に息を吹きかけて前後左右に揺らせば、「まるで耳元で言葉をささやかれたかのように水は下がり始める」と述べている[18]。

なかには、この超自然的な要素を極限まで追求する器具製作者もいた。そのひとりであるオランダの金物修理屋のコルネリウス・ドレベルは、ガリレオとは同時代人で、当時最も有名な発明家のひとりでもあった。十八世紀のある歴史家は、彼のことを「厚かましく、知識をひけらかす人物」と評した[19]。一方、実際に本人と会った人たちによれば、穏やかでも落ち着きのない人物で、その発明品は実践的なもの（レンズ研削盤）から奇抜なもの（太陽エネルギーで動くハープシコード）まで広範囲にわたった。イングランドのジェームズ一世（スコットランドのジェームズ六世）の宮廷で、ドレベルはお抱え芸人として生活費を稼ぎ、最も有名な発明品をここで披露した。それはペルペトゥム・モビレ、すなわち永久に動き続ける機械だ。この装置の仕組みの詳細は明らかではないが、おそらく従来のアストロラーベ（天体観測用の機器）の要素に、絶えず動き続ける液体を満たした完璧な円管を組み合わせたものだと考えられる[20]。ドレベルによればペルペトゥム・モビレは、自分の錬金術の功績と熟練の技によって神秘的な力が解明された何よりの証拠であり、「激しやすい空気」も手なずけたという[21]。しかしこの器具に関する同時代の記述は懐疑的で、ガリレオのかつての教え子が送った手紙は特に手厳しい。実際のところ、これは初期の測温器にすぎず、液体が内部の装置のまわりで動き続ける理由は、天気と同様に言葉では説明できないと指摘されている。確かにドレベルの機械は風変わりな発明だが、知的思考の過渡期を象徴する存在でもある。この時代には初歩的な科学機器が登場し、摩訶不思議な装置として受け入れられたのである[22]。

不動点を決める

謎の解明に役立つ温度計の潜在能力は大いに注目され、科学者は温度測定の標準化に熱心に取り組んだ。近代初期には、暑さや寒さの正確なメカニズムは十分に理解されなかったが、温度の変化が様々な現象に影響をおよぼすことは知られていた。化学反応の速さといった認識しづらいプロセスから、溶解、蒸発、凝結といった目に見える出来事まで、広い範囲にわたる。そのため、温度を記録して調整する能力の獲得は、様々な学問分野での実験に欠かせない前提になった。そして温度計が実験で役に立つためには、目盛りに一貫性があって検証できなければならない。暑さと寒さを表現する共通の言語が必要とされた。

十七世紀になると、初期の測温器の多くに温度の変化を示す目盛りが刻まれたが、刻み方は恣意的で、器具によって異なった。一六九三年には、ハレー彗星を発見したイギリスの天文学者エドモンド・ハレーが、つぎのように不満を記した。どの温度計も「特定の職人が定めた基準に従って機能する。温度に関して何ら合意がないので、照合することもできない」。その結果、「誰かが好奇心に駆られて観察を行なっても……同じように作られ調整された温度計を持っている人物でないかぎり、理解してもらうことができない[23]」。

一貫性のある温度目盛りを創造するためには、何か安定した測定マーカーを発見する必要があった。いつでもどこでも、同じように温度が表示される現象を見つけなければならない。古代には、大きさや重さに一貫性のあるキビの種を基準にして重量や長さの単位が創造された結果、十分な数の種を確保すれば、誰でも同じ単位を再現できるようになった。それと同様に今度は、温度目盛りの拠り所となる参照点が必要とされた。当初提案された現象は、あとから考えれば恐ろしく正確性に欠けた。夏のいちばん暑い日の温度、一本のろうそくの熱、パリのどこかの地下室の寒さなどが候補にあがった[24]。

アイザック・ニュートンは、このような形で客観的な温度目盛りを最初に考案したひとりだった。一七〇一年に彼は、アマニ油を使った温度計を製作し、たくさんの参照点を利用して温度目盛りを構成した（ニュートン度）。たとえば冬と春と夏の外気の温度、「浴槽のお湯に手を突っ込んで我慢できる状態」に基づくふたつの参照点（ぬるければ手を動かせるが、熱いと動かせない）、他には「自然な状態で体が外に発散する熱」、「抜き取ったばかりの血液の温かさ」などが基準として使われた[25]。こうした現象は、まるで溶けていくバターを観察するように、参照点として曖昧な印象を受けるかもしれないが、なかには驚くほど信頼性の高いものもある。たとえば、体温は概して安定している。人類は何百万年もかけて進化を遂げたが、その間に大きく変化することはなかった。私たちの体は進化するにつれて、狭い温度帯で最も有利に活動できる能力を手に入れた。体温は、発汗、震え、血管の膨張など、様々な物理的反応によって調節される。その結果、ほとんどの人の体内温度はだいたいにおいて摂氏三七度（華氏九八・六度）で維持され、一、二度変化するだけでも深刻なダメージがもたらされる。

十八世紀に入ると、温度測定はふたつのイノベーションのおかげで、信頼性の高い領域として評価されるようになった。まず、水の氷点と沸点は、温度測定の基準として最も便利で首尾一貫していることが、少しずつ認められ始めた。そしてつぎに、技術の進歩の数々によって、こうした参照点の信頼性が揺るぎないものになった。たとえば密閉型温度計が普及して、そのなかに従来とは異なる液体が封入される。ただし、温度測定のパラドックスは解消されなかった。信頼できる温度計を持っていなければ、参照点の正しさを確認できない。それなのに、複数の参照点を頼りに信頼性の高い温度計を製作できるものだろうか。このジレンマを解消するため、大勢の人々が数十年にわたって根気強い研究を続けた。

そのなかでも、ダニエル・ガブリエル・ファーレンハイトの貢献は際立っている。器具製作者の彼は、素晴らしい功績のおかげで十八世紀初めに名声を得るが、それまでの人生は悲劇が続いた。ダンツィヒ（現代のポーランドの都市グダニスク）で裕福な家庭に生まれたものの、十五歳のときに両親が毒キノコを食べて命を落とすと、天涯孤独の身になった。法定後見人は彼がアムステルダムの貿易会社で年季奉公するように手配するが、簿記の仕事は退屈だった。それよりは、幼い頃に学んで興味を持った科学の道を追求したかった。そこで、アムステルダムで四年間を過ごした後に奉公先から逃亡し、科学者を夢見て各地を放浪した。雇い主の金を盗んで研究資金に充てる一方、当時の偉大な科学者たちから教えを乞うため、ヨーロッパ各地の都市を渡り歩いた。後見人は、大人として当然の反応を示した。逮捕状を発行し、身柄を拘束した場合には、東インド諸島に国外追放する許可を当局に与えた(26)。

幸い、逮捕によりファーレンハイトの身柄が拘束されることはなかった。彼は二十代になると、科学機器製作の世界に引き込まれた。この職業では、理論に関する知識と実践における熟練の技のどちらも必要とされる。ファーレンハイトはガラス吹きに専念し、温度計や高度計や気圧計を製作し、ある同時代人によれば「勤勉で比類なき達人、ダニエル・ガブリエル・ファーレンハイト」として評判を確立した[27]。やがて一七〇八年には、オーレ・レーマーとの出会いを果たす。レーマーはデンマークの著名な天文学者であり、当時はコペンハーゲンの市長でもあった（ファーレンハイトは、当時まだ有効だった逮捕状を取り消してもらうため、レーマーとの面会を希望した可能性がある）。ちなみにレーマーは独自の温度目盛りを考案していたが、その目盛りには天文学者として馴染み深い六十進法が使われた。目盛りのてっぺんの沸点は六〇度、いちばん下の氷点は〇度に設定された。ファーレンハイトはこの目盛りにいくつか重要な変化を加え、自分の温度目盛りを作ることにした。

まずファーレンハイトは、レーマーの温度目盛りでの凝固点と体温の数字（凝固点は七・五度、体温は二二・五度）は「不便でエレガントではない」と考えた。そこで、七・五は八に、二二・五は二四に繰り上げてすっきりさせたうえで、目盛り全体を四で掛け算した。そのあと、一度のあいだを細かく分割した結果、温度を正確に読み取れるようになった。こうした変化のおかげで、華氏の利用者には馴染み深い温度の基準が出来上がった。凝固点は三二度、体温は九六度に設定される（ただし、この不動点は現在の推定値よりも華氏二・六度低い）。

さらにファーレンハイトは、温度を測定する媒体として温度計に封入する液体に、従来の「スピリット・オブ・ワイン」（エチルアルコール）の代わりに水銀を使った。長いあいだクイックシルバーとして知られてきた水銀は、アルコールよりも沸点が高いので、温度計で測定できる温度の範囲が広がる。しかも、金属なので熱伝導が高く、熱さや寒さへの反応が速く、膨張率や収縮率が大きい。そのため小さな温度計でも、測定可能な温度の範囲は変わらない。計測学にはよくあることだが、ファーレンハイトの温度計は、何かひとつの変化があって突出したわけではない。様々な改良点を加える能力が彼に備わっていたことによるものだった。温度計の評判が非常に高くなると、ファーレンハイトは一七二四年に功績を認められて英国王立協会に勧誘された。そして彼が考案した温度目盛りは、後にメートル法単位の摂氏と交換されるまで、世界じゅうの英語圏の国で採用されたのである。

ファーレンハイトが実践で発揮した才能は、他の人たちが創造した土台に支えられている。なかでも大きかったのは、凝固点と沸点が定まって信頼性が高まったことだ。突風のなかでガイロープをつなぎとめるテントのペグのように、彼が考案した目盛りの両端をしっかり固定してくれた。これだけの信頼を獲得するまでには、アンデルス・セルシウスの研究が大きく貢献している。彼は、いまではお馴染みの摂氏目盛りの考案者だ。摂氏では、氷点と沸点のあいだが一〇〇度に分割されるが、これも決して完全ではなかった。

たとえば、セルシウスの目盛りで水の「沸点」に何が関わってくるか考えてみよう。水が沸騰する温度は、水の純度、大気圧、温度計を入れる容器の深さに影響される。さらに、沸騰そのものの条件を、正確に決定するのは難しい。水が沸騰するのは、最初の泡が現れるときだろうか。それとも、泡がブクブクと沸き立つときだろうか。一七五〇年代にイギリスで大いに尊敬された器具製作者ジョージ・アダムスの手による温度計の目盛りからは、この問題の解決に悩んだことがわかる。「水が沸騰し始めた」華氏二一〇四度と、「激しく沸騰するようになった」華氏二一二度のふたつが、沸点として記されているのだ[28]。

この沸点の正確な定義は、十八世紀半ばから末にかけて多くの科学者の優先課題になった。一七七六年には王立協会がこの問題を解決するため、七人から成る特別作業部会を設置したほどだ[29]。これは呆れるほど細かい観察が要求される作業で、メンバーの科学者たちは目を皿のようにして、沸騰するお湯の形状を調べた。そのなかでもスイスの地質学者であり気象学者でもあるジャン＝アンドレ・ド・リュック（一七二七年〜一八一七年）の観察は、打ち込み方も細かい部分への配慮も際立っている。

ある実験でド・リュックは、過熱状態の領域について調べた。過熱状態になると、水温が摂氏一〇〇度を超えても沸騰しない。彼は実験に先立ち、酸素を取り除くとこのプロセスが進行することを発見していたが、サンプルから酸素を除去する機械設備が手に入らなかった。そこで、炭酸飲料を振り回して泡を立てるときのように、温度計を入れた容器を手で振り回して気体を取り除くことにした。その後、実験の報告書にはつぎのように書かれた。「この作業には四週間かかった。その間、眠るとき、町に用事で出かけるとき、両手を使う作業のとき以外は、フラスコをほとんど手放さなかった。食べるとき、読書するとき、書き物をするとき、友人と会うとき、散歩するときには、ずっと水を振り回し続けた」。

あるいは一七七二年の論文には、真沸点の構成要素を突き止めようとしたが、その代わりに、この制約的な言葉には様々な現象が無理やり挿し込まれていたことを確認したと書かれている。彼はお湯を入れたポットをいくつも準備して、沸騰する様子を観察した。まるでベビーベッドに寝かせられた赤ん坊を見守る親のように、泡が形成されるときのスピードや大きさや音に集中した。どのくらいの深さで泡は現れるのか、泡は水の表面まで上昇するのか、それとも真ん中あたりで破裂するのか、表面はどれぐらい攪乱されるのか、じっくりと観察した。そしてその結果から、水の状態に関して新しいカテゴリーをいくつも考案した。「ヒューッと音を立てる」水、「泡立つ」水、泡がスープルソー（バレエの用語で、床をしっかり蹴って真上に跳ぶ動き。ここでは泡の動きに言及している）などなど。測定というと、活気ある世界からユニークな特徴を取り去り、味気ない数字で表現する行為というイメージがつきまとうが、ド・リュックの実験からは、その逆もあり得ることがわかる。何かを正確に測定したければ、現象界の新しい部分に注目せざるを得ない。これまでは混乱状態のなかで確認できなかった物理的経験の隅々まで注目する必要がある。注意深く観察するほど、世界は本当の姿を見せてくれる。

皮肉にもド・リュックらの調査からは、水の沸点が多くの人たちの期待に反し、温度測定のマーカーとしての信頼性に欠けることがわかった。沸騰が始まる温度は、あまりにもバラいていたのだ。そこで代わりに科学者は、水から発生する蒸気の測定に注目する。実際に試してみると、こちらのほうが参照点としてずっと安定していた。水が下のほうでシューシュー音を立てていようが、スープルソーしていようが、その上の蒸気の状態には一貫性があった。この結果からは、実験が失敗だったように思うかもしれない。問題の解決に取り組む科学者が答えをつぎつぎ間違えて時間を無駄にしたすえ、たまたま「正しい」解決策を発見したような印象を受ける。しかしこれは、計測学や科学の重要な概念を象徴しており、チャンはこれを「認識論的反復」と呼んでいる。このプロセスでは「段階が進むたびに知識がどんどん積み重ねられ、最後に得られた知識によって目標が達成される」[30]。

温度測定のケースでは、このプロセスは人間が暑さや寒さを経験するところから始まり、つぎにそれが初期の簡単な測温器で再現された。そこからは、明白な真理が確認される。すなわち、雪は火よりも冷たく、夏は春よりも暑いことがわかった。最終的に測温器の信頼性は高まり、サグレドの観察からは新しい知識が生み出された。するとそのあとには、簡易な温度計が誕生して様々なマーカーが追加された。当初マーカーは恣意的で統一感がなかったが、やがて参照点と結びつけられると、温度目盛りは再現され、データは共有されるようになった。そして技術の進歩によって温度計の性能が改善されると、参照点の精度は向上し、様々な変化が特定され解明されるようになった。ここで重要なのは、どの段階もそれ以前の知識を土台に進められており、新しいレベルはその下のレベルに支えられていることだ。少しずつ時間をかけ、数世紀のあいだに何百人もの努力が積み重ねられた結果、信頼できる目盛りがどこからともなく誕生したのである。

ただしこのストーリーは、信頼できる温度計の創造では終わらない。温度には、摂氏や華氏といった表示以上のニュアンスが含まれている。ウィリアム・トムソンは、そのことをすぐに理解した。ケルヴィン卿とも呼ばれるトムソンは十九世紀イギリスの物理学者で、つぎのように主張した。「話題に取り上げたものを計測して数字で表現できても、一部しか理解できない」。彼は計測学に関してこのような信念の持ち主で、その手法を温度にも応用した。おかげで暑さや寒さについての私たちの理解は様式化され、ギリシャ哲学の壮大さと規模を取り戻したのである。

トムソンにとっては、温度の測定が常に間接的に行なわれることが問題だった。温度計の信頼性がどんなに高く、目盛りをどんなに正確に読み取れるとしても、媒介に頼る必要があった。それは器具に封入された液体で、温度の変化に応じて膨張と縮小を繰り返す。目盛りが温度をじかに測るわけではないし、別の温度計が読み取った数字と正確に照らし合わせる方法もなかった。一八四八年に発表した論文で、トムソンはこう嘆いている。「温度の予測に確実に役立つシステムの構築に関しては、必要とされる厳格な原理をすでに手に入れた。しかし」目盛りは「数字を適当に並べただけだ」[31]。問題の核心――温度の実際の性質――に踏み込んでいるわけではない。その点では、ガリレオやサントーリオの温測器と変わらなかった。

このような不確実性を伴ったのは、トムソンの時代、熱が実際にどんなものか明確な説明がされていなかったことも理由のひとつだ。熱は単独の物質で、物体のなかに個別の要素として存在するのか。それとも物体による行動の結果で、それが一般には動作として認識されるのか。どちらなのかを巡り、錬金術師や自然哲学者や科学者は、数世紀にわたって議論を展開してきた。どのアプローチも、温度の一部の側面について説明しているが、どれも決定打に欠けた。しかし、化学など他の分野で温度が重視されることを考えれば、問題の解決は喫緊の課題だった。オランダの医師であり科学者だったヘルマン・ブールハーフェは、一七二〇年にこう述べている。「もしも火の性質に関する説明を間違えれば、その影響は物理学のあらゆる領域に広がる。なぜならあらゆる自然現象で、火は［……］常に中心的な媒介役である[32]」。

十八世紀には、熱の物理的な存在についての概念は、いわゆる「カロリー」理論によって説明された。カロリーとは目に見えない物質で、それが物体のなかを途切れなく流れていると考えられた。十八世紀のフランスの化学者アントワーヌ・ラヴォアジエは、実験でたびたびこの理論に注目した。そしてカロリーは「きわめて弾力性に富み」、「非常にとらえがたく」、重量のない液体で、どんな素材も貫通することが可能で、通常の物体に強く引き寄せられると説明した。しかも、「体内の分子のあいだに影のように素早く入り込むことができる[33]」。多くの同時代人と同様、ラヴォアジエはカロリーの存在を全面的に信じたわけではないが、この理論は実験の進行に役立ち、一部の現象の解明に使われた。たとえばカロリーは自己反発性があると思われたので、熱が熱い物体から冷たい物体へ流れる現象の説明に使われた。あるいは、金属が熱せられると膨張する理由についても説明した。金属にはカロリーが充満しており、それが熱せられると内側から外側へと延びていくのだ。

温度計の信頼性が高まると、この主張の正しさを裏付ける新しい証拠が出てきた。すでにラヴォアジエは、フロギストンという物質の存在を前提とするかつての理論の放棄に貢献していた。フロギストンは古代ギリシャで「燃焼」を意味し、物質が燃やされるとこれが大気中に放出されると考えられた。カロリーと異なり、フロギストンには質量があるとされたが、ラヴォアジエはこの理論の間違いを証明した。なかには、燃やすと重さが増える物質もあることを示したのだ（これは最終的に、燃焼の重要な要素である酸素の発見につながる）。一方カロリーでは、温度の定量化に関してひとつ問題があった。それは潜熱、すなわち物体の相が気体から液体といった具合に変化するとき、放出または吸収されるエネルギーだ。科学者は性能の良い温度計を使い、なかの氷が解けかかっているバケツを温めても、氷がすっかり解けるまで全体の温度は変化しないことを観察した。しかしカロリー理論では、氷が解け始めるとすぐに温度は変化して、カロリーが液体のなかに浸み込んでいくと予測していた。理論の支持者たちは、こうした課題に適応する方法を何とか見つけたが、矛盾は増える一方だった。そして実験による証拠が増えるにつれて、カロリー理論の信頼性は低下した。すると今度は、決定的な代替案が登場しないことが問題になった。

熱の新しい理論の概要は、トムソンによって形を整えた。彼や同僚の多くは最終的に、この時代の象徴のひとつから着想を得た。それは蒸気機関だ。フランシス・ベーコンやガリレオの時代から、科学者がずっと疑ってきたことの正しさの証拠が、この新しい機械によって提供されたのだ。そう、熱は運動の一種である。この新しい理論をトムソンは熱力学と命名するが、その前にまず、この言葉を使って蒸気機関を「熱力学エンジン」と呼んだ[34]。かくしてカロリーは、世界に関する私たちの理解から取り除かれたのである。

トムソンは研究を進めるうちに、『Reflexions sur la puissance motrice du feu』(『カルノー・熱機関の研究』)という本から着想を得た。これは数十年前の一八二四年、フランスの科学者であり工兵だったニコラ・レオナール・サディ・カルノーが出版したものだ。カルノーが出版した本はこの一冊だけで、同僚からはほとんど無視されていた。しかし同書には、生涯をかけた研究の集大成である独創的な考えが記されている。「このような内容はまったく前例がなく、示唆に富んでいる」と、ある歴史家は指摘している[35]。

カルノーは蒸気機関を軍事力や経済力を支える道具と見なし、その効率の向上に興味を持った。父親はナポレオンのもとで陸軍大臣を務めた人物だったこともあり、ヨーロッパの戦いで勝利を収めるには、陸軍や海軍よりも蒸気機関が決め手になると理解していた。アリストテレスは、人体のなかで心臓から送られる熱によって手足は活発に動くと考えたが、同様にカルノーは、蒸気機関が国の経済を動かす原動力だと考えた。産業という動脈を通じて石炭や鉄が送り込まれ、その過程で船や銃や弾薬が作られると考えた(36)。『熱機関の研究』のなかでは蒸気機関への理解を深めるため、仕組みを簡略化している。リベットで留められた鉄や漏れる蒸気など邪魔なものは取り除き、機械の基本的な特性だけに集中した。そして、熱い物体から冷たい物体へと移動すると熱は運動を始め、エンジンを動かすのだと説明している。そのうえでこのメカニズムを、水の流れを利用してタービンを動かす水車のメカニズムにたとえた。カルノー本人は、熱に関するカロリー理論を信じていたが、蒸気機関の働きをこのような形で単純化した結果、図らずも熱力学の第二法則を生み出した。すなわち、高温から低温への熱の移動は不可逆であることだ。

蒸気の時代には、加熱炉から送られる熱でエンジンが勢いよく動く光景があちこちで見られた。したがって、温度と運動の関連性に注目したのは、カルノーひとりではなかった。ヨーロッパ各地で、科学者たちはこの問題に別の側面から取り組んだ。たとえばドイツの医師ロバート・マイヤーとイギリスの物理学者ジェームズ・ジュールは、別々に研究を続けたが、ふたりの成果からは熱力学の第一法則が生まれた。これはエネルギー保存の法則で、それによれば、エネルギーは失われたように見えても移動しているだけだ。

ジュールは、研究成果を誰よりも認められたが、それは実験を通じてアイデアをまとめる能力が優れていたからでもある。熱と運動は単に関連性があるだけでなく、相互変換性があるという概念に、彼は大きな関心を持った（カロリー理論では認められない）。そこで、ひとつの場面にこだわる画家のように、このアイデアの証明に熱中し、様々な角度から光を当てた。最も有名な実演では、重りをぶら下げた滑車を、水の入った容器内の羽根車とつないだ装置を使った。重りが落下すると、羽根車が回転して水の温度は上昇する。この装置からは、熱は運動（この場合には、水のなかの羽根車の摩擦）によって作り出されることがわかる。しかしもっと重要なのは、ジュールがこのプロセスを定量化、すなわち測定したことだ。水温の変化と重りの質量と重りが移動した距離を記録した結果、熱を運動や仕事の一種として計算できるようになったのである。彼は几帳面にこう記している。この装置を使うと、一ポンドの水の温度を華氏一度上昇させるために、およそ七八〇フィートポンドの努力を要したと。[37]

トムソンはこの問題に関するジュールの講演を聞いたあと、熱はそのまま運動に変換されるというアイデアの正しさを確信するようになった。後に彼はこう語っている。「最初は起立して、それは間違っていると発言したい衝動に駆られた」。しかし静かに座ってジュールの話を聞いているうちに、「偉大な真実、「そして」非常に重要な計測が提案されている」ことがわかった。[38] ただしその後もトムソンは、熱を運動や仕事に完全に変換できるというアイデアに悩まされた。そうではない状況は明らかに存在した。「『熱機関』が固体を通じて熱を伝えるときには、どんな新しい力学的効果が生み出されるのか」と一八四九年に書いている。「自然界の作用では何も失われず、エネルギーはいっさい破壊されない。とすると、失われた力学的効果に代わり、どんな効果が期待できるだろうか」。[39]

トムソンやドイツの物理学者ルドルフ・クラウジウスはこうした問題と格闘した結果、いまでは馴染み深い形で熱力学を系統立てて説明することに成功した。ふたりが注目した概念は今日の科学と同じだと思うかもしれないが、十九世紀初めにはまだ試しに導入されたばかりだった。それはエネルギーという概念で、いまでは「作業能力」として理解されている。これは適用範囲が広くて柔軟性を備え、自然界の様々な現象を説明するために使われる。しかし、熱力学という新しい科学の説明に取り組む科学者にとっては、もっと具体的なものを意味した。それは原子の運動だ。原子運動の形をとるエネルギーが、結局は熱を構成するのだ。そう考えれば、熱が作業に変換されてもいっさい失われない理由も説明できる。エネルギーを発生させるのは「乱雑に揺れ動く」エネルギーの原子で、その多くは無秩序で統一感がない。このおかげで世界にもたらされる無秩序な状態を、クラウジウスは「エントロピー」と呼んだ。要するに、エントロピーによって宇宙の無秩序性は表される。一八六五年にクラウジウスは、この新しい科学を思いきって簡潔に解釈し、以下のような熱力学のふたつの法則にまとめた。

宇宙のエネルギーは一定で変わらない。
宇宙のエントロピーは極限まで増大する。(40)

これらの根本原理は、様々な科学の分野に大きな影響をおよぼす可能性があった。たとえばトムソンも、熱力学という熱に関する新しい理論が形式化されたおかげで、温度測定で発見した欠点をようやく克服することができた。いまや彼は、生み出される仕事量に関する抽象的な計算を使って熱を測定できるようになった。さらに、温度目盛りの新しい基本原理を明らかにした。もしも熱が原子運動の要因だとするなら、運動やエネルギーや熱がまったく存在しない状態が確実に存在するはずだ。トムソンはこれを「絶対零度」と呼んだ。絶対零度では何も起きない。彼はこの新しい温度単位をケルヴィン度として定式化し、以後これは科学や高精度の研究で標準単位になった。この温度単位では、絶対零度は○Kと表され、摂氏ではマイナス二七三・一五度、華氏ではマイナス四五九・六七度に相当する。絶対零度に到達するのは物理的に不可能だが、トムソンはようやく、何か特定の物質の行動に頼らない温度の測定方法を確立した。数世紀におよぶ実験のすえ、温度学はようやく強固な存在と確実に結びついたのである。

エネルギーとエントロピー

十八世紀に温度が定量化されると、科学者は「厳格さと明瞭さを追求するため、豊かな概念を犠牲にする決意を固めた」と、計測の歴史を研究するセオドア・M・ポーターは書いている。「計測に夢中になるあまり、概念も創造物も味気なくなってしまった」[41]。ヘラクレイトスは火を宇宙の原始的な物質と解釈したが、計測学者はそんな発想への関心を失い、その代わりに、熱は温度計のなかで細かい目盛りに沿って落下するものだという概念を採用した。このように、計測の対象になると余計なものを取り除かれることは、計測学の議論でたびたび指摘される。しかもこれは計測学に限らず、科学全般に当てはまる傾向で、マックス・ヴェーバーの脱呪術化という概念は、それを何よりも的確に表現している。超自然的な現象が科学で解明されると、それに伴って豊かな意味が失われるのだ。たとえばカロリーについて考えてみよう。重さも摩擦もなくて目に見えないカロリーは、まるで民話に登場する物質のようだった。やがてその代わりに、蒸気機関の大胆な構造とダイナミックな熱理論によって、熱エネルギーは説明されるようになった。この新しい知識の枠組みでは、宇宙の謎など取り除かれてしまう。錬金術が化学に代わられ、呪術の影響力が工学によって低下したのと同じだ。歴史はこのような経過をたどってきたと言われる。

でも私は、温度に関する理解が変化すると、意味が貧弱になったという説には賛成できない。むしろ、炉のなかの熱によって石炭が燃えると蒸気が発生し、その蒸気がタービンを動かすように、温度測定が科学的に洗練されると、測定の対象への理解も洗練されたと考える。古くからの神話が生き返ったと同時に、世界を理解する新しい方法が提供されたのではないか。

たとえば、温度測定に器具を使うようになると、私たちの言語には説明に役立つ新しいアイデアが加わったことを考えてほしい。十八世紀から十九世紀にかけて、温度計やその同類の気圧計は比喩として盛んに使われ、本や新聞記事や政治家の演説に登場した。液体の上昇や下降を表現した視覚言語は直感的に理解できる。一方、目に見えない現象を感じ取って測定する温度計は摩訶不思議な装置で、他にも何かを定量化できる魔法があるような印象を与えた。ラヴォアジエは、「社会の反映を測る温度計」という表現を使った[42]。風刺版画家のウィリアム・ホガースは、性的情熱や宗教的情熱が高まっている状態を表現するためのイラストに温度計を使った。

あるいは一六九四年に書かれた気圧計の説明書には、気圧だけでなく人間の気性も測定できることを、以下のようにはっきり説明している。「クイックシルバーが落下するほど、人間の体は落ち着きを失い、正常に機能しなくなる。なぜなら大気には、人間の性質にとって好ましくないものが充満しているからだ。人間は、じめじめした環境で生きるようには作られていない」[43]。

温度計に使われるクイックシルバー、すなわち銀色のつるつるした化学物質は、以前から変形や可動性と関連付けられてきたが、これによって精神とのつながりもできたと、アメリカの文芸批評家のテリー・キャッスルは書いている。「女性の温度計」というタイトルのエッセイのなかで彼女は、これらの器具がエロチックな情熱や女性の気質と関連付けられ、女性蔑視の風潮を表現する新たな手段になるまでの経過を追っている。たとえば一七五四年に発表されたエッセイでは、温度計の発明によって「女性の情熱を正確に測れるようになった」と書かれている。温度計のてっぺんは「見捨てられて自暴自棄の状態」、いちばん下は「神聖な慎み深さ」を表した。そしてこれを使えば、ロンドンの様々な場所の道徳性も測定できた。それ以前の一七一二年に発表された『Spectator』（目撃者）という恐ろしい本のなかでは、温度計でクイックシルバーの代わりに薄い赤みがかった液体が使われている。これは「なまめかしい女性」の死体の心臓から取り出した血液で、死者の情熱を測る手段として占い棒のように使われた。この器具は、「貴重な血液を提供した女性に劣らず男好きだ」とキャッスルは書いている。『羽根飾りや刺繍入りのコートや房飾りの付いた手袋で』誘惑するかのように上昇を続けた」かと思うと、「不格好なかつらやみすぼらしい靴や流行おくれのコート」を身に着ける状態に落ちぶれたかのように、いきなり落下する[44]。

そして、定量的な手法によって明らかになった温度という概念そのものも影響力を発揮した。特に熱力学が認識されると、チャールズ・ダーウィンの進化論と同じく十九世紀の思想に大きな影響を与え、社会や政治の場での議論の形成にも貢献した。熱力学理論の大事な要素、特に熱力学のふたつの法則は、かりに明確な根拠を提供されなくても直観的に理解することが可能で、古代人の世界観にも通じるものがあった。したがって、影響力が大きくなったのも意外ではない。エネルギーの保存に関する第一法則は、不変性と耐久性について触れており、永遠に失われるものは何もないと保証している。ところがこの約束は、第二法則によって破られる。ここではエントロピーの増加について取り上げ、宇宙には私たちが理解しているような形の生命が保存されているのではなく、無秩序が充満していると警告している。このようなバランス感覚はクラウジウス本人が意図したもので、彼はこう記している。「エネルギーという単語と似て非なるものを想定し、エントロピーという言葉を意図的に作った」。それは、「ふたつの重要な要素」――ふたつの雄大な概念――の対称性を反映させることが目的だった。[45] エネルギーは宇宙に活力を提供し、私たちの周囲の世界を絶えず変化させている。一方、エントロピーの存在からは、目に見えるものはすべて最終的に減少していくことがわかる。十九世紀の人たちの多くは、蒸気機関や鉄道や工場のエネルギーによって周囲の景観が変化していく様子を目撃していたので、法則が指摘する真実は言われるまでもなく明らかだったかもしれない。もちろん世界には進歩も秩序もあることを認める一方、消耗し衰えるものがあることも、当然ながら理解していた。

熱力学が文化や宗教や哲学におよぼした影響を完全に描き出すのは大変な作業だが、あるひとつの側面は全体を知るサンプルとしておそらく役に立つだろう。それは、熱力学の第二法則の当然の帰結、すなわち宇宙の熱的死に関する理論だ。トムソンは一八六二年に大衆雑誌に掲載された論文でつぎのように説明している。「力学的エネルギーは破壊できないが、散逸する普遍的な傾向がある。その結果、熱は少しずつ増加と拡散を続け、運動は止まり、物質的な宇宙のなかで潜在的なエネルギーは完全に消耗する」。そうなると、巨大で無尽蔵のバッテリーのような太陽でさえ、最終的には燃料切れになる。そして、「偉大な創造の宝庫のなかで何か未知の供給源が準備されないかぎり、地球の住人は何百万年も命を支え続けてきてくれた光や熱を享受できなくなる[46]」。

トムソン本人にとって、このアイデアは魅力がないわけではなかった。彼は敬虔なキリスト教徒だったので、有限で一方向にだけ作用する宇宙は、聖書の記述と矛盾がなかった[47]。人間の生命には始まりと終わりがあるのが宿命だが、同様に宇宙全体も最後は店じまいして清算しなければならない。彼は執筆するなかで一度ならず、熱力学の法則を詩篇一〇二篇にたとえている。これは、クラウジウスが述べた不変性と消耗のバランスと同じ内容について予感しているように見える。以下にその部分を紹介しよう。「それらが滅びることはあるでしょう。しかし、あなたは永らえられます。すべては衣のように朽ち果てます。着る物のようにあなたが取り替えられると、すべては替えられてしまいます[48]」。熱力学は聖書の言い換えに他ならないのではないか。

ただし、誰もがこの解釈を歓迎したわけではなかった。そして、宇宙の最終点の存在が科学で断定的に確認されると、「文化的な不安が引き起こされて広がる」可能性があると、学者からは指摘された[49]（あるいは、つぎのようにも解釈できる。すでに社会的不安は存在していたが、それを表現する新しい手段が、熱力学によって提供されただけだ[50]）。なかには、科学と宗教を新たな形で統合し、恐怖を中和しようとする試みもあった。ふたりの物理学教授が執筆し、一八七五年に出版されてベストセラーになった『The Unseen Universe』（見たことのない宇宙）では、エネルギー物理学を「変革によって精神的な慰めを与えてくれる場所」という新しい形で想定し、熱力学の第一法則が継続された結果、死後の世界は無事に準備されると指摘した[51]。あるいは、芸術を通じて不安と向き合うケースもあり、文学作品では死が迫って膨張した太陽が比喩として登場した。一方、アルジャーノン・スウィンバーンが一八六六年に発表した「プロセルピナの庭」には、最後に完全な静寂に包まれた世界のイメージがこう描かれている。「星も太陽も姿を現さない／光は変化しない［……］眠りだけが永遠に続く／永遠に明けない夜のなかで[52]」。時代が変わると、分解や散逸は別の形の比喩で表現された。ジョゼフ・コンラッドが一八九九年に発表した小説『Heart of Darkuess』（『闇の奥』）には、野蛮な植民地のコンゴ自由国で悪夢のような旅を続ける語り手と一緒に、真っ赤な夕日が繰り返し描かれる。コンラッドは個人的な手紙では悲観的な気持ちをもっと露骨に表現し、つぎのように書いている。「もしもきみが世界は改善されると信じているなら、嘆くことになる。完璧な状態に達しても、最後は冷たくて真っ暗で、音のない世界が待っている」[53]。こうした絶望感が、熱力学からインスピレーションを受けたとはまず考えられないが（太陽が消滅していくイメージは、古代の文献に数多く見られる）、科学の発見と関連付けて新たに正当化された可能性は考えられる。

この最終的な静寂と暗闇に対する恐怖は、テクノロジーが人工的な音や光を過剰なまでに生み出すようになった時代には、特に強く感じられた。そして、エントロピーや宇宙の熱的死に最も積極的に取り組んだのは、やはりSFのジャンルだった。最も有名な事例はH・G・ウェルズが一八九五年に発表した中編小説『The Time Machine』（『タイムマシン』）で、タイム・トラベラーとだけ紹介される主人公は、すべての終わりを目撃するため地球の未来へと旅立つ。最初に訪れた八〇万二七〇一年には、地球に新しい階級制度が定着していることを発見する。地上では美しくて子どものように純真なエロイが跳ね回り、地下では残忍で冷酷なモーロックが悪事を企んでいる。モーロックから命からがら逃げだしたトラベラーはさらに先へ進み、今度は宇宙の巨大な時計のねじが止まっている様子を目撃する。「ついに地球には、日没後のたそがれが確実に迫ってきた」とトラベラーは語る。「夜空を移動する星の動きはどんどん遅くなり、光も弱くなっていく。ついに、地平線上の巨大で真っ赤な太陽が動きを止めると、私は立ち止まった。半分だけ姿を見せている巨大な太陽は鈍い光を放ち、時々消滅したかのように真っ暗になる」。彼はマシンのスピードを落とし、時間の最果ての「荒涼とした海岸」に降り立った。そこには、いまにも死にそうな巨大な生き物だけが生息していた。殻が傷だらけで波打っている巨大なカニがうごめく海岸では、頭上を巨大な白い蝶が羽を大儀そうに動かしながら飛んでいる。恐ろしいけれども前進したい衝動を抑えきれず、トラベラーはさらに数百万年も未来へ旅立つ。するとついに、太陽も消滅し、何も残っているものはなかった。

> 人間が立てる音、羊の鳴き声、小鳥のさえずり、昆虫の鳴き声、我々の生活の背景で聞こえてくる様々な音は――すべて消えてしまった［……］。そよ風が、世界の終わりを嘆くかのように吹いてくる。日食の黒い影が、私に向かって迫ってくる。時折見えるのは青白い星だけ。他のものはすべて光を失い見えなくなった。空は真っ暗闇だ[54]。

ウェルズが描写した沈黙の世界のイメージは、この小説が完成されたずっとあとまで消滅せずに残った。そして彼が紹介したビジョンは、世俗的な世界で最も大きな反響を呼んだ黙示録のひとつになった。定量化や計測や科学的手法は、自然から神話の一部を取り除いたかもしれないが、代わりに奇妙なビジョンを導入してしまった。その不思議な領域には到達できないが、それでもリアルに想像することができる。ヘラクレイトスの永遠の炎は、もはや宇宙を永遠に攪乱し続けることがない。しかしその代わりに、いまでは目に見えない原子や分子が世界じゅうでぶつかり合い、エネルギーや熱を生み出している。最後の日が訪れるまで、永遠に動き続ける。

第5章　メートル革命勃発

メートル法という急進的な政治運動は
フランス革命に起源を発する

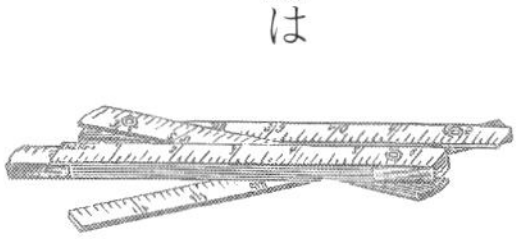

やがて、太陽がその進路で観察できるものが自由国家だけになる瞬間が訪れる。理性以外の勝利者は認められない。

コンドルセ侯爵(1)

公文書館のメートルとキログラム

パリの国立公文書館の廊下は少々かび臭いと思うかもしれない。この公文書館、別名スービーズ館は、フランス革命の時に国に徴用された豪華な貴族の館で、現在は国家が手に入れたものが山のように積まれている。かつて貴族の大舞踏会が開かれた部屋は、いまではスタンプや数字が記された段ボール箱でいっぱいだ。なかには国家の記録文書が詰め込まれ、何段も連なる凝った装飾の本棚にきちんとしまい込まれている。その本棚には鉄製の通路と踏み台が備わっている。静かだけれど、何かを待ちわびているような雰囲気がある。まるで現在が過去にタイムスリップして、カタログのなかに居場所を見つけるのを建物が期待しているようだ。それでもここの空気には驚かされる。古くて湿っぽいどころか、ほのかに良い香りがする。この春の午前中には、はちみつの匂いさえかすかに漂ってくる。

「蠟の匂いよ」と、公文書館の学芸員のサビネ・ミューローが説明してくれた。彼女は私たちを先導し、「Accés interdit」と表示された扉を通り、なかに案内してくれた。「床と棚に蠟が使われているの」。彼女は一瞬立ち止まると、とっくに慣れ親しんだ香りを確認するかのように空気を吸い込んだ。

私たちは建物を歩き続け、目的地に近づいた。それはこの公文書館の心臓部に当たり、厳重に守られた巨大な鉄のキャビネットには、最も貴重な文書が収められている。鍵のかかった三つの扉の奥にキャビネットはある。そして一七九一年に設定された（以後変化していない）アルファベット文字の組み合わせに従ってダイアルを回すと、たくさんの宝物が姿を現す。まずは、第三階級が一七八九年に調印した有名な球戯場の誓い。ここでは、「この国の憲法が制定されるまで」解散しないことが宣言された。他には、人間と市民の権利の宣言が刻まれた銅版画のオリジナルも収められている。これも同じ一七八九年に採択されたもので、「人は、自由かつ諸権利において平等なものとして生まれ、そして生存する」と、人間の権利を保障した画期的な内容だった。そうかと思えば、ルイ一六世の最後の手紙もある。彼は一七九三年一月二十一日、市民ルイ・カペーという庶民の名前で、ギロチンにかけられて命を落とした。これによってアンシャン・レジームは完全に幕を閉じ、新たに共和制の時代が始まった。要するにここには、近代世界でおそらく最大の革命の歴史が収められている。

ただし、私たちが探しているのは書類ではない。サビネと同僚のステファニー・マルク＝マイェはキャビネットのロックや鍵穴をいくつもガチャガチャと処理すると、なかからふたつの包みを取り出した。ひとつは細長く、もうひとつは小さな八角形だ。その中身は、フランス革命の理想と失敗と成功を何よりも雄弁に物語っている。それはどちらも、メートル法の基準となる原器のオリジナルだ。この計測方法は新しい共和制の秩序の導入と共に、同じように革命的に始められた。包みのひとつにはメートル原器、もうひとつにはキログラム原器が保管されている。

私たちの前にあるテーブルには、内側が色褪せたベルベットのケースがふたつ置かれ、そのなかに原器はひっそりと収められている。スリムで光沢を放ち、何も刻まれていない外観からは、最初の摂氏温度計が思い出される。銀色に輝くイコンは、特に変わった形状ではない。古代の王や王女が採用した計測の基準と異なり、権力を思わせる印章や紋章は刻まれていないが、デザインの合理性が強い権力を思い出させる。君主の宝珠や笏《しゃく》ではなく、重さや長さが革命を象徴しているのだ。私はふたつの原器にじっと目を凝らし、光り輝く表面に吸い寄せられるように近づいていった。サビネからは丁重ながらも強い調子で、見るだけで触らないでと繰り返し忠告された。

世界で最も成功した計測系であるメートル法の歴史は、その創造が政治と密接に関わっていた。アンシャン・レジームの時代には恣意的な計測単位が使われていたが、それに代わるものが、十八世紀フランスの知的エリート層のサヴァンによって考案された。それまでのピエ・ド・ロワ「王の足」(シャルルマーニュの時代まで遡る尺度法)と異なり、新しい単位は「計測に関して最も偉大で、最も一定不変の判定者によって定義された」(2)。それは地球だ。メートルの長さは、子午線の断片を実測して地球の北極から赤道までの距離を割り出し、それを基準に決められた。一方、キログラムは一〇〇〇立方センチメートルの水の重さとして定義された。こうすれば、王を頂点とする国家の特異性を超越できる。このように定義された長さや重さならば、時代を問わず誰でも利用可能だ。

メートルとキログラムを測る器具の原材料も、この歴史を象徴している。どちらの原器にも使われた白金は、ヨーロッパ人が南米に植民地を求めて遠征中に発見されたばかりの金属で、純度と強靭性に優れていた。当時の報告によれば、白金は「鉄床《かなとこ》で叩いても」発見できず、「人海戦術で」掘り起こすしかなかった(3)。そんな金属を利用すれば、人類が自然を支配したことの証明になる。しかもオリジナルの器具が戦争や劣化で破損しても、賢い頭脳が科学の定義を使えば、まったく同じものを再現できる。後にナポレオン・ボナパルトは、メートル法についてつぎのように宣言した。「征服者はいつか去る。だがこの偉業は永遠である」(4)。

ただし、それは真実と異なる。フランスはメートル法を採用してほどなくそれを廃止した(その数十年後に再び採用している)。しかも現代の人工衛星を使った調査からは、サヴァンによる子午線の計測は正しくないことがわかった。計算に間違いがあったため、公文書館の原器の一メートルは、実際のところ目標値に〇・二ミリメートル（〇・〇〇八インチ）満たない[5]。紙を数枚重ねた程度の厚さだが、以後ずっと、これは常にメートルの基準として使われ続けた。

スービーズ館で私たちの前に置かれた人工物は、優秀な学者たちの努力の産物だが、フランスで基準となる測定単位の採用を最初に求めたのは、サヴァンではなく平民だった。フランスの度量衡を改革する必要性は、フランス革命の前から指摘されていた。実際、度量衡の混乱は経済や役所仕事の多くの失敗の主な原因となり、それが政治の混乱を招いた。アーサー・ヤングは、フランスの測定単位が「悩ましいまでにバラバラだった」ことをつぎのように説明している。「測定単位は混乱を極め、あらゆる理解を超えている。地域ごとに異なるだけではない。あらゆる地区、そしてほぼすべての町で異なる［……］読者もおわかりのように、フランスの度量衡の呼称単位は、ほぼ無限に存在する[6]」。

もちろん、ヨーロッパのなかでフランスだけが、測定単位が定まらずにバラバラだったわけではない。ヨーロッパではあらゆる職業や目的ごとに測定単位が存在し、目標に合わせて伸び縮みした。そんな順応性は実用的で、封建制度で人民をつなぎとめるために多少の効果を発揮した。しかしアンシャン・レジームのフランスでは、度量衡の本格的な改革が数世紀前から行なわれなかったため、状況が特に悲惨だった。たとえば、パイントとして知られる容量の単位は、一パイントがパリでは〇・九三リットル、セーヌ＝アン＝モンタージュで一・九九リットル、プレシー＝スーティルで三・三三リットルだった[7]。あるいは、布地の最も一般的な計測単位のオーヌは、国内に存在した一七種類のバリエーションのひとつにすぎない。布地を測る基準となる単位は、およそ三〇〇リーニュから六〇〇リーニュまで様々だった。では、リーニュの長さはどうかと言えば、およそ二ミリメートルに定められていたが、それも状況次第だった。ある推定によれば、当時のフランスには確認されるだけで一〇〇〇以上の測定単位があり、地域による違いはなんと二五万種類もあったという[8]。

このような状況から、フランス革命の前夜に（僧侶、貴族、平民から成る）三部会が招集されると、度量衡の標準化への要求は大きな議題になった。改革の準備として国民の不満を大々的に調査してまとめた陳情書には、第三身分の平民が不満を抱く対象は個人の自由の侵害や宮廷よりも、度量衡による混乱のほうが多いことが記されている。[9]「度量衡の標準化という問題への国民の姿勢には一体感があって驚かされる」と、ウィトルド・クラは語る。「様々な地方に住む農民から、様々な職業に携わる職人、ほぼすべての町の指導者まで、誰もがこれを望んだ[10]」。平民は、支配者の不正に抗議する手段として欲した。そして支配者は、商売を繁盛させ、農業の生産高を増やすためにこれを望んだ。ただし、ふたつの集団の望みは常に同列に考慮されるわけではなかった。サヴァンによって考案された壮大な計画が日々の労働のニーズに触れている部分では、特に違いが目立った。ただし少なくともひとつだけ、両者の意見が一致する要求があった。すなわち、「ひとりの王、ひとつの法律、ひとつの重量、ひとつの計測単位」の実現を求めることが、陳情書では何度も繰り返して強調された[11]。

メートルとキログラムの原器は、このように大きく異なる要求の所産である。サヴァンの理想主義と、農民の実用主義のふたつによって生み出された。人工物としても、こうした二元性をうまくとらえている。余分なものは省いて慎重に設計された物体で、測定単位と同様に恣意的に作られた合理的な計算装置であり、平等な道具だと謳われるが、実はエリート層の利益を考慮して設計されている。しかしこうした矛盾を抱えながらも、機能したのである。

雲の隙間から差し込む太陽の光が、メートル原器とキログラム原器の表面に降り注いでくる。その光を浴びながら立っていると、ステファニーがこう言った。こんなに美しくて歴史的に重要な装置なのに、展示しても注目してもらえない。鉄製の保管場所から稀に取り出され、展示されることがあっても、来館者はその重要性に気づかないまま素通りすることが多い。「メートルなんて普段の生活で見慣れているから、いまさら見せられる理由がわからないの。すでに頭のなかに入っているものを、わざわざ物体で表現する理由がわからないのよ」。

地球は横長の楕円形

一七九〇年三月九日、政治家であり貴族であり、時には司教になるシャルル・モーリス・ド・タレーラン＝ペリゴールは、国民議会――全国三部会から改称された政治団体で、この頃になるとフランス国民の代表だと宣言していた――の前に立ち、国民議会は野心に欠けると糾弾した。

その前年だけでも、革命家たちはバスティーユを襲撃し、貴族や聖職者が封建制度のもとで享受してきた権利を廃止して、人間の権利の宣言を承認した。しかし、いまやフランス国民は法の前に平等になったのに、未だに度量衡の不平等に悩まされているとタレーランは主張した。毎日、正直な男女がアンシャン・レジーム時代から変わらぬトワーズ（長さの単位）に圧倒され、穀物をリーヴル（重さの単位）で量ってボウルに注ぐときに損をしている。「度量衡がこれだけバラバラでは、我々のアイデアに混乱が生じ、ひいては商取引が妨害される」とタレーランは指摘して、「このような乱用は正当化されない」と結論した。解放されるためには、「度量衡を改革する」しかなかった(12)。

タレーランの発言が常識的だったことは、陳情書の内容からも証明される。ただし、国内の度量衡の統一に関しては、パリを基準として採用する提案がほとんどだったが、タレーランはそれでは満足しなかった。パリを基準にしても、「事の重大さが理解されないし、啓発的で厳格な人間の並々ならぬ野心が表現される」わけでもない(13)。科学アカデミーを構成するサヴァンの指導を受け、彼はフランスの度量衡を改革するための壮大な計画を立てた。一貫性は大前提だが、国民議会は大きな志を持ち、自然に基づくまったく新しい計測系を創造するべきだ。そうすれば、啓蒙運動の高邁な理想を追求できるだけでなく、科学の世界でフランスを世界のリーダーとして際立たせることもできる。「単純ながらも完璧な正確さを備えたこの計画は、バラバラだった見解を統一させ、博識のある国々のあいだでも評判にならなければいけない。それでこそ、競争は賞賛に値する」とタレーランは語った[14]。

かくして、メートル法は完璧なセールスマンを確保した。タレーランは並外れた政治的嗅覚の持ち主で、革命の荒れ狂う流れを渡し守のように読み取り、他の人たちが溺れてしまうような場所を安全に通過することができた（少し前まで支持していた仲間を簡単に見捨てた）。当時のある政治家によれば、彼は生前に国王や皇帝を何度も裏切ったが、フランスは決して裏切らなかった[15]。そしてナポレオンからは、「シルクのストッキングを穿いたろくでなし」と呼ばれた[16]。しかし一七九〇年にタレーランは、当時の政治情勢のなかでは穏やかな変化ではなく、劇的な変化が求められることを理解する洞察力を持っていた。革命は、多くの人たちが流した血と苦しみによってもたらされた。大胆に行動しなければ、貴重なチャンスを創造してくれた人たちを裏切る結果になってしまう。彼は国民議会でこう語った。「国家が大きな改革を実行する決断を下したら、生半可な仕事は許されず、慎重に取り組まなければならない。やり直しは許されない」。

アカデミーで少し前に結成された度量衡委員会もこの野心を共有しており、計測を通じてフランスを作り替えるチャンスとして革命を見なした。委員会の顔触れは変化したが、世界最高峰の科学者の名前もあった。ジョセフ＝ルイ・ラグランジュ（数学者、天文学者）、ピエール＝シモン・ラプラス（数学者、天文学者）、そしてすでに紹介したラヴォアジエも参加していた。しかし、誰よりも計測への野心が強かったのは、コンドルセ侯爵だった。彼は哲学者であり数学者でもあり、タレーランが政府で発言できるようにお膳立てをした。そんな彼の個人的なイデオロギーの集大成が、公文書館の白金製の原器である。

タレーランが議会で発言してからの数カ月間、いや数年間、委員会はメートル法の計画の具体化に取り組み、いくつかの重要な特徴を決定した。まず、単位には相互接続性を持たせることが決められた。容量の測定には、長さの単位に基づいて作られた立方体が使われ、そこに満たされた水の重さが重量の基本単位とされた。このような結びつきがあれば、長さと重さの価値がお互いに強化される。支え合っているので、どちらも測定が不正確になる心配はない。しかも、計算や単位の変換が楽にできる。

つぎに、メートル法には十進法が採用され、あらゆる単位は一〇で割り切れることが決められた。当時、この要求は物議を醸し、今日でも未だに論争の的になっている。反対する人たちは、十二進法や十六進法のほうが計算は簡単だと主張した。これなら二分の一や三分の一や四分の一に割り算しても答えが小数にならないので、日々の取引が簡単になるからだ。しかしサヴァンは、大勢の人たちを対象とするために十進法を準備することにした。すでに数学では価値が証明済みであり、ラヴォアジエをはじめとする提唱者は、十進法を測定に採用すれば工学や商業などの分野にも同様の恩恵がもたらされると強調した。このような確信は、啓蒙運動の野心の反映である。いまや科学は宇宙に進出する一方、ミクロの領域も深く探求していた。二分の一や三分の一や四分の一は市場での値段交渉には役立つかもしれないが、非常に大きなものも非常に小さなものも数え上げる十進法だけが、この時代の野心を満足させることができた。

三番目に、言葉が大きく変化した。サヴァンは、メートル法にまったく新しい分類法を採用した。倍数や分数を示すため、単位の名前にはギリシャ語やラテン語の接頭辞を付けたのだ。一〇〇〇を表すキロ、一〇〇分の一を表すセントは、いまでも馴染み深い名称だが、一〇分の一を表すデミはあまり知られていないし、一万を表すミリア（myria）という単位は忘れられてしまった。一七九〇年に長さの基本単位として新たに考案された「メートル」は、ギリシャ語のmetronが語源で、計器、そして詩や音楽の韻律というふたつの意味があった。この名前は「非常に美しく、フランス語として立派に通用する」と、生みの親で数学者のアウグステ＝サヴィニエン・レブロンは自画自賛した[17]。

ただし、ひとつ問題が残った。メートル法の脚本と舞台装置は準備されたが、スターがまだ登場していなかった。それは新しい長さの単位のメートルで、これからメートル法の要石になる。メートルの定義についてはいくつか提案されたが、サヴァンは未だにふたつの候補のあいだで揺れ動いていた。地球の子午線の距離の一部を参考にするか、それとも秒振り子——周期が二秒の振り子——にするか、決めかねていた。タレーランも委員会のメンバーも、自然に由来した単位の妥当性を信じていたが、どちらの定義も決め手に欠けた。

それまではずっと、秒振り子のほうが好ましいと思われていた。イギリスにもフランスにも支持者はいるし、その系統はガリレオの研究まで遡った。一六〇二年に彼は、振り子は大きく揺れているときも小さく揺れているときも、往復にかかる時間（周期として知られる）は同じであることを証明した。[18]弧が長くなればスピードが速くなり、狭くなれば遅くなるからで、これは質量にかかる重力の違いの結果だ。サヴァンにとって、振り子の長さと周期の関連性は魅力だった。同じ長さの振り子が揺れる周期は、振れ幅によらず一定になるのだから、一度計測した結果はどこでも通用する。水の沸点や氷点と同じく、等時性として知られるこの特性は、混沌とした宇宙で発見したオアシスのように便利な存在だった。そこで周期が二秒の秒振り子を選び、一秒は太陽日の八万六四〇〇分の一として定義された。その長さは三九・一インチあるいは九九三ミリメートルで、今日のメートルに一センチ弱満たない。この単位を再現するため必要なのは、ひもと重りと時計だけだ。

この解決策はエレガントだったが、秒振り子には欠点があった。そもそも振り子の揺れ幅は厳密に言うと、ガリレオが考えたほどの一貫性がなく、緯度ならびに観察者の赤道からの距離によって異なった。一六七二年には科学アカデミーのあるメンバーが、自分の振り子の揺れ幅が南米ではパリよりも一・二五リーニュ（二・八ミリメートル）短いことを発見した。[19]当時、この発見に当事者である科学者は戸惑ったが、アイザック・ニュートンには嬉しいニュースだった。彼は一六八七年に発表した『プリンキピア』で、地球は重力の影響で完璧な球体にはならないと論じて物議を醸したが、この理論の正しさを裏付ける証拠が手に入ったのだ。[20]遠心力の影響で、地球は縦が短くて横長の楕円形になる。そのため赤道に近い南米では重力が小さくなり、振り子の揺れ幅が短くなるのだ。

そうなると、フランスのサヴァンが秒振り子に基づいて計測単位を決めても、その正しさは一定の緯度の範囲内に限られる。一部の場所でしか通用しない定義を採用すれば、すべての国が恩恵にあずかれるわけではない。しかも同じ緯度のなかでも、山のように特別大きな物体が存在すれば、重力は統一されない。そしてさらに気がかりなのが、新しい長さの単位を振り子で定義すると、秒の値に関連付けられることだった。当時は秒の存続が既定の事実ではなく、やはり改革の候補に挙げられていた。一分が六十秒、一時間が六十分という、古代バビロニアの天文学者から受け継がれた定義は、見直す計画があった。サヴァンは、必要以上に拘束されたくなかったのである。

そうなると新しいメートルを定める基準としては、子午線のほうが優れている。ただし、これも問題を抱えていた。ニュートンが『プリンキピア』を発表した十七世紀以降、科学界は話し合いを重ねるだけでなく、測地線を調査するために費用のかかる遠征を何回か行なったすえ、地球は縦が短くて横長の楕円形だという結論で一致していた。ただし、それが正確にはどの程度で、曲率が場所によってどれだけ異なるかは結論が出なかった。メートルを子午線――北極と南極を結ぶ架空の線――の一部として定義するためには、子午線そのものを改めて測定する必要がある。僅か一世紀前には、地球は完璧な球体だと見なされていた。地球の性質は変化したのだから、かつての調査結果を頼りにしても十分ではない。最終的にアカデミーは、ふたりのメンバーに測量の仕事を任せた。どちらも天文学者のジャン゠バティスト゠ジョセフ・ドランブルとピエール゠フランソワ゠アンドレ・メシャンだ。ふたりは子午線全体ではなく、パリを通過する直線の部分だけを測ることにした。フランス北部の海岸のダンケルクと、国境を越えたスペインのバルセロナを結ぶ箇所だ。スーツを注文した巨人の体の寸法を測るテイラーのように、ふたりはこの範囲を徒歩で移動して慎重に作業を進める。

ひとりは北に、もうひとりは南に向かい、その結果として得られた数字を掛け算し、子午線の半分に当たる距離を割り出す。それからこの距離を一〇〇〇万で割り算して、その結果がメートルの定義として採用されることになった。

遠征そのものは七年を要した。そのあいだドランブルとメシャンは、高い精度が求められる作業に苦労しただけでなく、フランス革命の熱狂的な風潮にも苦しめられた。ふたりが行なったのは三角測量で、幾何学を利用して距離を計算する。そのアプローチはユークリッドの原理に基づいたもので、それによれば、三角形の三つの角度とひとつの辺の長さがわかれば、他のふたつの辺の長さを算出できる。したがって、国内のふたつの離れた地点でそれぞれ基線を定めて三角形の一辺とし、その両端と見晴らしの良い場所に設置された地点を結び、その角度に基づいて距離を測る作業をふたりは繰り返した。ちょうど、点と点を結ぶゲームが巨大なスケールで行なわれるところを想像してもらえばよい。測定したい点までの角度を測るため、ふたりは教会の尖塔や要塞や丘に登って作業を繰り返した。こうして複数の点をすべて結んでいけば、長い基線の距離全体を計算することができた。

計測の歴史の分野では決定版とされるケン・オールダーの『The Measure of All Things』(『万物の尺度を求めて』)で伝えられるところによれば、この見慣れない活動はしばしば地元住民から不審に思われ、ふたりはスパイと間違われるだけでなく、反革命主義者だと疑われることもあった。オールダーによれば、「どこでも疑われて妨害された[21]」。委員会が、この遠征を国王ルイ一六世の名のもとで認可していたのもまずかった。国王は遠征が始まって一年目の一七九三年に処刑されていたが、草原や土地を測っている様子から、税金を増やすための調査ではないかと疑われた。サン=ドニでは、動機を疑って押し寄せてきた町の住民によって、ドランブルは拘束されてしまった。ここでは革命の初期に、パンの価格の引き下げを拒んだ助役が一四回も体を刺されていた[22]。ドランブルは不審を募らせる群衆に対し、測地学に関する即興の講義を行なわざるを得なかったと後に記している。自分たちが取り組んでいる行動は、みんながカイエのなかで要求している改革を推し進めるために役立つ可能性を伝えたかった。「大勢の住民が集まった」と、ドランブルは回想している。「やがて、必死の説得に耳を傾けてもらえるようになった。この手際のよい方法がいまでは使われているのだと説明すると、頑なな心は和らぎ、疑念は解消した[23]」。

こうした危険を伴う作業が何年も続けられた結果、驚くほど精度の高い測量が完成した。しかしオールダーによれば、これは「任務全体の基本理念が説得力を持つには十分ではなかった[24]」。アカデミーのサヴァンが子午線を使ってメートルを定義する方法を選んだのは、これなら完璧で不変だと信じたからだった。しかしふたりの天文学者の根気強い測量からは、逆が真実であることが明らかになった。地球は完璧な球体でないばかりか、きれいな卵形でもない事実が判明したのだ。フランスの丘陵や山に三角形を連ねて測量した結果、地球の表面はひだに覆われて湾曲し、しなびた果実のように凸凹があることがわかった。こうした思いがけない発見は、計測の歴史ではめずらしくない。正確さを追求し、現実の領域の奥深くに分け入った挙句、思いもよらぬ不規則性と巡り合うのだ。

しかしメシャンは当惑するどころか、この発見に刺激され、妥協を拒む地球の姿勢に感銘を受けた。「数学者の同僚たちが考案する公式に従わない」姿勢を賞賛し、個人的な手紙では畏敬の念を込めて、信じられない気持ちを表現している。「神はなぜ、我々の地球をもっと慎重に形作らなかったのか……」と問いかけ、こう続けた。「神は天地創造の大事業に取り組む前に、運動の法則や重力や引力を準備した。それでも、不格好な地球は不規則な形状になった。神が最初からやり直す以外に、矯正する方法はない[25]」。自分の両親が完全無欠でないことを初めて発見した子どものように、彼はエラーのなかにぞくぞくするようなスリルを見出したのである。

一七九八年に測量から収集されたデータが最終的にまとめられると、地球全体の湾曲に関するサヴァンの理解が計測単位に最高の形で表現されるように、地球の風変わりな特徴の過激な部分は修正された。[26] パリを通過する子午線をメートルの定義に使った時点で、フランスのサヴァンはすでにイギリスやアメリカの同僚を引き離していた。こちらが黙っていれば、どちらもメートル法を素直に受け入れるのだから、変に刺激したくはなかった。さらに最終的なデータでは、メシャンの測量結果の小さな食い違いも無視された。おそらくこれは、器具の欠陥によるものだった。メシャンはこのエラーを生涯にわたって隠し続けたが、その存在は良心を苦しめた。最終的にこれは彼の死後、静かに敬意をこめて明らかにされた。ドランブルが執筆した遠征の公式の歴史について、オールダーは、「人間の知識のはかなさへのオマージュを意図した」と指摘する。[27] そこには、メートルに関するエラーはひとつだけではなく（子午線の長さがやや短いことが、現代の測量では証明されている）、ふたつだったことが指摘されており、どちらも深刻ではないと書かれている。

一七九九年六月二十二日、新しいプロトタイプの序幕式が行なわれ、いまやメートルの基準となった白金のメートル原器が、元老院に贈呈された。「計測器具をアテネ市民はアクロポリスに、イスラエル人は神殿に納めたが、それと同じく」議会に納められ、[28] メートルに備わった新しい権威を強調した。これは近代の遺物だが、いまも使われている。完璧な物体であるはずが、いたましい欠点を抱え、高潔さの象徴として作られたが、人間のエラーがコード化されてしまった。ラプラスは除幕式でこう語った。「メートル法が創造された結果、いまではフランスのすべての慎ましい農民が、こう話せるようになった。「私の子どもたちを育ててくれた畑が、地球のなかでどれだけの広さを占めるのか、いまでは正確にわかるようになった。おかげで、私は世界の共同所有者になった」[29]。確かに不規則な世界ではあっても、その素晴らしさには圧倒される。

イデオロギーと抽象化

本人にそのつもりはなかったのだが、一七九九年にラプラスが行なった演説は、メートル法プロジェクトの中心でいつの間にか緊張を高めてしまった。その緊張のおかげで計測の事業は挫折を経験し、その影響は未だに続いている。そもそもメートルは、「地球の一部として確認された」という理由だけで、自然だと言えるだろうか。少人数の専門家が費用をかけて苦労のすえに決定した数の、どこが自然なのだろう。そしてフランス人は、なぜこうした由来にこだわるのか。「地球の共同所有者」にでもなった気分なのだろうか。それともラプラスの大言壮語は、同僚に向けられたのだろうか。しかし学者や科学者は、地球を歩いて距離を計測し、その結果を白金製の棒の長さに縮小し、手に持てる原器を作った。どんな国王が征服の成果を得意げに語っても、これにはかなわない。

啓蒙主義の思想家の例に漏れず、メートル法に関わったサヴァンたちは、政治の立場が様々だった。漸進主義者もいれば好戦的な者もいるし、保守主義者も過激な者もいた。それでも全員がいくつかの重要な理想を共有していたが、なかでも最も重要なのは、人間は合理的な手段を通じて運命を形作ることができるという信念だった。サヴァンだけでなく、十八世紀の他の多くのエリートにとって、過去数十年間の科学的発見は実証的な手法の素晴らしさを証明した。宇宙に関する新しい真実が明らかになっただけでなく、宇宙そのものの秩序が再編され、人類は新たな創造主の地位に収まったのだ。風刺的な作品で知られるアレキサンダー・ポープは、アイザック・ニュートンを追悼してこう語った。「自然と自然の法則は、夜の闇に隠れていた／『ニュートンよ出てこい！』と神が言われると、あたりは光に包まれた[30]」。

この信念をコンドルセ侯爵ほど明確に体現した思想家は、まずいないだろう。彼は数学者であり経済学者であり、哲学者でもあり、「人類は完璧になれる素質を無限に備えており」、その可能性は科学によってのみ実現すると主張した。そして世界を一〇の時代に分割した。八番目は「印刷機が発明されてから、科学と哲学が権力の束縛を脱するまで」、九番目は「フランス共和国が誕生するまで」、そして一〇番目はまだ訪れていないが、最も栄光に満ちた時代で、「人類の未来は進歩しかなかった」[31]。

コンドルセは魅力的な人物で、誠実なだけでなく思いやりがあった。フランス啓蒙主義の最後の大物思想家であり、革命に本気で取り組んだ唯一の思想家でもある。見たところ物静かで控えめだが、心に激しい情熱を秘めていた。そのため同時代の人たちからは、「頂上に雪をいただいた火山」とか「いつ怒るかわからない羊」と評された[32]。革命には君主制主義者として参加したが、すぐに共和制主義者に乗り換え、死ぬときは民主主義者になっていた。しかし生涯を通じ、いくつかの道徳的原則への支持は揺るがなかった。たとえば奴隷制や死刑に反対し、男女同権と普通教育を提唱した。男女を問わず庶民の生活が改善されてこそ、人類は新しい時代の平和と調和を実現できると固く信じていた。

最終的にコンドルセは、多くの革命児たちと共に破滅の運命をたどった。穏健なジロンド派が提案した憲法改正の計画を先頭に立って進めたが、一七九三年に過激な山岳派が権力を握ると、逮捕状が発行された。それでも彼はほとばしる感情を抑えられず、追手から逃れて潜伏しているあいだに、傑作となる『人間精神進歩の歴史的展望の素描』を執筆した。これは未完で文字通り素描だったが、啓蒙主義に関する最後の論文としてしばしば評価される。追われる身の男の走り書きによって理想は神格化され、未来に伝えらえる希望がつながった。

『素描』では未来の世代に希望が託され、いまでは常識となった概念を受け入れるよう、コンドルセは情熱的に訴えている。それは、人類は徳を積むという概念だ。世界はどんどん知識を増やし、今日の生活よりも明日の生活のほうが優れているという確信である。要するにコンドルセは、世界は進歩していると信じて疑わず、以下のように記した。「したがって、太陽の光が自由な人間だけに降り注ぐ時代が訪れるだろう。自由な人間にとっては、自分の理性が唯一の主人である。暴君と奴隷、祭司と無知蒙昧で偽善的な下僕が歴史書や劇場のみで存在するようになれば、それを見てだまされた犠牲者を憐れむだけですむ。これからは、行き過ぎた行動が恐怖を引き起こさないように警戒を怠ってはならない。迷信や圧政が再現されないように理性を働かせ、種の段階で発見して摘み取る方法を理解することが大切だ」[33]。

コンドルセは科学的手法の成功を強調し、この楽観主義をつぎのように正当化した。「ニュートンは数学の分野で徹底した研究によって知識を身につけ、天才のひらめきによって新しい発見をしたが、今日学校を卒業する若者の数学の知識はニュートンを上回る。そして、数学と同程度というわけではないが、同じことはすべての科学で観察される」[34]。彼は、科学でもガバナンスでも間違えることがある可能性を積極的に認める一方、過ちは未来に向けた改善への布石としてのみ考えた。その哲学は、復元力と楽観主義が特徴である。唯一の課題は、すべての人に成功の果実が確実に行き渡ることだった。すなわち、誰でも暴君や祭司の命令に制約されずに考えられるだけでなく、物質的な支援も必要とされる。コンドルセによれば、不平等には三つある。富の不平等、地位の不平等、命令の不平等である。これらを取り除けば、社会は改善し続ける巨大な機械になる。何かを教え、何かを学ぶ教育がギアのように機能して、大きな好循環が生まれるので、どの世代も最後は改善することができる。「事実が増えると、人間の心はそれを分類して絞り込み、もっと一般的な事実にまとめることを学ぶ。そして、事実を観察して計測するために使われる手段や方法は、以前よりも正確になる。心が複雑な形で構成されると、単純に物事を考えて理解しやすくなる」とコンドルセは記している[35]。

ただしこの好循環が確立するためには、考える道具が必要だ。なかでも真っ先に必要なのは、「共通言語」の考案だった。この道具があれば、数学のように明確な形で理性をあらゆる分野で働かせることができる。共通言語によって、「人間の知性のあらゆる対象に厳格さと正確さが加わるので、真実は容易に明らかになり、間違いはほぼ不可能になる」(36)。一方、コンドルセは別の場所で、情報を明確にするために使える十進法について想像した。この体系ではあらゆる本質が十進法で説明される。たとえば、４６１８０７３という数字ならば、界は動物界、綱《こう》は哺乳類、目《もく》は食肉目、科はネコ科、種《しゅ》はイエネコ、そして色はぶちで、体形は肥満型。要するに、太ったぶちネコになる(37)。このように全般的なデータを表示する体系なら、想像し得るあらゆるタイプの事実や発言を表現できるだろうと、コンドルセは想像した。そしてフランシス・ベーコンが一世紀前に提唱したように、情報はきれいに分類して大量に保管できる。そこには科学の知識だけでなく、道徳や政治に関する見識も含まれる(38)。こうして世界の知識が数字に変換され、細かくふるいにかけられ、本質が抽出されれば、新たに柔軟性が備わるので、計算も検証も発見も簡単になる。そんな目録を一目でも見れば誰でも、この事実の体系から明らかにされる「あらゆる結果、あらゆる事実、あらゆる自然の法則を発見することができる」(39)。

　コンドルセのビジョンというのは、理想を追い求め、全体主義的な傾向が強い。世界を完璧な形で分類し、そんな知識に誰もが平等にアクセスできれば、完全な幸福が実現すると想像している。そこでは方法にも計画にも曖昧さの入り込む余地はない。そして古代エジプトのオノマスティコン（名物学）やリンネが提案した分類学と同様に、カテゴリー化そのものが知識を生み出す手段だと想像した。

　コンドルセは共通言語を自分で完成させるチャンスに恵まれなかったが、メートル法はその前身として重要な存在だと考えた。メートル法でひとつの単位に統一されれば、カレーのレース装飾にもオーベルニュのチーズにも同じように使うことができる。やがてフランスやヨーロッパだけでなく、全世界で採用されるだろう。しかもメートル法の単位は共通の言語を提供するだけではない。コンドルセをはじめとするサヴァンから改善する一方の計算方法として評価された十進法が、市民に徐々に教え込まれることにもなる。ラヴォアジエは、十進法が「科学の領域に閉じ込められている」と嘆き、大衆のあいだに導入されれば、集合知が研ぎ澄まされると想像した(40)。十進法が手に入れば、主婦は家計をもっと上手にやりくりし、農民は土地をもっと正確に測量し、商人は商品を合計して取引できるようになる。十進法が定着すれば、誰でも「自分の関心の対象に関して自分の力で計算することができる。この能力がなければ、本当の意味で権利の平等は達成されないし［……］本当の自由も手に入らない」とコンドルセは語った。(41)

こうした高尚な理想は、もっと現実的な問題ともうまくかみ合った。メートル法の設計に取り組むサヴァンは、抽象的な理想の実現だけでなく、フランス経済の差し迫った問題の解決も視野に入れていた。コンドルセは、いまでは重農主義者として知られる経済学者の集団と関係があった。重農主義者は、農業の生産性こそが国家の繁栄の土台だと論じた。後にカール・マルクスは、『資本論』でつぎのように説明している。「重農主義者は、農業労働だけが生産的だと主張した。なぜなら、農業労働だけが余剰価値を生み出すと考えたからだ」(42)。ただしサヴァンの作業で重要なのは、方法論的アプローチだった。国家の経済を形作るための正しい方法は、計測と分析だという点を強調した。独裁者の決定によって支配するのはかまわないが、その命令には理性による裏付けが必要だった。

重農主義者から見れば、アンシャン・レジームの計測法は望ましくなかったが、それは理性の障害になることが大きな理由だった。古い単位は紛らわしく、弾性値が不正確だった。布地の長さの単位であるオーヌが布地ごとにバラバラだったら、そもそも測ることに何の意味があるのか。これに対してメートルは、財産所有権を認める民主主義で出現した単位だ(43)。これなら土地を正確に矛盾なく区分し、所有権を明らかにして、税制や農業生産高を改善できる。メートル法はどこでも変化がなく普遍的なので、個人的に計測を行なうときよりも、むしろ書類に記録を残すために完璧な道具だった。そして、計量的手法のおかげでガリレオやニュートンのような人物が天空の新しい支配者になったのと同じように、新しい度量衡によってフランスのエリートは、国家の繁栄を築くことができる。

偶然ではないが、メートル法の創造に関わるサヴァンは、このような変更から最も恩恵を受ける階級だった。

しかも、直接的に関与しているメンバーもいた。コンドルセは、かつて王立造幣局の局長だったし、ラヴォアジエは取税人だった。これは国王の税金の回収を任せられたエリート集団で（集めた税金の一部を自分の懐に入れた）、この地位のおかげでラヴォアジエは、「フランスでもかなりの富豪になったが、男女を問わずフランスの大勢の平民の嫌悪の対象になった」[44]。税の徴収は職業として軽蔑されていたのだ。「カイエ」にもたびたび苦情が記され、国家の吸血鬼とも呼ばれた[45]。ラヴォアジエにとってこの仕事は命取りになる。メートル法が最終的に決定されて披露された五年前の一七九四年、詐欺の罪に問われて二七人の同僚と一緒に処刑された。度量衡委員会の仲間だったジョセフ＝ルイ・ラグランジュは、彼の死をつぎのように悼んだ。「この人物の頭はあっという間に斬り落とされた。百年経っても、同じような人物の再来は難しいだろう」[46]。

　商人や官僚や取税人にとっては、度量衡が改善されれば仕事が楽になる。単位が統一されず、ブッシェルやエルが非公式に不可解な形で変更される混乱状態に対処する必要がなくなるからだ。すべてが統一され、体系化され、合理的になる。メートル法への変更に関わった政治家のひとりで、かつては技師だったプリウル・デ・ラ・コートドールは、つぎのように語った。新しい基準が導入されたおかげで、フランスの商業は「取引が直接的に行なわれ、健全で迅速になった」。そのため国は「巨大な市場となり、各地域が余剰品を交換している」[47]。

　つまりメートル法の改革は市場改革であり、しかも過激な改革だった。それでもサヴァンが変化に成功したのは、新しい体系の自然らしさと合理性を何度も強調したからだ。ふたつの概念は矛盾しているように見えるかもしれないが、啓蒙主義の思想家は自然界を手なずけて支配する方法という枠組みを科学に与えることで、この問題を解決した。そして政治の場でも、こうした姿勢のおかげでメートル法の提唱者は支持を集められた。反対するのは非合理的で自然に反するからだと主張する一方、メートル法は偏っているという批判に対しては、これは中立な地球の仕事だと反論した。古い測定単位は恣意的かつ非合理的であり、使うのは時代遅れの政治制度で権力をふるった独裁者や無教養な愚か者だけだと非難した。古い単位はどれも「適当にしるしを付けられ、適当に名前が与えられているが、そんなものが標準になる権利はない」。一方、メートルとキログラムは「完璧で」「真実で」「客観的」だった。[48]

しかし、実際に新しい単位を定義して認めるまでの作業を徹底的に調べれば、こうした主張の矛盾はかならず明らかになる。たとえばキログラム（最初はグラーヴとして知られた）を確認するためには、一立方デシメートルの水を量らなければならない。このプロセスからは、いかにも自然な印象を受ける。しかしすぐに科学者は、水なら何でもいいわけではないことを発見した。海や湖や渓流など、水は場所によって成分が異なるので、最終的な重さも変わってくる。そうなると精製水しか使えないが、これは実験室でしか確保できない。しかもこの水の温度は、新たに改良された温度計を使って一定に保たなければならない。そして重さを量るプロセスは真空状態で進行するが、これはまるで月に森を作るようなもので、地球にとって自然な環境とは程遠い。このように、度量衡を決めるプロセスにはいくつもの矛盾が含まれるが、そこには政治プロジェクトとしてのメートル法の大きな矛盾が反映されている。結局はこうした深刻な問題のおかげで、メートル法への移行を目指したフランスの最初の試みは、始められてから僅か数年後に挫折した。

一日は十時間

フランス革命暦で二年目のプレリアール月の二十日目（一七九四年六月八日）、パリ中心部近くの軍事演習場のシャン・ド・マルスの平らな平原に山が出現した。これは共和制が行なった奇跡ではなく、意図的に作られたものだ。山（実際には、小さな丘と呼ぶほうがふさわしい）は、最高存在の祭典の目玉だった。この祭典はマクシミリアン・ロベスピエールが構想した全国規模のイベントで、新しい市民宗教として彼が始めたカルト宗教の発足を祝うためのものだった。

それまでの革命の祭典と同様、このイベントもシンボルが満載で、大勢の人たちが動員されて豪華絢爛だった。たくさんの宝物を積んだ戦車が登場し、授乳する母親たちが列を作って行進し、合唱団は共和国の聖歌を歌った。クライマックスには、ロベスピエールがモーセさながら山から下りてきて、新しい福音を伝えた。それは創造者たる最高存在を礼賛する理神論的かつ国家主義的なビジョンで、自然の創り主はキリスト教の神と決して同じではないと強調した。フランス国民の闘争を高いところから父親のように温かい目で見下ろし、勇気と不屈の精神で戦うように励ましている。「道徳性を持たない神が、人類の心に正義と平等の綱領を刻み、暴君の死刑宣告を書き込んだだろうか」とロベスピエールは訴えた(49)。彼はそれまでの一年間に権力基盤を固め、高潔な恐怖政治の名のもとで何千人もの反革命主義者を処刑した。演説の終わりに恐ろしい無信仰を象徴する怪物の像に火をつけると、像は燃えて、そのあとには焼け残った叡智(最高存在)の像が姿を現した(50)。

この祭典で、革命のプロジェクトは最高潮に達した。十九世紀のドイツの哲学者ヘーゲルは、この瞬間に人類は自分の責任で歩み始め、アイデアに基づいて世界を再編したと考えた(51)。国内で主導権を握ったジャコバン派は、サヴァンが擁護した合理性と自然というパラダイムを受け入れ、それによって自分たちのユートピアを正当化したのだ。最高存在の祭典は、これらのアイデアを具体化したもので、像を燃やすような粗暴な形で教訓を伝えた。そしてメートル法とその平等主義的な原則は、この新しい秩序にすんなり組み込まれた、メートルとキログラムは、共和主義を象徴する言語としての位置を確保した。共和主義者のように装い、共和主義者のように話すことを心がけ、トリコロールのバッジをつけ、周囲の人たちに市民(citoyen, citoyenne)と呼びかけるのと同様、メートル単位の利用は大義への忠誠を象徴した。こうして世界は作り替えられたのである。

十進法の原則は、いまや大衆を改善する手段としての評価が定着し、このプロセスの重要な要素になった。恐怖政治が始まってから数週間後の一七九三年十月、国民公会の代表者による投票によって、グレゴリオ暦の

秋

ヴァンデミエール	葡萄月	9月～10月
ブリュメール	霧月	10月～11月
フリメール	霜月	11月～12月

冬

ニヴォーズ	雪月	12月～１月
プリュヴィオーズ	雨月	1月～２月
ヴァントーズ	風月	2月～3月

春

ジェルミナール	芽月	3月～4月
フロレアール	花月	4月～5月
プレリアール	牧月	5月～6月

夏

メスィドール	収穫月	6月～7月
テルミドール	熱月	7月～8月
フリュクティドール	実月	8月～9月

代わりに新しく革命暦が採用されることが決定された。十二カ月にはそれぞれ名前が付けられ、どの月も十日間から成る三週間（décades）で構成された。そして一日も十進法で分割された。一日は十時間から成り、一時間は一〇〇分、一分は一〇〇秒から成る。そうなると、一日は十万秒というきりの良い数字になるが（それまでは八万六四〇〇秒だった）、必然的に今日よりも〇・八六四メートル秒と、僅かに短くなった。おそらくこれは、世界を形作るアイデアという発想の究極の表現だろう。ある歴史家は、共和主義者は「時間の性質そのものを革命によって掌握した」と評した[52]。このイノベーションを、フリッツ・ラングは一九二七年に『メトロポリス』という映画に取り入れた。ここに登場する未来都市では、一日が十時間から成る厳しいスケジュールのもとで、労働者階級が作業に追い立てられる。

革命暦は、十進化時間よりも完成度が高くなることを目指し、決定までには議論が重ねられた。最初の頃の提案では命名の仕方があまりにも合理的だった（「最初の月」「二番目の日」など）。あるいは、革命のテーマを取り入れた提案もあった（再生の月で始まり、平等の月で

図 8　革命暦では、1 年は 4 つの季節に分けられた。各季節は 3 つの月から成り、各月は 3 週間から成り、1 週間は 10 日から成った。

終わる)[53]。しかし共感されたのは農業に基づいて草案されたもので、これなら新しい暦に自然に備わった合理性だけでなく、政権が労働者に抱く忠誠も表現された。新しい月は天気(雪月のニヴォーズ、雨月のプリュヴィオーズ)、もしくは労働(葡萄月のヴァンデミエール、実月のフリュクティドール)にちなんで命名された。そして各日にも農産物にちなんだ名前が付けられた。ほとんどは作物や花や野菜で、五曜日は動物、一〇曜日は道具にちなんだものだ。したがって、牧月(プレリアール)の二週目の各日は、つぎのように命名された。イチゴ、イヌゴマ、豆、アカシア、ケール、カーネーション、ニワトコ、ポピー、リンデン、熊手。暦に名前を付けた詩人で劇作家のファーブル・デグランティーヌによれば、こうしたものは「理性の目から見れば、ローマの地下墓地から取り出された聖人の頭蓋骨よりも、間違いなく価値があった」[54]。もちろん、誰もがこの見解を共有したわけではない。同時代のイギリスのある作家はこの暦を馬鹿にして、自分でもつぎのような名前を付けて対抗した。息が苦しい月、くしゃみが出る月、凍える月、滑りやすい月、雨が滴る月、刺すように寒い月、にわか雨の多い月、花が咲く月、木の葉が茂る月、そして最後はホップと作物とポピーの月[55]。

革命暦を押し付けるなど、いまではおかしな行動や理屈に合わない行動と見られることもあるが、当時はかならずしもそうではなかった。十八世紀の人々の時間に関する認識は、今日と比べて多元的だった。一年のうちに複数の種類の暦がつぎつぎと登場し、どれも独自の領域や興味を反映していた。カトリック教会の暦にはパレードや聖人の日や祭日が記され、農民の暦では四季の変化や労働に注目した。官僚や書記や商人を対象として、法律や金融に特化した暦もあった。暦を作り直すという発想は、特に変わったものではなかった。革命の前には、知識人が定期的に話し合ったものだ。それには、過去数世紀にわたってグレゴリオ暦の採用がなかなか進まなかったことが大きい(それ以前のユリウス暦は、季節の変化とうまく合わなかったため放棄された。太陽年の長さなどの計算を間違えた副作用だ)。一方、イギリスとその植民地は、一七五二年にグレゴリオ暦に切り替えたばかりで、そのため一年から十一日が取り除かれた。なかには、ユリウス暦にさらに数世紀こだわり続けた国もある。トルコは一九一七年、ロシアは一九一八年になってようやく放棄した。[56]

したがって、暦の変更というアイデアは、前例がなかったわけではない。問題を引き起こしたのは、一年の構造から教会の影響を取り除いたことで、これこそが共和制の改革の真の目標だった。新しく一週間を十日にすれば、もはや日曜日の礼拝はなくなる。代わりに十日目（decadi）は、市民の休日となった。聖人の日も宗教の祝祭も取り除かれた。いずれもこれまでフランス社会のコミューンの生活の中心的な機能を果たしてきた出来事で、「貧しい暮らしにささやかな栄光と美を添えてきた」[57]。こうした魅力については革命家たちもよく理解しており、そんな楽しみを自分たちの寛大さの結果だと主張したかったのだ。最高存在の祭典はその一例で、他にも若者、勝利、高齢者、配偶者、人民の主権など、様々なテーマで多くの休日が設けられた。

フランスの歴史家であり哲学者のモナ・オズーフによれば、こうした出来事は単なるプロパガンダの域を超え、空間と時間に関して新しい市民を新たな環境に適応させた。いまや一年は高潔な共和国の手で区切られる一方、祝祭は物理的に開かれた場所で行なわれ、新しいフランスの自由と平等を象徴した。「祝祭による補足は立法制度にとって欠かせなかった。なぜなら議員たちは人民のための法律を作るが、祝祭は法律のための人民を作るからだ。祝祭を通じ、新しい社会的絆が明らかになり、永遠に干渉できないものになる」とオズーフは記している。[58]

十進化時間は間違いなくこのプログラムの一部だったが、その影響力は革命暦に遠くおよばなかった。実際に十進化時間を利用したのは、ラプラスのような極端な合理主義者か、政治家のルイ・サン＝ジュストのような筋金入りの革命家ぐらいだった（彼はロベスピエールの右腕で、テルミドールのクーデターで逮捕されたとき、十進化時間の懐中時計を持っていた）。十進化時間による時計が公共の場所に設置されたという記録は残っているが、この新しい時間測定の方法が平均的な市民に喜んで受け入れられた証拠はない。今日まで残っているものは多いが、何とも不思議な代物だ。時計の文字盤は一〇等分され、秒が刻まれるにつれて針が動いて時間が表示される。

ただし、新しい曜日と日付は完全に拒まれたわけではない。当時「ムッシュ・ディマンシュ（一曜日）」と「市民デカード（十日）」は、どちらもアレゴリー（寓意像）として人気が高かった。前者はアンシャン・レジームの伝統を、後者は新しい十進法を受け入れた市民を象徴した。[59] しかし結局、革命暦と一緒に従来の暦も引き続き使われ、歴史家のマシュー・ショーによれば、「革命暦が存在したほとんどのあいだ、新しい人工的なシステムには馴染めず、困惑すら覚えた」。十進法を採用した暦は変化の兆しであると同時に、変化が不可能であることを象徴した。これを見れば、「革命の目標は未だに達成されていない現実が常に思い出され、共和国の建設はよくて進行中であることを認めざるを得なかった」[60]。

十進化時間は、一七九五年のジェルミナール（芽月）の十八日に正式に廃止された。導入されてから二年にも満たなかった。一方、革命暦はエリート層から支持されても一般大衆には受け入れられなかったが、一八〇六年一月一日まで存続した。それでも結局は、専制的で見当違いだと非難される。一週間が十日もあったら、「人間も動物も」ぶっ続けで働けないと、反対者からは指摘された。[61] そして各月が季節で表現されたが、これはフランス南部以外の場所では「まったくの嘘」だった。要するに暦は不自然かつ不合理で、サヴァンの理想とは真っ向から対立した。

やがてメートル法も同様に非難され始めた。一七九九年にメートル法が最終的に決定されると、政府は全国で度量衡を変更する作業に取り組み始めた。各地域の計測単位をメートル法に変換するための換算表を作成し、メートル法の長所を詳しく解説したパンフレットを印刷し、メートルとキログラムの原器を作ってどの町にも送った。政府の職員を派遣して各地域の測定基準を確認させ、全国の学校でメートル法を義務付けた。独裁色を強める国家で権力を拡大した秘密警察は、市場で抜き打ち調査を行なった。しかし、それでも十分ではなかった。

メートル法が公表されてからの数年間は、フランス各地で計測に関する混乱が続いた。店主や商人は複数の測定基準をこっそり使い続けた。このような状況から引き起こされる詐欺や不正行為を撲滅するためにメートル法は導入されたのだが、効果はなかった。価格を新しい単位に変換するとき、店主や商人は計算で端数を切り上げて、十進法化のコストを買い手に押し付けた。そして測量士も会計士も工兵も従来の単位を使い続けたので、様々な事例に政府の役人も対処できなかった。オールダーが紹介したつぎの出来事は、特に核心をついている。政府で新しい単位の導入を担当する部署が出張所に送ったメートル原器の受領書には、この荷物はアンシャン・レジームの単位で六〇リーブルだと記されていた[62]。

メートル法の長所はいくつも認識されていたが、それが国民に導入された途端に負担になってしまった。メートル法に備わっている相互接続性を批判から守るため、度量衡庁はつぎのように警告した。「メートル法の一部分を攻撃すれば、全体が危険にさらされる。それを食い止めなければ、さらに続々と反対意見が出てくる[63]」。そしてこうした妥協のない姿勢から、さらに厳しさを徹底させ、一般市民の独立に関わる原則も、メートル法によって促されるはずのスムーズな取引も、どちらも損なってしまった。挙句の果てに政府は、商取引される品の重量を確認して料金を請求する事業所まで設立した。これでは、「カイエ」で平民が怒りを爆発させた封建時代の独占体制への逆戻りも同然だ。

革命の政治的熱狂が冷めると、メートル法への熱も冷めた。ナポレオンが一七九九年のブリューメル（霧月）にクーデターで権力を掌握した頃には、すでにいくつかの譲歩が行なわれ、メートル単位の一部はアンシャン・レジームの時代の名前に変更された。たとえばデシメートルはパーム、センチメートルはドワとされる。やがてナポレオンは一八〇四年に皇帝になった二年後、革命暦を廃止した。そして自分を支配者として認めてもらう見返りに、聖人の日や日曜日の礼拝を復活させた。さらに一八一二年二月十二日、新たに誕生したフランス第一帝政は、「庶民の度量衡の単位」を採用した。この新しい体系では、トワーズやリーブルなど、かつての計測単位の一部が限定的に選ばれて復活した。その値はメートル原器を使って定められるが、単位はもはや十進法ではなかった。ナポレオンは、メートル法への変換プロジェクトが目指した一貫性と正確さを積極的に維持したが、理想主義的で厄介な要素を取り除いてしまった。「結局、トラブルや不可解な出来事や訴訟が二十年間も続いたすえ、何の進歩も見られない。共通の測定基準が存在するという事実しか残らない」と、イギリスのある計量学者は語った。(64)

ヨーロッパ大陸を統一して自分の支配下に置く計画が失敗した後、元皇帝となったナポレオンは幽閉されたセントヘレナ島で記した回顧録のなかで、メートル法に関する意見をつぎのように述べた。「心の仕組みや記憶や想像力と、これほど矛盾するものはない。度量衡は数世代にわたり、障害にも困難の元凶にもなるだろう［……］些細なことで人民を苦しめている」。ヨーロッパの征服者になるつもりだったナポレオンは、サヴァンの傲慢をとりわけ非難した。彼から見ると、サヴァンは目標が高すぎ、夢を追いすぎた。「四〇〇〇万の人民を幸せにするだけでは満足できない。全宇宙に足跡を記すつもりだ」としか思えなかった。(65)

第6章　世界じゅうを区切る

土地の測量、アメリカの植民地化、抽象化の力

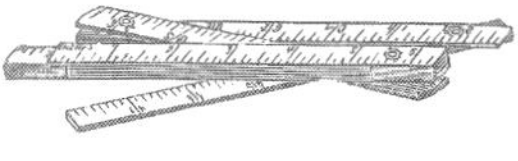

土地を実際に所有することは、最終的には帝国の最も重要な目標である。

エドワード・サイード(1)

四角に区切られた大平原

アメリカ合衆国についての私の最初の鮮明な記憶は、上空からのものだ。飛行機の窓から見下ろすアメリカ中西部の大平原は、大きな緑色のグリッドで区切られていた。これは家族旅行のひとコマで、八歳だった私は、空を飛ぶ経験を理解できる年齢にようやく達していた。空の上というものめずらしさから感情を高ぶらせて見下ろしているうちに、大平原の景観が記憶にはっきり刻まれた。チェッカーボードのようにきっちりと区切られた町や農地が、地平線まで広がっている。当時の私は意識していなかったと思うが、私が生まれ育った英国ヨークシャー・デールズの景色と、この光景は奇妙な対照をなしていた。私の地元では、谷のまわりに古い石垣がうねうねと連なり、不揃いな形の牧草地が広がり、いびつな景観をつくっている。きちんと引かれた直線など、まったく存在しない。対照的にアメリカ中西部は、秩序が具体化されている。完全な四角形がパッチワークのように広がり、その不自然なほどの規則正しさには安心感を覚える。

このグリッドを創造した功績をしばしば評価されるのが、トーマス・ジェファーソンだ。アメリカ合衆国の第三代大統領であり、奴隷所有者であり、アメリカ版のサヴァンであり、メートル法を実現した啓蒙主義の価値観を擁護する人物でもあった。彼は一七八四年からパリで勤務して、一七八五年には駐フランス公使になったので、メートル法の度量衡を支える理想に精通していた。知識人のサロンではコンドルセ侯爵などの著名人と交流し、権威ある科学アカデミーの報告を熱心に吸収し、革命後に誕生した様々な政党が新しい国家の建設を始めると、その仕事をじっくり観察した。

コンドルセは晩年に過激派から追われ、人類の向上に関する計画は走り書きしたまま未完で終わったが、ジェファーソンは自分のアイデアを壮大なスケールで実行する機会に恵まれた。彼の作業場はアメリカの景観であり、作業のために選んだのは土地測量の方法で、いまでは公有地測量システム（PLSS）として知られる。この壮大なプロジェクトのもとで、北米大陸の多くは一平方マイルの土地に分割された。アメリカの上空を飛ぶ人たちの多くは、このグリッドに魅惑されるが、そもそもは入植者や軍人が誕生したばかりの国の国境を拡大するための手段であり、先住民から土地を奪い取るために考案された。グリッドを利用して征服した土地を、自分たちの母国にしたのである。

土地測量は単なる役所仕事だと思うかもしれないが、近代国家の発展に重要な役割を果たす。政治学者のジェームズ・C・スコットは一九九八年に出版されて反響を呼んだ著書『Seeing Like a State』（国家のように見せる）のなかで、つぎのように論じている。過去数世紀、国家は市民の行動をよりよく理解して統制するために、「便利な道具」を色々と利用してきた。こうした道具は形も応用する方法も様々に異なるが、いくつかの特徴を共有していた。世界の規格化や単純化を進め、まるで生物のように発達してきた社会を作り替え、行政がまとめやすい形に整理することを目標にしている。たとえば国勢調査は、人口の規模と構成を把握するために使われる。土地測量と資産台帳からは、どこに住んで何を所有しているか確認され記録される。このような規格化の手段は最も個人的な問題にまで踏み込めるので、日常生活の習慣にも手を付けて、姿の見えない官僚が利益を得られるように調整するのも可能だ。あるいは公用語を普及させるためには、少数派の言語や地方の言語は差別され抑圧される。みんなが確実に公用語を話し、優勢で支配的な文化に同化することが目標である。さらに、各地の度量衡を規格の統一された単位に変更すれば、取引は円滑に進み、しかも監督しやすくなる。

スコットによれば、こうした介入が大々的に行なわれる以前、市民を詳しく調査する政府の能力は限られていた。「近代以前の国家は多くの重要な点で、特に目が行き届かなかった。臣民についての知識はほんの僅かだった。財産、所有する土地、その土地の生産高、住んでいる場所、さらにアイデンティティに関してもほとんどわからなかった」という。しかし「社会が単純化されると」、「ヒエログリフのような社会の状態は解消され、解読しやすく行政に便利なフォーマットに変更された[2]」。理解しやすさを高める道具は、国家の力を国境の内側でも外側でも向上させた。税制や徴兵制など国の基本的な機能の操作がスムーズになった。その一方、公衆衛生計画、福祉プログラム、政治的監視や抑圧など、まったく新しい形の行動が可能になった。

たとえば、中世の末期にヨーロッパで導入された姓について考えてみよう。スコットによれば、少なくとも十四世紀まで、ヨーロッパ人の大半は父方の先祖に由来する姓を受け継ぐ習慣がなく、新しい仕事を始めるときや新しい地域に移るときにはしばしば新しい名字を採用した[3]。これは、国家が個人の行動を追跡したいときに問題だった。たとえば、十六世紀イングランドの訴訟の事例を紹介しよう。あるウェールズ人が裁判所への出頭命令を受けた。そして名前を尋ねられると、「ウィリアムの［息子の］トーマス・アプ、アプ・トーマス、アプ・リチャード、アプ・ホエル、アプ・エヴァン・ボーガン」だと答えた。この時代、これはいたって普通の名前だった。血統を詳しく説明する名前は親近感があるだけでなく、情報が含まれており、本人だけでなく先祖を確認する手段になる。そして情報は、トーマス一族のメンバーにとっては意味をなす。みんなが本人の父親や祖父を知っている可能性があるからだ。しかし部外者にとっては不可解だ。裁判官は不機嫌になってトーマスを叱責し、「古いやり方は手放して」、国家の行政のニーズに合ったひとつの姓を使うよう命じた。そこで、トーマス・アプ・ウィリアム・アプ・トーマス（そのあとも続く）は、「自分が暮らす場所の地名にちなんでモストンと名乗り、その姓を子孫に伝えた」[4]。

裁判所がトーマスにモストンという姓を授けたのは、理解しやすさを追求したからだ。地域特有の知識の特殊性を調整し、普遍的な形に作り直したのだ。その具体例は、生活のあらゆる場所で発見できる。国家の官僚制度や企業は、自分たちの利便性を高めるためのカテゴリー化に熱心だ。それはアイオワ州の整然としたトウモロコシ畑にも、それとは対照的なヨークシャーの不規則な牧草地にも確認できる。ヨークシャーのケースでは、イギリスがトップダウン型の秩序化を進めてきた歴史が確実に反映されている（最も顕著なのが囲い込みのプロセスだ）。長い歴史を通じ、農地の区画の変更を繰り返してきた。そのため、古い区画と新しい区画が重なり合い、境を接するようになった。しかもヨークシャーの区画は景観に配慮して行なわれたので、境界が丘や川の曲線に沿って定められた。それに比べて中西部の大平原は、土地計画を進めやすい。真っ平らな平原は、社会の簡素化という壮大な目標を掲げたジェファーソンの測量が、ひとつの首尾一貫したシステムとして自己表現できる環境が整っていた。

ただしアメリカのケースでは、このパターンを創造するために先住民が主張する領土権が抹消された。ジェファーソンが土地の測量を始めてから数十年後の一八一四年、スイス出身のフランスの知識人であり、リベラルな政治家のバンジャマン・コンスタンは、つぎのように記した。「新しい支配の形態が世界に解き放たれた。それはフランスの革命家によって導入され、ナポレオン・ボナパルトによって完成された」。コンスタンによれば、かつて「単純な征服者は、服従の姿勢を見せられるだけで満足した。犠牲者の個人的な生活や地域の習慣には干渉しなかった」。しかし、こうした「地域の関心事や伝統は抵抗の温床である」。そのため「我々の時代の征服者は人民にせよ君主にせよ、自分たちが所有する帝国が表面的には均一に整理されることを望んだ。そうすれば傲慢な権力者は、強い個性に視界を妨害されることも制約されることもなく、領土を一望できる環境が整う。その結果、同じ法律コード、同じ測定器、同じ規則、そして同じ言語が徐々に定着する」[5]。そして、こうした形の征服を可能にしてくれるのが、測量なのだ。測量をすれば、世界をひとつの秩序で把握できるようになる。コンスタンによれば、「当時は、均一性が何よりも重要なスローガンだった」[6]。

境界を検分する

ほぼすべての農業社会は、土地に境界線を引くために何らかの手段を考案した。古代エジプトでは、ナイル川の氾濫原を整然とした農地に回復させるためにロープを使って長さを測ったが、おそらくこれは世界最古の測量のひとつだ（測量士〈surveyor〉という単語の語源は古フランス語のsorveoirで、「監督する」という意味があった）。一方、ローマ帝国は土地測量のために、チェントゥリアティオとして知られる非常に計画的な方法を考案した。このシステムのもとで、ローマ人はヨーロッパ全域の領土をグリッドに分割したが、それにはグローマという測量機器が使われた。この背の高い道具は、腕木の上に二本の棒が十字にセットされ、そこから四つの測鉛線が吊《つ》るされており、まるで複数の首をはねる準備が整った絞首台のようにも見える。グローマは直線と正しい角度を測るために使われ、古代において国家の運営で重要な役割を果たした。ローマ人にとってチェントゥリアティオは、所有権の確認や税の徴収を簡単にするだけの手段ではなかった。軍団が行進しやすいように道路をまっすぐ延ばし、退役兵に農地を配分するためにも便利だった。要するに測量は、ローマ帝国を支える軍団に資金を提供し、進軍する道を整え、報酬を与えるために役立ったのである。

ただしローマ人の測量は、歴史的には例外とも言える。古い測量技術は、何らかの目印に頼ることが多かった。地勢や人工的なマーカーが境界を決定するために使われた。こうした測量の重要性は、古代の文献でも確認されている。たとえば聖書は、マーカーに手を加えないよう数多くの警告を発している。申命記の第二七章一七節には、「隣人との地境を動かす者は呪われる」と書かれている[7]。一方、（弟のアベルを殺した）カインが度量衡の器具を考案したというヨセフスの物語からもわかるように、測量士が必要とされるのは人類の堕落と欺瞞の兆候だとも考えられた。そして『Metamorphoses』（『変身物語』）のなかでオウィディウスは、私たちが理想郷だった黄金時代から堕落していまでは危険な状態に陥ったと嘆いたうえで、つぎのように述べている。「それまで土地は太陽の光や空気のように共有財産だったが、いまでは慎重に測量が行なわれ、長い境界線で区切られている」[8]。

今日の私たちが知っているような測量士という職業は、様々な社会動向に応じて十六世紀のヨーロッパで生まれたものだ。たとえば当時は、土地を求める人の数が急速に増えていた[9]。測量に関して最初に英語で印刷された『1523 Boke of Surveyeng』（１５２３測量大全）は、計測に関してはほとんど触れていない。その代わり、土地の面積の概算と、「メートルと境界」についての説明が中心になっている（メートルは、ふたつの明確な目印を結ぶ直線、そして境界には森、丘、小川、壁、道路などが当てはまる）。それから数十年経つと、おおよその寸法を測る方法の代わりに、「土地をもっと正確に計測する」ようになった。測量士は数学の手法や幾何学のツールを使って計算を行なった[10]。土地は弾性値（何人に食べさせられるか、耕すにはどれだけの時間がかかるかなど）を使って評価するのがまだ一般的だったが、新しく誕生した測量士はいわゆる「図面作り」を実践した。すなわち、地所の配置を地図で説明したのだ。一六〇七年に発表されたテキストの『The Surveiors Dialogve』（測量に関する対話）（「あらゆる人にとって読んで非常に役立つ」と、タイトルページで豪語している）は、最新の方法に興味を持つ読者は、従来の言葉による説明に劣らぬ満足感を得られると保証して、つぎのように説明した。「椅子に腰かけた測量士が線を引いて作り出したイメージは正確で、土地に関する真の情報が得られる。何をどこで見たか、それはどれだけの長さで誰のものか、どんな目的があるかなど、様々な情報が込められている……」[11]。

この方法を、ブリテン諸島の伝統的な測量や所有権と比較してみると興味深い。たとえば毎年、「教区の境界を検分する」儀式が行なわれた。この儀式では、町や村の住民が集まって、自分たちの共同体を足で測っていく。集団の先頭には聖職者や長老が立ち、教区の境界となる小川や岩や壁などの地勢を指さしながら指示を伝える。集団には柳の棒を持った子どもたちも加わり、教えられた対象を棒で叩いて記憶にとどめる。それ以前には、同じ目的が体を張って達成されたときもあった。ドーセット州でこうして行なわれた境界の検分については、以下のような説明がある。

小川が境界のときは、少年のひとりが川に飛び込む。広い溝のときは、何人かの少年に金を提供して飛び越えさせる。当然ながら失敗し、泥のなかにはまり込む。すると、長いあいだ閉じ込められているかのように動くことができない［……］壁が境界のときは、よじ登る競争が始まる。ライバルを追い抜こうとするうちに、バランスを失って横倒しになる。泥水でいっぱいの溝に墜落する子どももいれば、聖職者の「顔面」を強打して、イラクサの茂みに一緒に倒れ込む子どももいた。(12)

このめちゃくちゃな経験は、子どもたちが日の当たる土手に到着してようやく終わりとなる。子どもたちはご褒美に「ビールとパン、そしておそらく蒸留酒をふるまわれる」。しかしイラクサに倒れ込むような経験をしたのに、この程度ではとても見合わない。

こうした無軌道な測量には現実的な動機があった。教区の境界についての知識を、このような形でつぎの世代に伝えるのだ。信用できる地図が簡単に手に入らなかった時代には、これは欠かせない作業だった。しかも、共同体を機能させるためにも役立った。土地とその住民が、儀式や記憶を通じて結びつく。教会の検分についての記録によれば、この日は住民同士の争いが解決され、新しいメンバーを迎えた。最後はみんなが村の緑地に集まり、貧富の差を問わず一緒に食事を楽しむことが多かった。しかも、これは宗教色がはっきりしていた。

キリストの昇天の祝日の直前に行なわれ、聖書の朗読もあった。このような形の測量は、共同体の境界を定めるだけでなく、住民同士の絆を深めた。

このような形での境界の検分は、いまでも数カ所で行なわれているが、土地の所有権に対する考え方が変化したため、かなり前から重要ではなくなった。イギリスでは、荘園制が崩壊して地図測量が普及したことが影響した。荘園制は、ローマ帝国が終焉してからヨーロッパで始まった社会的・経済的慣習である。荘園制のもとでは、荘園の領主すなわちseigneur（古フランス語のseigniorに由来して、「上位」や「年長」を意味する）は、地所で暮らす男女を支配する権力を持っていた。平民は領主に何らかの形で地代を支払うが、それでも一定の権利を持っていた。たとえば、共有地を耕し、その利益を確保することができた。このような土地はイギリスではあぜ道のように細長く分割されるのが普通で、境界は占有者のあいだで話し合って決められた。やがて十四世紀に黒死病で人口が大きく減少すると、荘園制は衰退した。労働不足は借地人にとって好都合で、交渉で権利を増やすチャンスになった。一方、土地を利用する農民が減少すると、商人や農民のなかでも豊かな人々が土地を安い値段で買い占めた。このような環境で、地図や図面の需要は高まった。その理由は、測量の役に立つ手段だったことだけではない。支配権や所有権の象徴としても必要とされた。財産があり、土地の活用に興味のある人物だけが、地図の作製に積極的に取り組んだ。やがてそれは一種の特権となり、土地に関する記録は地域の法制度に組み込まれた。

イギリスでは、土地の所有権は政治的主権とも結びついた。一二一五年のマグナカルタが封建制度のもとでの国王の特権の一部を奪い取ると、自由土地保有者は新しい権利を与えられ、保護されるようになった。「いかなる自由人も彼の同輩の法にかなった判決か国法によるのでなければ、逮捕あるいは投獄され、または所持物を奪われ、または追放され、または何らかの方法で侵害されてはならない」と主な条文に記されており、これはいまでもイギリスの法律書に掲載されている。[13] 一五六五年の時点では、エリザベス朝の法律家トーマス・

スミス卿が、土地の所有権は政府への参加を保証する唯一の方法だと述べるようになっていた。「日雇い労働者、貧しい百姓、そして商人や小売業者など、自由土地保有者以外の者は［……］我がイギリス連邦で発言権も権限も持たない。いっさい重んじられることはなく、支配されるだけだ[14]」と見なされた。そして翌世紀には哲学者のジョン・ロックが、土地の所有権は生命や自由と同様、「自然法」によってすべての人間に授けられた基本的な権利のひとつだと述べた。個人が一定の制約に従うかぎり、土地の所有権は君主の権限にも勝るとロックは考えた。必要以上に土地を手に入れるべきではなく、他人のために十分に残し、権利を主張するためには汗を流して土地を耕すことが、所有権では求められるとされた。

このような世界では、土地の測量はきわめて重要だった。その結果、十六世紀のイギリスでは、世界で最も広く使われる測量器具のひとつが誕生した。それは、ガンター氏チェーンと呼ばれる測量用チェーンだ。ガンターという名前はその発明者にちなんだもので、十七世紀イギリスの聖職者であり数学者だったエドマンド・ガンターのことだ。

ガンター氏チェーンは時代の先端を行く技術とは言えないが、実にスグレモノだ。一六二三年の教本で発明者のガンターによって初めて紹介された。チェーンは金属製で、長さが六六フィート（二二ヤードまたは二〇・一一七メートル）ある。これがリンクと呼ばれる一〇〇個の金属棒に分割され、どれも長さは七・九二インチ（一八・〇八センチメートル）となる。それ以前には、ほつれて曲がりやすいロープが使われていたが、チェーンは金属製なので耐久性に優れていた。しかも、真鍮製のタグでつながっているので、折りたためば持ち運びが簡単だった。ただし、ガンター氏チェーンの本当にすごいところは、四の倍数に基づく伝統的なイギリスの土地測量の単位と、ヨーロッパ大陸で数学の新しいイノベーションとして注目され始めた十進法のふたつの体系を調整したことだ。一〇〇個のリンクから成るチェーンは、一〇個おきに付けられた真鍮製のタグで一〇のグループに分けられるが、全体の長さは四ロッドと等しい。ロッドもまた伝統的な土地測量の単位で、古代ローマの歩兵用の武器だったパイクすなわちpertica（これは、perch〈止まり木〉の語源でもある）が語源だ。こうしたデュアルシステムのおかげで、このチェーンではファーロング（一〇個のチェーンまたは六六〇フィート）、マイル（八ファーロングまたは八〇個のチェーン）、エーカー（一〇平方チェーン）のいずれも計測が可能だった。チェーンで測った値をエーカーに変換したければ、一〇で割り算するだけでよい。

この柔軟性のおかげでガンター氏チェーンは、以後およそ三百年間にわたって英語圏の世界で土地測量の有力な手段として重宝された。そして、現代の測量器具にずっと前に取って代わられたが、アメリカ、カナダ、オーストラリア、ニュージーランドなど、イギリスのかつての植民地の景観には、未だにその痕跡が残されている。これらの国の道路の幅は一チェーンのものが多く、建築用ブロックや街区は、一般的にチェーンの倍数で計測される。そして本家のイギリスでも、チェーンという長さはこの国の文化の礎のひとつにコード化されている。それはクリケットのピッチだ。一見すると任意かつ無計画に分割されたような世界も、じっと目を凝らせば、とっくに忘れられているが、必要に迫られて生み出され、伝統によって守られてきた素晴らしい決断の結果を見つけられることを、ガンター氏チェーンは証明している。

西に広がる四角い区画

測量は、イギリスがかつての植民地に残した遺産の一部になった。所有権は統治に不可欠であり、それを確立する手段は測量だという信念が受け継がれたのだ。やがて一七八三年にアメリカがパリ条約を締結して独立戦争が終わると、こうした概念は政治の上部構造に深く埋め込まれた。建国の父たちの多くはロックのアイデアに啓発され、土地はアメリカの欠点を埋め合わせる特質だと確信した。「共和国の脆弱性の解決策だった」と、歴史家のジェフリー・オスラーは指摘する。(15) アメリカ大陸は何もかもあふれるほど豊かで、経済の推進役となる農民や相場師や奴隷所有者の物質的需要が十分に満たされた。そのうえイギリスやフランスと異なり、少人数の独裁的な荘園領主のような階級の発達が妨げられた。それでも土地をうまく働かせるためには、権利を主張する必要があった。この時代はまだ東部の海岸地域に領土が限られているが、そこから先へ進み、大陸の奥深くまで進まなければならない。

　この領土拡張の事業の急先鋒が、トーマス・ジェファーソンだった。彼は測量士の息子であり、土地には政治的可能性が備わっていることを確信していた。唯一の本格的な著書『Notes on the State of Virginia』（『ヴァジニア覚え書』）のなかでは、アメリカで新たに誕生した共和国のイデオロギーのビジョンの概略が述べられている。彼の地元バージニア州の地理と資源に関する退屈な記述から始まるが、まるで自分の地所について賞賛する荘園領主のように、ジェファーソンは土地に関するアイデアに魅了されていた。そのためすぐに、アメリカの豊かな自然の恵みと、それが独特の自由を育む可能性について熱狂的に語り始める。自由は土地の開発によって達成されると彼は考え、その行為を宗教的美徳として高く評価した。「土にまみれて働く者は、神に選ばれし民だ。選ばれし民がいれば、その乳房からは実体を伴う本物の美徳があふれ出てくる」と記した。(16)

　ヨーロッパは、汚れた大都市とごみごみした作業場しか維持できないとジェファーソンは考えた。それに比べてアメリカは、大地を耕し、「広大な土地」を利用しながら、精力的で分別があり、独立心のある市民を育むことができる。これらの男性――白人男性――は、自分が立っている土地を所有して、賄賂や借金などの経済的脅威の影響を受けない。「いかなる州でも、他の市民階級全体とこの農民たちとの比率は、不健全な要素と健全な要素の比率であり、道徳的な堕落について評価する物差しになる」とジェファーソンは語った。(17)土地に関するこの見解は、他の多くの建国の父たちにも共有された。ジョージ・ワシントンは革命家になる以前は測量士で、フロンティアを「乳と蜜の流れる約束の地」と見なした。(18)ベンジャミン・フランクリンは、国家が富を獲得するための唯一の「誠実な手段」は農業であり、「地面に蒔かれた種からは本物の富が生み出されて増加する。これはある意味、神が人間のために行なう奇跡の連続であり、罪のない生活と高潔な作業への報酬として提供される」と考えた[19]。

誕生して間もない時期のアメリカ合衆国は混乱状態で、忠誠を誓う対象も土地の境界も定まらなかった。パリ条約によってアメリカの領土の範囲は文書で確立されたが、領土の主権は争われ、ヨーロッパ列強の出身者だけでなく、地元の先住民国家も権利を主張した。先住民は決して無力な傍観者ではなかった。入植者たちに抵抗して要求を拒み、調整作業の結果、領土の一部は権利が重複した。「白人は先住民に命令することも、彼らを従わせることもできなかった。同盟者として、取引の相手として、性行為のパートナーとして、友好的な隣人として必要だった」と、歴史家のリチャード・ホワイトは記している[20]。同時にアメリカの州は、野心が強くて落ち着かない国民に対処する必要もあった。入植者、投機家、起業家、政治家の全員が、新しい境界を都合よく定めようと機会をうかがっていた。アメリカは非常に豊かなので、住民は圧倒され熱狂したと、フランスの外交官のアレクシ・ド・トクヴィルは記した。「この途方もない戦利品を手に入れようと、アメリカ人は先を争った。その貪欲さを表現するのは難しい。目の前には広大な大陸が広がり、もたもたしていると権利を行使する余地がなくなると考えているかのように、前進することしか頭になかった」[21]。

連邦政府は、このような利害の対立の調整に優先的に取り組み、集団同士の争いを鎮めるために数々の戦略を採用した。軍隊を強化し、先住民といくつもの条約を締結し、通信と輸送のネットワークを充実させた。ただし連邦政府にとって最も重要な対策は、最初に獲得した一三州の西部の土地の支配権を主張することだった。それには領土の測量を行ない、区画整理をして、誰がどのように権利を主張するのか決めなければならない。投機家に土地を売れば、独立戦争での借金は完済される。ローマ帝国のように、退役兵に譲渡してもよい。先住民や入植者と取引することもできる。この貴重な資源の管理は、建国まもないアメリカの生き残りにとって欠かせない。管理できれば拡張の「方向性やペースや規模」が定まるので、まだ限られている経済力や調整力や軍事力に負担をかける心配もない[22]。

ジェファーソンは国を拡張する方針の決定に重要な役割を果たし、一七八四年、一七八五年、一七八七年の三回にわたって可決された法律の制定に貢献した。この三つはまとめて北西部条例として知られる。独立宣言と並び、この条例はアメリカ合衆国の土台を支えるきわめて重要な文書だ。それは民主主義の必要性を情熱的に訴えたからではない。土地の分割や売却や管理の方法について、単純明快に説明しているからだ。

北西部条例は、独立一三州とミシシッピ川にはさまれた広大な領土を巨大なグリッドとして測量することを承認した。このグリッドはまず「郡区」に分割される。これは縦と横が六マイルの四角形で（十進法にこだわるジェファーソンは一〇マイルを主張した）、それはさらに、面積が一平方マイルの三六の四角形に分割される[23]。基本となる測定単位には、ガンター氏チェーンが選ばれた。これは全体の長さが六六フィートで、それが一〇〇個のリンクに分割される。一平方マイルには六四〇エーカーが含まれるので、それを分割するためにガンター氏チェーンはうってつけだった。四〇エーカーの土地（購入できる最小の面積）は、チェーン二〇本分の長さに相当する。地面を計測するときは、ひとりがチェーンの一方の端を地面に打ち込み、もうひとりがもう一方の端を持って、後ろから大声で出される指示に従って真っすぐに歩いていく。こうして何千人もの測量士がアメリカ全体の測量に取り組んだ。スコットランドの作家アンドロ・リンクレイターによれば、どのチームも森や渓谷を「イモムシのように背中を丸めては伸ばしながらゆっくりと進み、一三州の西側に直線を引いていった[24]」。こうして地図製作のために前代未聞の大がかりな作業が発案され、実行に移された。まだ領土の所有権が争われている土地にも、確定されていない境界にも、意図的に構造が押し付けられたのである。

この根気強い作業からは現実的な結果が生み出された。連邦政府は国家の拡張を統制し、必要に応じて特定の地域に入植者の流れを向かわせることができた。測量が行なわれる以前の土地は、開拓者にとって手に負えないものだった。未開の地で誰も住んでいないか、先住民に支配されていた。しかし、森や低木林にチェーンを通して測量が行なわれたあとには、扱いやすい不動産が出来上がり、遠くから管理することもできれば、一エーカーを僅か一ドル二五セントで売却することも可能になった。測量士が大陸全体を踏破して、未開の地を目指して入植者が殺到する現象（ランドラッシュ）の規模の実態が明らかになった一八九一年には、フランスの政治学者エミル・ブートミーがつぎのようにコメントした。「アメリカ社会の顕著な特徴は、民主主義というよりも、巨大な商社にたとえられる。広大な領土を発見しては開拓し、利用する事業に専念している。アメリカ合衆国は商業社会で、国家としての存在は二の次だ」[25]。

測量が容易だったおかげで、土地の売却は増えた[26]。典型的な取引では「郡区・北4、レンジ・西4、ロット20」とだけ記されるので、チェス盤のマス目のようにグリッドは確認しやすく、本人が境界を定められるほどシンプルだった。測量士よりも前に土地を歩き回っていた入植者は、すでに確定されたグリッドの直線を延長し、自分で杭を打ち込んで所有権を主張することもできた。一三州をひとつにまとめる南北の子午線と東西の基線から外れないかぎり、公式の計測値とほぼ一致した[27]。コンドルセが十進法で市民の負担を軽減したように、ジェファーソンが導入したグリッドのおかげで、市民は「自らの関心事について自分で計算して満足できるようになった」。

グリッドは境界が複雑でも曖昧でもなかったので、境界を巡る入植者同士の争いが減少した[28]。測量によって「土地の所有者と境界が完璧な形で明らかにされたので、土地を巡る厄介な紛争が回避された。これは数ある訴訟のなかでも最も解決が難しかった」と、ある上院議員は一八三二年に記した[29]。そして購入すれば、連邦政府当局との結びつきが生まれた。その存在がなければ、所有権は立証されない。実際、どの郡区にも大学や裁判所のような公的機関のための土地が確保された。こうした機関が存在するかぎり、初期の入植者は「政府の慣習や、アメリカ合衆国への忠誠をすべて」を手放すわけにはいかなかった[30]。アメリカ合衆国の建国と早くからの成功は、大平原や山脈や川のあちこちに入植者をうまく統制しながら配置したことが大きい。入植者は、測量の結果を頼りにしないわけにはいかなかった。

最初の北西部条例は北米大陸の一部だけが対象だったが、測量システムは十九世紀を通じ、法律のなかで言及された。アメリカ合衆国が流血の惨事や条約や商取引を通じて西に拡張すると（一八〇三年のルイジアナ買収では、ミシシッピ川西部の土地をフランスから買い取った。これはジェファーソンが温めてきた野望で、国土は一夜にしてほぼ倍増した）、グリッドは意図的に何度も繰り返して作られた。それから二百年のうちに、一八億エーカー以上の土地がグリッドで分割される。これは大陸の領土全体の面積の四分の三に匹敵し、新たに誕生した三〇州が含まれる。アラスカ州の奥地など、まだ測量されていない土地はかなり残されている[31]。しかし、今日までにおよそ一三億エーカーの長方形の土地が売却され、残りは中央や州の政府が利用している[32]。

ジェファーソンの思惑通り、土地は市民を育てた。「自由で永続性があり、うまく管理された共和国の堅固な基盤として、人類の機知はこれ以上のものを考案できない」と彼は書簡に記した[33]。入植者の目から見れば、厳格で揺るぎないグリッドから成る区画や郡区は、アメリカの政治体制の発達を支える格子棚のようなもので、土地の所有権は新しい国民を守る明確な特徴になった。ただし一部の観測者にとって、これは平等主義が行き過ぎているように感じられた。たとえばイギリスの作家であり、ノーベル文学賞を受賞した小説家アンソニー・トロロープの母親のフランセス・トロロープは、アメリカを訪れてつぎのような印象を持った。「どんな人物の息子も、他のどんな人物の息子とも平等だと見なされる。それを励みに努力するのは間違いない」。その一方でこうした自由は、「変な馴れ馴れしさを生み出す恐れもある。制約された状況で相手に敬意を払う必要がなくなり、最も身分が低くて下品な輩が、最も身分が高くて洗練された人たちと平気で交わるようになる」[34]。トロロープのような筋金入りの保守主義者から見れば、グリッドという抽象概念によってアメリカ人には住む場所が与えられたが、その裏では社会の慣習や共同体が犠牲にされた。「村の教会の鐘が、祈りの時を告げるために鳴ることはない［……］かつてはこの世で生涯を終えれば、遺骨は大切に扱われたが、いまでは受け入れてくれる聖なる場所がない［……］誰も税金や十分の一税を払わない。誰も帽子をとって敬意を払わない。『国王陛下万歳』という言葉は恐ろしいものでしかなく、耳にすることも口にすることもなく生きて死んでいく(35)」。しかし、同じ時期にアメリカを訪問した別のイギリス人、すなわち社会理論家であり社会学者のハリエット・マルティノーの印象は違った。この土地の魅力は文化を刺激する可能性があり、トロロープが大切にする神聖な伝統よりも、むしろ強力だった。心理的な支えが提供され、困惑するほど広大な新世界に放り込まれた市民を方向づけることができる。「概して土地の所有はあらゆる行動の目標であり、あらゆる社会悪の救済になる」とマルティノーは一八三七年に記した。「もしも政治や恋愛に失望したならば、そんなものは忘れて土地を購入すればよい。もしも恥をかいたら、西の土地でやり直せばよい［……］もしも隣人が町で自分よりも有力な立場なら、自分がすべての市民を支配できるような場所で巻き返せばよい。職人は自分の土地で働き、死んでいく(36)」。

先住民の破滅

でも、そもそも誰の土地なのか。ジェファーソンはアメリカ全体をグリッドで分割する事業に着手したとき、未開の大陸の境界を明らかにしたわけではない。スペインやフランスやイギリスの入植者は先住民の土地の不法占拠を数世紀前から始めたが、そのプロセスを延長したのだ。ウィンチェスター・リピーティングアームズ社のライフルやポリオのウイルスと異なり、測量士のチェーンが先住民に死や苦しみを直接もたらしたわけではないが、入植者の暴力行為にとって欠かせない道具であることは間違いない。簡単な測量のおかげで、連邦政府は土地を監督・管理できるようになった。そして国民に心理的な変化がもたらされた。この国は未開の地で所有権が確立されていないという概念が強化された結果、白人の入植者は先住民の土地を平気で盗むようになったのである。

先住民はアメリカが提供する資源を無駄遣いしているという根拠で、入植者はしばしば自分たちの行為を正当化した。先住民は自然との関係が柔軟だ。場所を決めて行なわれる農業と、狩猟や漁業など移動性の活動のバランスがとれているが、それが非生産的だと嘲笑された。十七世紀のある入植者は、先住民をつぎのように馬鹿にした。「やつらは真面目に働かない。芸術や科学とは無縁だし、土地やそこから生み出された商品を利用する能力を持たない。あらゆるものを略奪し、堕落している。肥料を与えず、収穫せず、整理しないので、何もかも無駄になっている」[37]。そしてジェファーソンは一八〇八年、先住民が派遣した代表団にこうした非難を面と向かって繰り返し、「我々の人口は増加するが、きみたちの人口は減少している」理由を説明した。そして、もしも先住民がアメリカ人を見倣い、「土地を耕す」ことや所有権を尊重することを学べば、力は回復されるだろうと強調した。歴史家のオスラーは、この発言に図らずも込められた皮肉を指摘している。ジェファーソンが講釈を垂れた先住民のメンバーはキリスト教徒で読み書きができて、農業のやり方を知っていた。大統領は、「自分の前に立っている先住民が、彼が定めた文明の基準に実際は従っている現実を認識できなかった」。「ここには生来の人種的劣等感という前提が、明確な形はとらないが、強烈に表れている」[38]。

ジェファーソンは、文明の構成要素と見なした概念を、先住民を攻撃するための武器として利用した。お互いの合意のもとに交わされるはずの条約は、しばしば銃撃戦のすえに締結された。そして連邦政府が行なう測量は、土地からの追放の口実になった。先住民は一定の境界に同意したら、あとから無断で侵入すると迫害された。さらに、競合する先住民の集団に領土を割り当てる条約は、分割統治の手段として使われた。入植者はひとつの部族を土地から追放する一方、他の部族の「権利」を侵害することも、先住民の集団同士を対立させることもできた[39]。ただし、このような狡猾な手口を使わなくても、土地の所有権や境界について厳格な制度が採用されれば、一部の先住民の生活様式は損なわれてしまう。たとえば大平原で暮らす先住民は、バイソンの移動経路に従って広大な土地を移動する遊牧生活を送っていた。ところがこうしたルートをとると、入植者が所有権を持つ土地に知らないうちに侵入してしまう。測量士が作り出したグリッドは、先住民の移動を制約し、見えない形で針金を張り巡らせた罠のように作用した。

しかも、先住民と入植者のあいだで合意が交わされても、入植者はしばしば従わず、土地に違法に居座った。こうした活動を政府は公式に否定できるのだが、実際のところ不法侵入は自分たちの目的にかなっていた。入植をさらに進めるための足場を築くことができるし、先住民の暴力行為が誘発されれば、軍事力で対抗した。このような状況での測量は、異なる集団同士の合意のもとに行なわれた印象を受けても、結局はあとから入植者が境界を無視して不法侵入した。入植者と先住民の関係について、宣教師のジョン・ヘックウェルダーは記録を残し、先住民がいつどのようにして「土地を白人に譲渡し、境界が確立されたのか」説明している。「[……]条約が調印された途端、白人の侵略者は再び先住民の土地に入植を始め、狩場として利用する！」。先住民が苦情を述べると、政府は侵入者を取り除くと約束して代理人を送り込む。「代理人はチェーンとコンパスを手に持って豊かな土地の測量を始めるが、良い条件について理解している侵入者は、これは自分たちの土地だと主張する！」[40]

肥沃なミシシッピ川流域では、一八三一年に測量が行なわれると、ただちにチョクトー族、クリーク族、チカソー族が追放された。この測量は、「その時点までのアメリカ史で最大の好景気」を生み出す土台になった[41]。奴隷貿易を通じ、アメリカの綿貿易は再活性化された。アメリカでは十九世紀よりも以前から綿が栽培されていたが、この時代にはキング・コットンが台頭した。これは南部の経済を支配する広大なプランテーション制度のことだ。一八二〇年から一八六〇年にかけて、ミシシッピ川流域を取り囲む中心部の畑では、一〇〇万人もの奴隷が強制労働に従事したと推定される。奴隷は土地と同じく個性のない商品と見なされ、奴隷商人が体の状態に基づいて階級に分けた。「きわめて優秀な男性、最高の男性、二流または平凡な男性、きわめて優秀な女性、最高の女性、二流または平凡な女性」といった具合に分類された[42]。そして、測量によって土地が簡単に分割されると、裕福な投機家は有望な土地に積極的に投資した。流域の豊かな土壌の潜在能力に注目して広大な土地を買いあさると、奴隷の労働で効率的に活用した。ジェファーソンのプロパガンダとは対照的に、グリッドは豊かな自作農の市民だけでなく、奴隷の強制労働に頼る惨めな社会も支えた。男女を問わず、大人も子どもも鎖につながれた。ロックが思い描いたように血と汗を地面に染み込ませて働いたが、所有権の獲得などまったく期待できなかった。

先住民の宗教や文化の多くの側面は、土地を聖なる場所として理解する発想と結びついていた。したがって大切な土地への入植者の侵入は、きわめて深刻な影響を与えた。多くの先住民にとって、土地は単なる資源ではなく、生命体であり、人間と動物と聖霊の複雑な関係から成り立っていた。宗教儀式は特定の場所でしか行なうことができず、景観そのものが神話や歴史の出来事から成る歴史の物理的表現と見なされた。「先住民にとって、過去は大地の特徴に埋め込まれている。峡谷や湖、山や小さな渓谷、岩や広々とした草原に埋め込まれている」と、人類学者のキース・バッソは記している。あらゆる側面が積み重なり、「土地には様々な重要性が備わり、それが先住民の生活に影響し、考え方を形成している[43]」。先住民の作家であり活動家のヴァイン・デロリア・ジュニアは、もっと率直につぎのように語っている。「アメリカ先住民は、土地に最高の意味が備わっている可能性を信じる。すべての発言は土地を基準点として行なわれる[44]」。こうした意味は、測量士のチェーンに従って測ることができない。

このように、入植者と先住民の土地に関する概念はきわめて対照的だが、違いが過剰に強調されている可能性は考えられる。これでは入植者と同じ思考パターンに陥り、世界を「地図に記された地域」と「地図に記されない地域」にきっちり分割してしまう。しかし、実際の違いはそれほど明確ではない。先住民の部族はしばしば、政府の条約から重要な譲歩を引き出した。そして測量も、一時的には先住民の利益のために使われる可

郵便はがき

料金受取人払郵便

晴海局承認

7422

差出有効期間
2024年 8月
1日まで

104 8782

905

東京都中央区築地7-4-4-2

築地書館 読書カード係

お名前	年齢	性別

ご住所 〒

電話番号

ご職業（お勤め先）

購入申込書

このはがきは、当社書籍の注文書としても
お使いいただけます。

ご注文される書名	冊数

ご指定書店名　ご自宅への直送（発送料300円）をご希望の方は記入しないでくだ

tel

者カード

ありがとうございます。本カードを小社の企画の参考にさせていただきたく
す。ご感想は、匿名にて公表させていただく場合がございます。また、小社
刊案内などを送らせていただくことがあります。個人情報につきましては、
管理し第三者への提供はいたしません。ご協力ありがとうございました。

されたた書籍をご記入ください。

を何で最初にお知りになりましたか？
書店　□新聞・雑誌（　　　　　）□テレビ・ラジオ（　　　　　　）
インターネットの検索で（　　　　　）□人から（口コミ・ネット）
（　　　　　）の書評を読んで　□その他（　　　　　　　）

の動機（複数回答可）
テーマに関心があった　□内容、構成が良さそうだった
著者　□表紙が気に入った　□その他（　　　　　　　　　）

いちばん関心のあることを教えてください。

購入された書籍を教えてください。

のご感想、読みたいテーマ、今後の出版物へのご希望など

図書目録（無料）の送付を希望する方はチェックして下さい。
情報などが届くメールマガジンの申し込みは小社ホームページ
p://www.tsukiji-shokan.co.jp）にて

能性があった。さらに入植者や連邦政府の代理人は、土地に対して柔軟な姿勢で臨んだ。そのほうが都合が良ければ、材木や水など特定の資源へのアクセスを主張して、領土全体の所有権を要求するわけではなかった。それでも、ふたつの世界は間違いなく対照的で、入植者と先住民の解釈は大きく異なり、両者のあいだには克服できない深い溝が存在した。したがって世界の歯車が回り続ける限り、先住民の破滅は当然の帰結で、回避できないプロセスだったのではないか。いや、それは間違っている。アメリカ先住民が住み慣れた土地から追い出されたのは、矛盾する世界観がもたらした悲しい結果でもなければ、優れた知識の「当然の」勝利でもない。土地を盗み、何百万人もの生活を犠牲にして白人の国家を建設するための意図的な努力の結果だった。ド・トクヴィルが明確に述べているように、所有権や条約や測量といった合法的な手段で見え透いた嘘をつき、アメリカ合衆国は先住民を土地から「いともたやすく、まったく合法的に、人道的に」追い出した。しかも「流血の事態を発生させず、世界の目から見れば、道徳性に関する重要な原則をひとつも破ることがなかった」。流血沙汰がなかったという指摘は間違っているが、苦い結論についてはまったく正しい。「人間性に関する法律をこれ以上尊重しながら、人間を破壊することはできない」[45]。

地図と領土

ジェファーソンのグリッドがアメリカの歴史に与えた影響に注目すると、いくつもの疑問が浮かぶ。そもそも測量のような単純な作業に、なぜあれほどの力が備わったのだろう。つぎに測量には、支配や残虐行為に役立つ何かが先天的に備わっているのだろうか。そして同じ道具はいつまでも利用できるのだろうか。三番目の疑問への答えは、条件付きのイエスだ。正しい状況であれば、測量はもちろん資源を公平に配分するために利用できるが、これは他の要因に左右される[46]。そして一番目と二番目の疑問は、簡単には回答できない。

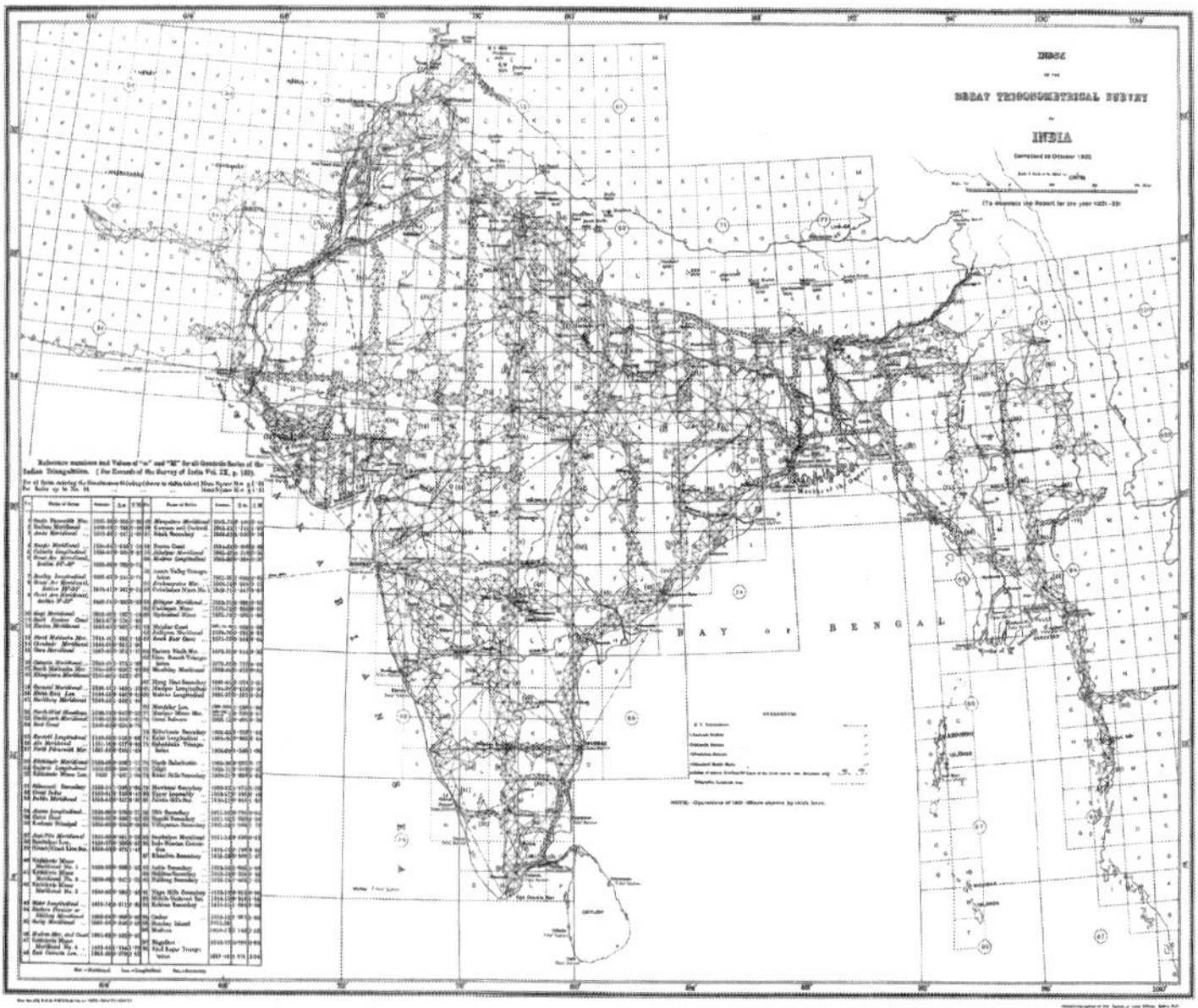

図９　土地の測量はしばしば征服の前提条件だった。たとえばインド全域の大がかりな測量は、1871 年に英国君主の名のもとに完成された。

　まず、測量を当時の歴史的背景と切り離すのは難しい。この時代の植民地の拡大と獲得は、知的虚栄心の数々によって正当化された。なかでも最も目立つのが、人種や民族にヒエラルキーが存在するという確信だ。測量に頼る征服の起源はイギリス人に、すなわちオリバー・クロムウェルが主導したアイルランドでの十七世紀の戦争にまで遡ることができるだろう。王党員とカトリック教徒の連合の拡大を食い止める決意に燃えたクロムウェルは、略奪行為と殺戮を徹底させた。そのためアイルランドの全国民の五分の一が命を失い、貴族や聖職者の財産は没収された。このプロセスを円滑に進めるため、アイルランド島の測量がウィリアム・ペティに任せられた。彼は軍医で、オックスフォード大学の解剖学の元教授だった。ペティは測量士として働いてもらう兵士を何百人も募集したうえで、ガンター氏チェーンを使って領土を測量する方法を教えた。そのうえで実施された測量すなわちダウン・サーベイ（「チェーンを地面に置いていく（lay down）」プロセスにちなんでそう呼ばれたと言われる）[47]は、八四〇万エーカーの領土を対象に行なわれ[48]、地図製作の歴史の記念碑的な出来事になった。近代前期のなかでも最も詳しく正確で、しかも広範囲にわたる地籍に関する調査が、初めて全国規模で行なわれたのだ。測量を委任した関係者にとって、これは大成功であり、土地の譲渡や国家の統制が容易になった。この測量の完了後、アイルランドではカトリック教徒の土地所有権がおよそ六〇パーセントから一四パーセントにまで減少した[49]。その結果としてアイルランドでは、生活や財産や景観がかつてなかったほど大きく変容し、きわめて重大な出来事として記憶された[50]。この測量では国の支配階級のエリート層が無理やり変化を押し付け、それは以後数世紀にわたって逆転することがなかった。ここでもまた、測量は役に立つ手段としての力を発揮した。

この時期には、同じようなストーリーが世界じゅうで展開した。スペイン帝国は南米でアシエンダ（大農園）のシステムを導入し、ニュージーランドとオーストラリアは植民地となり、十九世紀末にはいわゆるアフリカ分割が進行した。こうした征服は、地図によって可能になった。資源の所在地を確認し、軍隊の動きを調整するための実用的な手段として役に立っただけではない。想像力を掻き立てる手段でもあり、入植者は地図を見ながら、自分が近代化を伝える宣教師として未開の地に第一歩をしるすところを思い描いた。インドを大英帝国に統合する前に行なわれた大がかりな測量について記した歴史家のマシュー・H・エドニーは、この時代の地図が「領土保全」という形で帝国のプロジェクトを支えただけでなく、帝国の存在そのものを明確に示したと指摘する。すなわち「地図にできるのだから、帝国は存在する。帝国の意味はどの地図にも刻み込まれている[51]」。

そうなると近代の測量はある意味、植民地拡張というきわめて特殊な事情の所産とも言えるが、測量器具によって創造された視点は、今日でも世界に関する私たちの概念を形作っている。政治理論家のハンナ・アーレントは測量と地図製作について、アメリカへの入植と共に始まった三つの大きな出来事のひとつとして位置付けている。これらの出来事は「近代がまさに幕を開けたとき、その特徴を決定づけた」という(他のふたつは、カトリック教会の改革と、ガリレオから始まった宇宙に関する科学革命だ)。アーレントによれば、鉄道や蒸気船や飛行機によって地球は小さく感じられるようになったが、それ以前に、「測量の能力を手に入れた人間はそれとは比べ物にならないほど、地球を小さく感じるようになった」(52)。そのおかげで私たちは広大な地球を凝縮し、簡単に観察して理解できるようになった。測量は大きな力を発揮した。ただし、こうした情報を把握する能力を身につけるためには、「身近に存在するあらゆるものとの関わり」を断ち切る必要がある。アーレントはこれを「世界疎外」と呼んでいる。人間としての様々な経験や行動が積み重なって構築される領域で暮らす代わりに、数字やシンボルやモデルから成る帝国の内部で活動し、他の人間とも自己同一性とも結びつきを断ち切らなければならない。

私はアーレントの主張を少し修正したい。身近な存在から距離を置いた視点は世界疎外につながるとアーレントは主張するが、それ以外にも、「素のままの」自分の制約を超えた新しい結びつきが生まれ、広大なコミュニティに組み込まれるのではないかと考える。かつて温度に関する理解が深まると、火を万物の根源とする古代の概念は、科学の神話に取って代わられた。それと同様、地図製作の手段によって世界が小さく感じられても、私たちの発想はかならずしも貧弱にはならない。たとえば今日のような気候変動の時代には、世界は相互接続された巨大なシステムだという意識は、政治活動を促す重要な手段になる。ひとつの国で猛威を振るう山火事や洪水は、地球上のすべての国に影響をおよぼす病気の兆候にすぎないことが思い出される。そしてアーレントが提唱した現代の世界疎外という概念からは、新たに全体的なビジョンが生み出された。たとえばジェームズ・ラブロックのガイア仮説では、世界をひとつの生き物と見なし、複雑な生命を支えるために奮闘していると考える。あるいは、宇宙飛行士からは、オーバービュー効果という現象が報告されている。地球を

築地書館ニュース

ノンフィクション
新刊と話題の本

TSUKIJI-SHOKAN News Letter

〒104-0045　東京都中央区築地 7-4-4-201　TEL 03-3542-3731　FAX 03-3541-5799
ホームページ http://www.tsukiji-shokan.co.jp/
◎ご注文は、お近くの書店または直接上記宛先まで（発送料 300 円）

古紙 100 %再生紙、大豆インキ使用

庭づくりの本

鳥・虫・草木と楽しむ オーガニック植木屋の剪定術

ひきちガーデンサービス［著］
2400 円＋税
無農薬・無化学肥料・除草剤なし！
生き物のにぎわいのある庭をつくる、オーガニック植木屋ならではの、庭木 92 種との新しいつきあい方教えます！

二十四節気で楽しむ庭仕事

ひきちガーデンサービス［著］　1800 円＋税

季語を通して見ると、庭仕事の楽しみ百万倍。めぐる季節のなかで刻々変化する身近な自然を、オーガニック植木屋ならではの眼差しで描く。
庭先の小さないのちが紡ぎだす世界へと読者を誘う。

雑草と楽しむ庭づくり

オーガニック・ガーデン・ハンドブック
ひきちガーデンサービス［著］
2200 円＋税

虫といっしょに庭づくり

オーガニック・ガーデン・ハンドブック
ひきちガーデンサービス［著］
2200 円＋税

食べ物と体のつながりを考える本

土が変わるとお腹も変わる

土壌微生物と有機農業
吉田太郎［著］　2000円＋税
欧米からインドや台湾まで広がる、最先端の有機農業研究を紹介しながら、土壌と微生物、食べ物、そして気候変動との深い関係性を根底から問いかける。

オーガニック　有機農法、自然食ビジネス、認証制度から産直市場まで

ロビン・オサリバン［著］
浜本隆三＋藤原崇＋星野玲奈［訳］
3600円＋税
農業者も、消費者もハッピーなオーガニックの在り方を描き、これからの日本の自然食の在り方を浮き彫りにする。

コロナ後の食と農

腸活・菜園・有機給食
吉田太郎［著］　2000円＋税
世界の潮流に逆行する奇妙な日本の農政や食品安全政策に対して、パンデミックと自然生態系、腸活と食べ物との深いつながりから警鐘を鳴らす。

タネと内臓

有機野菜と腸内細菌が日本を変える
吉田太郎［著］　1600円＋税
世界の潮流に逆行する奇妙な日本の農政や食品安全政策に対して、タネと内臓の深いつながりへの気づきから警鐘を鳴らす。

土と内臓　微生物がつくる世界

D・モントゴメリー＋A・ビクレー［著］
片岡夏実［訳］　2700円＋税
農地と人の内臓にすむ微生物への、医学、農学による無差別攻撃の正当性を

天然発酵の世界

サンダー・E・キャッツ［著］
きはらちあき［訳］　2400円＋税
時代と空間を超えて脈々と受け継がれる発酵食。100種近い世界各地の発酵食

おいしく・はつらつ・愉快に生きる
杉山経昌［著］　1800 円＋税
理論派脱サラ百姓が、リタイアメント・ライフを楽しく愉快に健康におくるコツを語る。累計 10 万部突破の『農で起業する！』シリーズ著者の最新作！

デニス・リトキー［著］
杉本智昭＋谷田美尾＋吉田新一郎［訳］
2400 円＋税
生徒が自ら学び、卒業後も成長し続けられるようになる学校の理念とは。

トラウマと共に生きる

性暴力サバイバーと夫たち＋回復の最前線
森田ゆり［編著］　2400 円＋税
子ども時代の性暴力被害について、この問題に先駆的に取り組み続けてきた著者が、世界の最前線の視点と支援の具体的方法を提示する待望の書。

小さな学校の時代がやってくる

スモールスクール構想・もうひとつの学校のつくり方
辻正矩［著］　1600 円＋税
生徒数 200 人以下の小さな学校を実現するための立法、制度作り、教育構想などを解説する「スモールスクール提言」。

おひとりさまでも最期まで在宅 第３版

平穏に生きて死ぬための医療と在宅ケア
中澤まゆみ［著］　1800 円＋税
本人と家族が知っておきたい在宅医療と在宅ケアと、その費用。最新の制度を解説。制度改定にともない、最新情報・データを掲載した待望の第 3 版。

みんなで創るミライの学校

21 世紀の学びのカタチ
辻正矩ほか［著］　1600 円＋税
子どもが学びの主人公になり、「学ぶと生きる」をデザインする学校を、どのように立ち上げ、どのように創ってきたのか。

価格は、本体価格に別途消費税がかかります。価格は 2023 年 1 月現在のものです。

和田佐規子［訳］　3200 円＋税

人はなぜ土に触れると癒されるのか。庭仕事は人の心にどのような働きかけをするのか。庭仕事で自分を取り戻した人びとの物語を描いた全英ベストセラー。

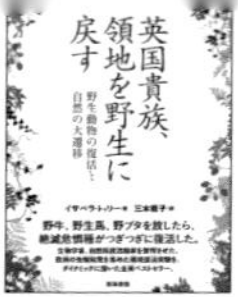

イザベラ・トゥリー［著］　三木直子［訳］

2700 円＋税

中世から名が残る美しい南イングランドの農地 1400ha を再野生化する様子を、驚きとともに農場主の妻が描くノンフィクション。

地域を楽しむ本

家中・足軽の幕末変革記

飢饉・金策・家柄重視と能力主義

支倉清＋支倉紀代美［著］

2400 円＋税

19 世紀の地方社会の変化と闘争を、仙台藩前谷地村で 60 年にわたり記された文書『山岸氏御用留』から読み解く。

下級武士の田舎暮らし日記

奉公・金策・獣害対策

支倉清＋支倉紀代美［著］

2400 円＋税

仕事、災害、冠婚葬祭……。仙台藩下級武士が 40 年間つづった日記から読み解く、江戸時代中期の村の暮らし。

気仙大工が教える 木を楽しむ家づくり

横須賀和江［著］　1800 円＋税

日本の伝統的な木組の建築文化を支えた気仙大工。その技を受け継いだ棟梁と彼をとりまく人びとの家づくりと、森の恵み、木のいのち、家づくりの思想。

半農半林で暮らしを立てる

資金ゼロからのＩターン田舎暮らし入門

市井晴也［著］　1800 円＋税

『動物たちに囲まれて、大自然に抱かれて、ゆったり子育て、通勤ラッシュなし（腰痛はあり）』。新潟・魚沼の山村で得た 25 年の経験と暮らしぶりを描く。

価格は、本体価格に別途消費税がかかります。価格は 2023 年 1 月現在のものです。

宇宙から眺めると、あらゆる生命が相互に結びついていることに突然深い感動を覚えるという。この経験を、エドガー・ミッチェルはきわめて印象的に表現している。彼はアポロ一四号のメンバーで、月面を歩いた六番目の人間であり、一九七四年にピープル誌につぎのように語った。「いきなり地球への意識が高まり、周囲の人たちについて考えたくなる。世界の現状に対する大きな不満が芽生え、何か行動を起こしたい気持ちに駆り立てられる。月にいると、国際政治など些細なことにしか思えない。政治家の首根っこを摑み、二五万マイル離れた月まで引きずり出して、こう言ってやりたい。『よく見ろ、このろくでなし!』」[53]

計測の歴史の状況に当てはめると、アーレントが語る世界疎外は、特定の要素と普遍的な要素のあいだで繰り返される緊張関係の一例だと私は考える。特定の時間や場所や情報に結びつけられていた知識が源泉を離れると、抽象化が進行する。これと同じ力は、メートル法の発明のなかで働き、あらゆる領土で同じように通用する度量衡が生み出された。あるいは、アメリカのグリッド測量の歴史でも働いている。先住民は世界に精霊が宿ると信じ、特定の場所には独特の記憶や歴史が刻まれていると考えた。しかしグリッド測量によって営利目的の抽象化が進むと、土地は過去と切り離され、紙の上で売買されるようになった。グリッドの枠組みは本質的に悪意があるわけではないが、アメリカのように人種階層や白人至上主義のイデオロギーに刺激されると、強力な破壊力を持ってしまう。

グリッドや類似する多くの仕組みによる抽象化と折り合いをつけることは、自分自身にとっても他人にとっても大切な義務だ。国家の合法性を証明する手段が人々におよぼす影響について、スコットはつぎのように語る。「地図の作製を目指す測量士、国勢調査員、裁判官、警察官のための人工的な発明として始まったカテゴリーは、最終的には、人々の日常の経験を整理するカテゴリーになる可能性がある。なぜなら、都合の良い経験を構築するために国家が創造した制度のなかに人々は組み込まれるからだ」[54]。計測や定量化を行なうときには、そんな罠に陥らないよう注意しなければならない。いかにも便利な経験が私たち自身の生活を踏みにじるとき、官僚政治の押し付けによって個人の経験が踏みつぶされるときは、誰でも同じような経験をする可能性がある。自分の症状が正式な診断と食い違うときに医者を訪れるのも、前もって定められた知識だけが学校のテストで試されるのも、愉快な経験ではない。しかも、そのような経験が時には悲劇につながる。たとえば国籍を持たない難民は合法的な地位がないので、援助へのアクセスが制約される。こうした状況に陥った人たちは、身に降りかかる出来事に対する実感が湧かないが、彼らの生活についての記録は書類に残される。そしてスコットが指摘するように、「こうした書類に基づいて警察や軍隊は動員される[55]」。地図が作製されても、土地の一部についてしか語られないことを忘れてはいけない。

第7章　生と死を測定する

統計の発明と平均の誕生

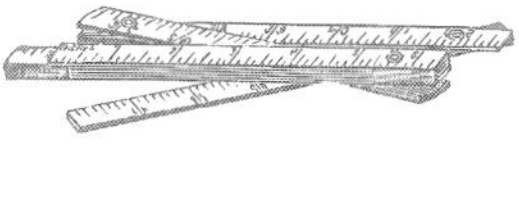

数学者はこれまで世界を悩ませてこなかったが、
ついに悩ませるのではないかと懸念している。数学者の時が到来した。
ルイ＝セバスチャン・メルシエ『The New Paris, 1800』（新しいパリ、一八〇〇年）[1]

死亡統計表

ロンドン王立協会は、いまでは世界最古の国立科学研究所だが、一六六〇年に創設された一年後、身分の低い小売商の入会を認めた。ジェントルマン階級の哲学者が居並ぶなかで、小間物商のジョン・グラントの外見は多少のセンセーションを引き起こしたが、彼の入会希望は最高の権力者、すなわち学会のパトロンでもある国王チャールズ二世本人によって承認された。当時のある観測者はつぎのように言及した。「［グラントが］ロンドンの小売商でも、国王陛下が支援する学界への入会を特別に許可されたのは、贔屓されたからではない。これほどの小売商が他に見つかったら、全員が無条件で入会を認められるはずだ」[2]。つまり、グラントは地上の最高権力者から賞賛されたわけだが、ではどうして高い評価を勝ち取ったのだろう。それは、一冊の薄い本を出版したおかげだ。タイトルは、『Natural and Political Observations Made Upon the Bills of Mortality』（死亡表に関する自然的および政治的諸観察）という。これはグラントの唯一の著作だが、いまでは統計学の創設に貢献したテキストとして認められている。統計学とは、個別の測定値ではなく、測定値を集計したときに発揮される力に注目する学問である。

グラントの研究によって、計測学では新たな革命が始まった。その結果、計測の範囲はさらに拡大し、個々の出来事や行為者だけでなく、連動し合う部分や自立的な部分から構成される複雑な実体も対象に含まれるようになった。要するに、社会全体を定規で測る能力が手に入ったのである。

そもそもグラントは、仲間のロンドン市民の運命に関心があった。彼は本のなかで、ロンドンの教区が市民の誕生と命名式と死亡（原因も含む）を一週間ごとに発表する内容をまとめた表を取り上げた。これは、死亡統計表という総称で知られる。そして、これを「一般に信じられる見解ではなく、ある程度の真実」を語るようにするために、「小売商として培った数学の能力(3)」を応用した(4)。このような形でロンドンの生活をいわば在庫管理するプロセスを通じ、それまで知られていなかった真実の数々を彼は計算した。たとえばロンドンと国全体を対象とする人口に関して、初めて信頼できる推計を行なった。あるいは、この時代に上昇し続ける乳児死亡率（首都ではピークに達したが、地方からの移住で相殺された）、さらには公衆衛生の様々な傾向も計算で割り出した。具体的には、くる病の増加、梅毒についての過少申告、恐ろしいペストがロンドンの人口におよぼした影響などに注目した。現代のある疫学者によれば、「私たちが全キャリアをかけて人類の知識を充実させたいと願っても、ほとんどの人はグラントの偉大な貢献にかなわない(5)」。

これだけの成果が、国王チャールズ二世から支持された理由はわかりやすい。国家が読み取りやすい様々な手段を考案する以前には、グラントが行なったような洞察は実に貴重だった。多少の計算と収集されたデータを使って問いかければ、国全体の情報が手に入るのだ。どんなスパイも外交官も、これだけの機密情報を集められない。実際にグラントの研究からは、国王が即位した直後にペストが特に猛威を振るったという通説の誤りが暴かれた。それを知った国王は、無罪放免された気分だっただろう。

グラントが集めた情報はすでに公表されたものだったことを考えれば、彼の分析はなおさら素晴らしい。本人が序文で書いているように、ロンドン市民は死亡統計表を定期的に読んでいたが、「ほとんど活用しなかった。末尾に注目し、葬式の数が増えたか減ったか確認する」程度だった[6]。グラントが数十年分の数字をまとめた理由はわからないが、自分の研究が前代未聞のものであることは確実に意識していた。じっくり時間をかけたうえで、本には自分の使った計算表も併せて載せている。そうすれば他の人たちが研究成果を点検し、その結果を教えてもらえば修正する機会が提供される。実際、彼は自分の証明についてこう記している。「しがない小売商の私はこのなかで、自分が学んだ教訓を（気難しくも博学な）世間に披露している。間違いが見つかったら、かならず厳しく暴いてほしい[7]」。

グラントが行なったような研究は、十七世紀に入って普及した。中央集権的傾向を強める国家は、自国民への理解を深めたかったのだ。グラントは、アイルランドの測量士ウィリアム・ペティと友人関係にあった。彼は、全国共通の数の計算を指す「政治算術」という言葉を考案した人物である。そして一六八七年には、数字には国の運命を把握する能力があることを賞賛し、つぎのように記した。「厄介で困惑するような問題に直面しても、度量衡に頼れば心配ない。謎はきれいに解消される［……］私はこうした事業に積極的に取り組みたい[8]」。ガンター氏チェーンや測量士が作製した地図は、土地に関する理解を深めたが、政治算術は国民に関する理解を深めた。すなわち、国民の生活は定量化され、誕生や死亡、結婚や殺人、道徳性や死亡数が一覧表で示された。

このような研究の当初の目的は、政府の政策の舵取りだった。ペティはこう記した。「対称や基礎構造や比率を知らずに政治を実践するのは、老婆や経験主義者の行動と同様、単なる思いつきでしかない[9]」（当時は経験主義者とは、ペテン師やいかさま師と同義語で、現在のように高く評価されなかった）。ただし、他の科学の専門分野から多くを取り入れ、政治算術の枠組みのなかで発達した分析手段は、他の分野でも役に立つことがわかった。そのため、最終的には研究の本来の目的から離れ、ひとつの知識分野として独り立ちした。グラント本人も、他にも様々な疑問の解明に役立つ潜在能力が自分の研究に備わっていることを意識しており、つぎのように指摘した。自分の結論は「政治の分野でも自然の分野でも応用できる。取引や政府の業務に使える一方、空気、季節、生産性、健康、病気、長寿、男女間の比率、人類の年齢などを明らかにするために役に立つ[10]」。そうなると、いまでは生物学、気象学、疫学として特定される分野で、集計されたデータの分析が役に立つことは最初から明らかだった。では、なぜこうした学問分野で特に役立ったのか。それは、観察や計測だけでは十分に説明できない現象が関わっているからだ。もしも病気が人々のあいだでどのように伝染するのかを理解したければ、一握りの患者を研究した結果から推定するのは不可能だ。もしも自分の国の天気について知りたければ、窓の外を眺め、雨はどこでも降っていると推測するのは不可能だ。個々の計測結果を集め、ひとつのグループとして研究する必要がある。そうすれば、研究対象の広い範囲と多様性に匹敵できる枠組みが手に入る。だからこそ、統計学は信じられないほど役に立つ。文字通り体に由来した最初の測定単位と異なり、統計学は個人の理解をはるかに超えた規模で作用する。

おそらくこうした理由で、統計的尺度は現代の世界で広く普及したのだろう。現代の世界では、生活の多くの要素が相互に結びついている印象を受ける。ただし、統計的尺度はまだ十分に活用されず、作成する方法にも見落としがある。失業率やインフレや人口増加については普通に論じられるが、こうした数字は「発明の領域と発見の領域のあいだを行ったり来たりしている」と、科学史家のロレイン・ダストンは指摘する[11]。すなわち、信頼できる数字として政府の政策の設定に利用されるが、じっくり調べるとしばしば信頼は崩れる。たとえば国内総生産（GDP）を例にとってみよう。この統計値は国家の経済の健全性を測る尺度として広く受け入れられており、世界じゅうで支出の優先順位を決定するために使われている。もしもどこかの国のGDPが予想外に落ち込めば、シンクタンクは大騒ぎするし、新聞は狼狽し、政治家は問題解消のための政策を試行錯誤するだろう。ただし、GDPはこのように信頼され、あらゆる種類の政治的・経済的介入の基準点として作用するが、これは変更が可能だ。GDPは様々な形で計算され、どの方法からも大きく異なる数字が生み出される。しかも、非常に特殊なイデオロギーが込められた計測手段でもある。一部で批判されるように、ＧＤＰはコストを無視して成長をとことん追求する発想から生み出された。消費がいつまでも増加し続ける世界が理想とされ、環境的・社会的費用はほとんど顧みられない[12]。かつてロバート・ケネディはこう指摘した。「要するに、これはあらゆるものを測定するが、人生に価値のあるものだけは例外にされる」[13]。

統計は、不完全さを伴う。しばしば恣意的に区別されるカテゴリーを対象にして、変化し続ける世界のスナップショットだけを提供する（プラトンは、特に驚かなかっただろう）。しかも、客観的な真実として提供される数字へのこだわりが強くなると、どんな現実が語られているのか認識しないまま、統計上の数字を操作するようになる。すると測量の事例と同様、残虐行為にまでエスカレートする可能性がある。たとえば十九世紀には科学的人種差別が台頭し、優生学運動が盛んになった。ただし、こうした失敗はあるものの、統計学者のアラン・デロジエールによれば、統計は「頼りがいがある」[14]。数字によって現実が強化されれば、行動を起こしやすいし、予測できないものをマスターする役にも立つ。そして、今日の社会で統計データが果たす中心的な役割は、コロナウイルスへの対応で何よりも明らかになった。幸いにも感染を回避できても、統計の数字が病気の前兆として日常生活に入り込んでくる。患者数や死亡率が毎日まとめられ、夜のニュースで報じられる。このように、いまは数字に行動を左右される。店を開けるかどうか、子どもを学校に行かせるかどうか、しばらく国外で暮らしている家族と再会するかどうかを、数字を頼りに決定する。グラントは死亡統計表によってロンドンで猛威を振るうペストの実態を明らかにしたが、数字がこれほどまでに普及して力を持ったことに驚いたはずだ。いまや数字は死者を数えるだけでなく、生活を支配している。

統計学の胎動

計測に関する多くの事柄と同様、統計の起源は夜空の観察にまで遡る。この広大な天上の黒板は、計測の重要性を人類に最初に教えてくれた。当時、天文学者を兼ねた聖職者は、そこから季節の変化を予測する方法を学び、ひいては定量化された科学が誕生する土台が築かれた。したがって、定量化の論理を人間の生活に最初に持ち込んだのが、ベルギーの天文学者アドルフ・ケトレーだったのも意外ではない。ここまで本書で紹介してきた思想家の一部に比べて、ケトレーの研究は数学的に限られているが、統計が広範囲に応用できる可能性を確信した点は驚異的であり、注目に値する。かつてのオックスフォードの計算者たちと同様、ケトレーは計測を新しい領域に持ち込み、無生物の現象の仕組みを明らかにするだけでなく、社会に生来含まれる真実が明らかにされる可能性を示した。かつて私たちの先祖は星に導かれたが、いまでは社会の真実を伝える数字が、国家の行動の舵取りをしている。

ケトレーは一七九六年にヘントという都市で生まれ、大方の評価によれば、様々な事柄に興味を持った。学問に秀でているだけでなく、芸術的な才能も豊かで、詩集を発表し、芝居で舞台に登場し、一時は画家か彫刻家になる夢を持った。[15] 二十歳になると数学の才能を開花させ、地元のヘント大学から数学の分野では初めてとなる博士号を授与される。そして彼の研究成果に注目したオランダ政府（当時は、現在のベルギーを支配していた）からブリュッセルに招集され、数学を教えるようになった。やがて新しい天文台を建設するプロジェクトに関わり、当時は科学の都だったパリに一八二三年に派遣され、メートル法を考案したサヴァンから学ぶ機会が与えられた。サヴァンの多くは以前と同様にパリを拠点にして研究を続けており、そのなかには博識家のピエール＝シモン・ラプラスや、数学者のアドリアン＝マリ・ルジャンドルも含まれる。ケトレーはこのグループから（かならずしも直接教えを受けたわけではないが）、帰国してから天文台を運営するために必要なスキルを学んだ。なかでも重要だったのが、データを分類して分析する方法だった。

この時代の天文学者は、エラーの概念を通じて計測との関係の見直しを始めていた。科学の観察では常に間違いが予想されるが、科学者は対処法を常に理解しているわけではなかった。たとえば夜空の天体の動きを観察する天文学者は、何回かに分けて数字を記録するが、それが時々で食い違ってもあまり気にしなかった。なかには複数の結果を何とか両立させようと努力する学者もいたが、だいたいは研究に最もふさわしいと判断した「黄金数」をひとつだけ選んだ。[16] こうした姿勢をよく表しているのが、アイルランド出身のイギリス人化学者ロバート・ボイルの助言だ。彼は一六六一年につぎのように語った。「実験は数ではなく、価値で評価されるべきだ［……］君主の王冠を飾るのにふさわしい東洋の大粒の真珠は、金細工師や薬局がオンス単位で購入するような（本物でも）、小さな真珠を束ねたよりも価値が高い」[17]。今日では、結果が不揃いなのは有利な展開で、予想外の発見が期待できるし、実験の手法に磨きをかけるチャンスとも見なされる。しかし当時は違った。それは好ましくない、いや恥ずべき結果であり、焦点が定まらないか、スキルが欠如している証拠と見なされた。

こうした状況は、天文学で特に顕著だった。観測器具——特に望遠鏡——が改良されると、エラーの数が増加したのだ。正確になるほど間違いが増えるのは逆説的な第一印象を受けるが、こんなふうに考えてほしい。もしもあなたが自分の身長を二〇回連続して急いで測定しなければならないとしよう。最初の一〇回は、巻き尺を使ってフィートやインチを丁寧に測る。あとの一〇回はレーザーを使い、長さをミリ単位まで測定する。どちらのほうが、一貫した数値を得られるだろう。最初のやり方なら、一〇回とも五フィート一〇インチという結果を出すのは簡単だが、あとのやり方では、一七七・八センチメートルを何度も記録するのは非常に難しい。この問題に、天文学者は苦しめられた。観測器具は、確かに以前よりも精度が上がったが、その精度ゆえに、制御が難しいどころか、不可能な要因への対処を迫られた。望遠鏡の精度が上がると、天体の位置を確認できるだけでなく、天気によって引き起こされる歪み、レンズの一貫性の欠如、定期的な人為的エラーが観測結果に反映された。実際、これは計測が基本的に陥る罠のひとつだ。計測が正確になるほど、結果には一貫性がなくなるケースが増えてしまう。

このようにエラーだらけの恐ろしい状況に順応するプロセスは、少しずつ進んだ。最初の突破口は、十八世紀ドイツの天文学者トビアス・マイヤーによってもたらされた。彼は月の秤動《ひょうどう》——軌道や傾きの影響で軸が揺れて見える現象——の計測に熱心に取り組んだ。そして、一日の決められた時間に観測した結果を三つ記録して、あとから簡単な方程式を使って平均値を割り出した。このアプローチからはいかにも簡単な印象を受けるので、「二十世紀の読者は、こんなものは注目に値しないと間違った見解を持つかもしれない」と、統計史家のスティーブン・M・スティグラーは指摘する[18]。しかし、異なるデータをこうした形で組み合わせるのは、当時は非常にめずらしかった。ちなみにマイヤーと同時代の著名なスイスの数学者レオンハルト・オイラーも、同様の問題に直面し、観察結果を組み合わせれば、「エラーは自己増殖する」と結論した[19]。しかしマイヤーは発想を飛躍させ、計測でのエラーを組み合わせても問題は悪化せず、むしろ相殺される可能性があると考えた。彼はこのアプローチを「観察結果の組み合わせ」と呼び、この表現は十九世紀、統計的手法全般に言及するために使われた[20]。エラーから正確な値が割り出されるのだから、当時これは、数学の錬金術のような印象を与えたはずだ。

もうひとつの突破口はエラーの法則の発見で、正規分布またはベル曲線としても知られる。これは数学の歴史のなかでも架空の存在に焦点を当てた研究で、複雑な過去と多くの変数が関わっている。最も簡単に説明するなら、エラーのパターンと言えるが、基礎的な前提はいまでは常識のように感じられる。すなわち、何かを繰り返し測定する回数を増やすほど、その結果は「真の」数字を示すひとつの値に近づいていてくる。中心点に近い数字がたくさん記録されれば、外れ値の数は減少する。この現象は、天文学者にはかなり以前から知られており、ガリレオも言及しているが、十八世紀まで体系的に研究されることはなかった。最初に分析を行なったのはフランスの数学者アブラーム・ド・モアブルで、ギャンブルの確率という問題の解決に応用した。たとえば、ふたつのサイコロを転がすと、出てくる目の数字の合計はどうなる可能性が高いか知りたいと想像してみよう。目の出方には三六通りの可能性があって、(ふたつの数の合計は二から一二まで)一一の異なる結果が考えられる。ここで、ふたつのサイコロを転がす回数を増やしていくと、六つの異なる組み合わせから、最も可能性の高い七という合計値が得られる。そして、このプロセスを棒グラフで表現すると、馴染み深い形状が出来上がる。中心部が盛り上がり、両側に徐々に下がっていく対照曲線が描かれる。これが正規分布である。

この数字の素晴らしさは、データを洗練させてエラーを最小限に食い止める能力にある。ド・モアブルは正規分布を限られた範囲でしか使わなかったが(彼が主に関心を持ったのは、二項分布だった)、後の思想家は、この概念の可能性を十分に生かせば、確率を説明できることを認識した。特にふたりの人物、すなわち天文学者のラプラスとドイツの数学者カール・フリードリヒ・ガウスは、正規分布とその多くのバリエーションを一般式の形で表現した。そして方程式を表に描いてみると、エラーの多い観察結果から不純物が取り除かれ、あとには汚れのない真の結果だけが残された。結局のところ、科学的観察の結果は、運に左右されるゲームと大して変わらないのではないか。どちらも好ましい結果と、それに影響をおよぼす変数が存在する。影響するのは、バックギャモンならサイコロの転がし方、天文学なら望遠鏡を軽く動かすそよ風になる。そして、どの結果が最もあり得ないか突き止めれば、混乱状態を合理的に説明するのも可能だ。いくつかの関連する数学的概念と共に(なかでも注目すべきは最小二乗法と中心極限定理)、正規分布は科学者がエラーを概念化する方法に革命をもたらしただけでなく、量が増えて複雑になる一方のデータの整理に貢献した。その結果、統計学の数学的土台が築かれたのである。

平均人の誕生

ケトレーは夜空を観察するためパリに派遣されたが、むしろデータ群との関わりを深めた。一八二四年にブリュッセルに帰国すると、同市の天文台の責任者になるが、政府の国勢調査を支援する作業も任せられた。こうした行政の記録は天体の観測と形式が似通っており、フランスで最初に教えられたアイデアが役に立つという確信を彼は深めた。天文学者が慎重に観測を行なえば、宇宙に関する事実だけでなく、宇宙の動きを支配する法則についての事実も明らかになる。ならば社会にも同じことができないかとケトレーは考えた。宇宙について長い時間をかけて考えれば、誰でも宇宙の「見事な調和に畏怖の念を抱き、同じ法則が生命の存在する世界で存在しないと言われても納得できない」と確信した[21]。この類似性は、彼が考案した新しい科学を支える価値観となり、新しい学問分野を彼は社会物理学と呼んだ。

その後の数年間、ケトレーは天文学で考案した統計の手段を、政治算術のデータに応用する作業に取り組んだ。それには時期も完璧だった。この時代には各国が、市民に関するデータを以前よりも大量に収集していたのだ。カナダの哲学者であり歴史家のイアン・ハッキングによれば、「数字が山のように印刷された」。国家は「臣民について分類し、数を数え、新たに表にまとめる」作業に取り組んだ[22]。データがどれほど増加したか理解するために、つぎのことを考えてほしい。アメリカで一七九〇年に最初の国勢調査が行なわれたとき、各世帯は四つの質問に回答するだけでよかった。同居している男性の人数、女性の人数、それ以外の自由人の人数、奴隷の人数だ。ところが一八八〇年になると、およそ一万三〇一〇個の質問が準備され、個々の世帯だけでなく、農場、工場、病院、教会、大学など、新しい重要な資源を政府に提供してくれる可能性のあるあらゆる機関が対象にされた[23]。

一八三五年、ケトレーは上下巻から成る『Sur l'homme et le developpement de ses facultés』（人間とその能力について）を発表し、一八四二年には英語訳が出版された。この本で紹介されている独特の分析例のひとつが、五七三八人のスコットランド人兵士の胸囲の測定値の分析だ。彼は分析を通じ、一定のパターンを見出そうとした。そして結果の数字を棒グラフで表すと、ド・モアブルがサイコロで発見したのと同じパターンを示すことがわかった。要するに、正規分布、当時は「エラーの法則」として知られたパターンが出来上がったのだ。そこからケトレーは過去の科学者と同様、曲線の中央値は「本物の」数字、すなわち自然の法則が好む結果だと推論した。同様のデータセットを身長や体重、そして体の様々な部位の大きさに関しても集め、国ごとに分類して照合した。さらに新しい計測方法まで発明するが、そのひとつがボディマス指数だ（長年、ケトレー指数として知られた）。この値は、体重と身長の比率から導き出す。データを集めて統計をとり、その値をフランケンシュタイン博士のようにひとつの体に当てはめた結果、彼は世界がまだ見たことのないキャラクターを世界の舞台に登場させた。それは平均人だ。これは統計的規則性の融合体で、それぞれの国家の典型的な特性を象徴するとケトレーは考えた。

私たちの時代には、平均という概念は侮辱として、あるいは凡庸さを示すものとして解釈される可能性が最も高い。しかしケトレーにとって、平均は完璧さを意味した。生体データのなかの平均的な統計値は、自然の法則から導き出された適切な結果であり、対象があらゆる異常から解放された証拠と見なされた。彼は平均人について、つぎのように記した。「均衡という正常な状態のなかで、そして完璧な調和のなかで存在し、何かが多すぎることも少なすぎることもない。したがって［……］平均人はもっぱら美しく、もっぱら善良なタイプとして考えなければならない」[24]。ハッキングによれば、ケトレーが『Sur I'homme』（人間について）の発表と、その後の研究で達成した成果は、統計的尺度の意味に対し、さりげないが重要な変化を引き起こした[25]。正規分布が天文学に応用されると、平均的な値はかならずしも本物の値ではなく、ランダム誤差を説明できる最高の近似値と見なされるようになった。そしてケトレーはこの数学の簡略な表現を「真の資質」と見なし、研究対象となる人間の集団に当てはめた。こうして存在論の見直しが進んだ結果、抽象的な測定尺度は実体を伴った。そして結果はピッタリ正確というわけではないが、きちんと構築されており、外れ値もその一環として見なされた。

ケトレーの著書は好意的に受け取られ、賞賛された。ロンドンの王立協会は、三段抜きの書評でつぎのように結論した。「このような本の登場によって、文明の学術史に新しい時代が築かれた」[26]。同書の出版は、知的職業階級のあいだに統計への熱狂を巻き起こし、統計学に特化した団体やジャーナル誌や機関がヨーロッパ全土で突然つぎつぎと誕生した。データの妥当性は次第にあやしくなったが、それでも関連組織のメンバーはデータを集めて公表した。ある助手は機転をきかせ、混雑した駅のトイレから尿のサンプルを吸い上げて、「平均的なヨーロッパ人の尿」と結論しようと試みた[27]。そして、ケトレー本人の研究の範囲も拡大し始め、体の寸法だけでなく、社会的なデータの広いパターンに注目するようになった。ここで彼は数学者としてではなく、鉱石を切り出す鉱夫さながら、定量データをせっせと集めて本領を発揮した。政府の刊行物や科学ジャーナルを詳しく調べ、使えるデータをいくつも見つけた。犯罪率や自殺率、結婚、誕生、病気に関する統計を集め、その結果を年齢、性別、職業、居住地ごとに相互参照した。

ケトレーは、データをたくさん集めるほど、社会の仕組みに備わっている驚くほどの規則正しさを発見した。結婚や殺人など、最も情熱を傾けて打ち込む行動でさえ、多くの国で時代ごとに傾向がほとんど変化しない。この結果に彼は困惑したが、それと同程度に大きな興味を持った。パリの警察の統計をあるとき分析した際には、つぎのように評価した。「犯罪は、恐ろしいほどの正確さで増殖する」。毎年の殺人の発生件数だけでなく、刺殺と銃による殺人と絞殺の割合もほとんど同じなのだ。「他人の血で自分の手を汚す人物が何人いるか、偽造犯や毒殺犯が何人いるかは、人間にとって避けられない誕生や死亡をあらかじめ一覧表で示すことができるように、あらかじめ理解することができる」と記している。このような数字は、「足場やガレー船や刑務所を建設するための予算のようなもので、フランス国家が手に入れれば、財政予算よりも間違いなく規則正しい情報が得られる」[28]。ケトレーの発見によって明らかになった不変性からは、個人の選択は思っているほど重要ではないことがわかる。たとえば恋愛のすえに結婚したと思っても、統計を見るかぎり、実はグラフの線をたどっているだけである。ケトレーは友人への私信にこう書いている。「犯罪は社会が準備するものだ。有罪の人間は、準備された犯罪を実行する道具にすぎない」[29]。

初期の研究成果に比べ、こうした新しい結論は怒りや不信感を引き起こした。統計の規則性を見せつけられた結果、自由意志の性質や人類の進歩の可能性について、議論が巻き起こった。「論評や文芸雑誌は、運命論に関する議論であふれ返った。どんな話題も、最終的に忘却の彼方へと消えていく前に、これほど活発に議論されたことはなかった」とハッキングは記した[30]。十九世紀の最も著名な人物の一部も、ケトレーや助手たちの発見に影響された。フローレンス・ナイチンゲールは、本人も本格的な統計学者で、社会法は神によって授けられるものだと考えた[31]。カール・マルクスは、物質的な変化が社会を動かす原動力になるという唯物論の正しさを、ケトレーの研究によって裏付けた[32]。そして、本格的な物理学者も、ケトレーの社会物理学に啓発された。ジェイムズ・クラーク・マクスウェルやルードヴィヒ・ボルツマンなど著名な科学者が、社会の鉄則に関するケトレーの考察を読んで賞賛し、その統計的枠組みを利用して分子の動きをモデル化した。結局のところ、分子も群衆のようなものだから、測定値を集計すれば最高の形で理解できた。

ケトレーの弟子のなかでも特に大きな影響力を持ったのが、イギリスの政治家ヘンリー・トーマス・バックルだった。彼は社会物理学の範囲を拡大し、本人いわく歴史の法則を決定した。一八五七年に発表した『History of Civilization in England』（英国の文明史）（複数巻から成る世界史の第一巻として書かれた）のなかで、すべての国家の運命のかなりの部分は、四つの基本的要素から成ると論じた。気候、食べ物、土壌、そして「自然の一般的側面」と彼が呼んだ要素の四つだ。どれも国の発展を促したり妨げたりするが、なかでも最後の要素は最も重要だと考えられた。バックルはこれを意図的に曖昧なカテゴリーに設定し、景観が直面する美的課題や現実的課題に言及するために利用した。この最後の要素は、人を寄せ付けない山やジャングルで領土が成り立っているか、それとも魅力的な丘や平原で成り立っているかに注目する。四つの要因によって、「宗教や芸術や文学、［さらには］人間の心を表現するあらゆる重要な手段のなかに、独特のスタイルが加わる」とバックルは考えた。これは、彼の国家主義的なプロジェクトの視点からすると、ヨーロッパの目覚ましい発展を説明するために便利な存在だった。多くの国では、「自然の圧倒的な存在感」を前にした人類が萎縮する傾向がある。そのため想像力が過度に刺激され、迷信が生まれ、合理的な思考が妨げられる。心が自己主張して、進歩を目指す自信に満ちた人種が創造される場所は、イギリスのように抑制のきいた地形しかない。「自然の営みの規模が小さく穏やかな場所では、人類は自信を取り戻す。自分の能力を頼れるようになる。言うなれば、あらゆる方向に進出し、権力を行使する」[33]。イギリスを平坦な地形に創造してくれた神に感謝しなければならない。

バックルの本は大評判となり、いくつも版を重ね、フランス語、ドイツ語、ロシア語にも翻訳された。そこからは、統計の運命論と政治の姿勢が相互作用していることがわかる。彼の研究への姿勢は、十九世紀半ばのイギリスを支配した放任主義的なリベラリズムの風潮によって形作られた。一方で彼は、社会は秩序正しいのだから、政府による規制を厳しく制約する方針は正当化されると考え、この主張は有力な政治家によって繰り返し採用された。自然の法則からは逃れられないのに、変化は実行可能だと信じる「法律制定者は愚かだ」と彼は指摘した。「司法の分野にせよ行政の分野にせよ、政治の大きな改善や改革が国の支配者の手で実行されることはない」[34]。

こうした統計的運命論の流行への反論は、政治、哲学、文学の各分野で様々な形をとった。たとえば、社会の規則正しさは法律を支える要素になり得ないという反論があった。確かに自殺者や犯罪者の数は毎年一定の水準で推移しているが、どのケースも正確な原因はわからないし、発生することがあらかじめ決められているわけではない。あるいは、物質界はこのような形で説明できても、心の世界はデカルト座標で表現できるほど規則正しくないという指摘もあった。人間の行動は「あらゆる計算に逆らう」ものだ。[35] あるフランスの批評家は、統計学者が作成した表を骨格だけの体にたとえ、[36] 大事な生命が抜き取られた抜け殻だと評した。そして、集計されたデータの採用が急速に進む医療の現場からは、医師からこんな指摘があった。統計からは、病気の経過や治療法についての洞察が生み出されるが、患者はやはり個人として治療しなければならない。あるスペインの医師はこう結論した。「多数決の法則は、難病の患者には影響力を持たない」[37]。土地測量や度量衡の標準化と同様、ここでも地図と領土、あるいは普遍的な要素と細かい要素とのあいだの緊張関係が存在する。世界についての理解を統一させるためには、細かい部分を無視すると役に立つ。しかしそうした一般的な法則は、個人の苦しみを前にして説得力を持たない。

こうした論争は、文化にも波及した。ドストエフスキーの『Notes from Underground』（一八六四年）（『地下室の手記』）では、幻滅した公務員が語り手として登場し、「人間のあらゆる満足に関して、統計の数字や科学・経済的な公式から推論する」専門家を非難する。アメリカの随筆家ラルフ・ウォルドー・エマソンは、「フランスの統計学者が作成したとんでもない一覧表」について、つぎのように冗談を言った。「二万人にひとり、あるいは三万人にひとりの男性が靴を食べ、祖母と結婚することが統計で明らかにされるためには、調査の対象になる二万人目、あるいは三万人目の男性が、靴を食べ、祖母と結婚すればよい」。ただし、統計的運命論への反論が最も長く注目されたのは、チャールズ・ディケンズが一八五四年に発表した小説『Hard Times』（『ハード・タイムズ』）だろう。主人公のトーマス・グリッドグラインドは教育長で、後に国会議員になった人物で、「事実だけが人生では求められる。他には何も植えず、すべて根こそぎにすればよい」と信じている。「かっちりしたスタイルのコートを着て、足を真っすぐに延ばし、肩をいからせている」グリッドグラインドは、統計の規則正しさを象徴するロボットのような存在だ。権力を振りかざし、頑固で、周囲の人間の生活など理解できない。息子は銀行強盗でつかまると、父親の期待が大きすぎると訴えた。「大勢のやつらが、信頼関係が求められる状況で採用される。でも、その大勢のうちのほとんどは、正直者じゃない。とにかく法律は守れと父さんは何度も言うけれど、僕にはできない。父さん、あんたは妥協のない事実で他人に安心感を与えようとしてきたが、満足しているのは自分だけだよ！」[38]

こうした批判にもかかわらず、統計データの発達は間違いなく社会改革を促した。特に公衆衛生と保険の世界への影響は大きかった。病気や事故の数を大がかりな規模で把握できる能力が手に入ると、政府や企業が介入する機会は増えた。そして、統計から得られた教訓は、しばしば直接的な効果を素晴らしい形でもたらした。たとえば、イギリスの実業家チャールズ・ブースについて考えてみよう。彼は十九世紀末、ロンドンの貧困の実態を把握するための調査を行ない、あらゆる街路や袋小路やブロックを住民の収入に応じて分類したうえで、このデータに基づいて色分けされた地図を作製した。このブースの調査からは、ロンドンの人口の三三パーセントが貧困地区で暮らし、イーストエンドではその割合が三五パーセントにのぼることがわかり、最終的に住宅の改造などの法改正が実現した。[39] ここでは、産業革命が招いた貧困の規模を適切に把握するため、統計が唯一の手段となった。住民ひとりひとりの惨めな境遇を聞かされても心を動かさなかった政治家も、統計を見せられて行動せざるを得なかった。マンチェスター・ガーディアン紙は一八八九年にブースの功績を記事で取り上げて賞賛した。「イーストロンドンはカーテンの裏に隠されてきたが」、ブースはそれを開けて、「悲しみや苦しみや犯罪」について物理的な地図で示してくれたと紹介した。[40] 研究成果を王立統計学会に提出するとき、ブースはつぎのように語った。[41] 自分の目的は「近代の産業生命体の実態を描き出し」、市民の「無力感」を撲滅することだと。ブースによれば、問題を遠くから眺められるからこそ、行動を起こすことができる。

平均値と異常値

アドルフ・ケトレーは平均値を高く評価したが、最も影響力の大きな後継者は異常値を高く評価した。それは、ヴィクトリア朝時代の統計学者フランシス・ゴルトンだ。彼は正規曲線の重要性を認識したが、曲線の端の部分、すなわち例外や不完全な部分に注目した。「一般的に統計学者が研究対象を平均に限定し、もっと包括的な視点を楽しまないのはなぜか、理解に苦しむ」と、一八八九年に記した。「イギリスのような平坦な国の国民の心は、多様性の魅力を感じにくい。そしてスイスは、山々が湖に放り込まれたら、ふたつの厄介ごとが同時に取り除かれると考える」[42]。一八二二年に裕福なクエーカー教徒の家庭に生まれたゴルトンは神童として評判で、そのキャリアは計測学、地理、生物学など、様々な科学の分野にまたがっており、犯罪現場での指紋鑑定や犬笛などのイノベーションを生み出した。ただし今日ではむしろ、優生学の創始者としてしばしば記憶される。この教義のおかげで、統計学は想像し得る最も陰湿な目的のための学問分野というレッテルを貼られた。

ゴルトンの研究はひとつの動機を土台としていた。それは、「可能なときはかならず数を数える」ことで、生涯にわたって忠実に守った個人的なモットーでもあった[43]。二十世紀のある評論家は、「ゴルトンが発表したほぼすべての学術論文は、何らかの方法で集計や計測と関わっている」と指摘する[44]。実際、彼は人生の様々な場面で定量化を何気なく使っている。たとえば、一分ごとに観察される落ち着かない態度の数に基づき、会議がどれだけ退屈か測定し、紅茶を淹れるための完璧な温度を特定した[45]。さらに、「街路を歩いているときに出会った女性が魅力的か、平凡か、平凡以下か、どれに分類されるかによって」、イギリスの「美人の分布図」を作製した[46]（このように人間を物体化することは、彼にとって慣れ親しんだ領域だった。二十代のときに現在のナミビアを探検したときには、コイサン族の女性の寸法を遠くから測るために六分儀を使い、楽しい時間を過ごした[47]。そのうえ、定量的手法の限界を確認するため、信仰の問題まで計測の対象に含め、一八七二年には「祈りの効果の統計調査」という論文を発表する。そして「祈りを捧げると、祈らないときよりも目標が達成されやすいかどうか」、確認しようと考えた。しかし、証拠からは逆の結果が導かれた。イギリスの君主の健康を願い、教会では毎週大勢の人たちが祈りを捧げるが、「誰よりも裕福な人物が利点を生かせず、文字通り短命なこと」が何よりも決定的な証拠とされた[48]。

やがてゴルトンは従兄のチャールズ・ダーウィンが一八五九年に『On the Origin of Species』（『種の起源』）を出版すると、それをきっかけにライフワークに取り組み始めた。遺伝の問題への興味を掻き立てられたのだ。多くの同時代人と同様にゴルトンは、自然淘汰による進化というダーウィンの結論に刺激を受け、世界を一変させるきっかけとなる新しい理論を自分も提供できると確信した。一八六九年に従兄のダーウィンに送った手紙にはこう書かれていた。「野蛮な状態から解放された改宗者は、迷信の耐え難い重荷から自分を救ってくれた教師を深く尊敬しますが、いまの私はあなたに同じ気持ちを持っています[49]」。

ダーウィンは著書のなかで、特徴が代々受け継がれていくメカニズムについては推測するのみにとどまった（「遺伝子」という言葉は、彼の死後かなり時間が経過した一九〇五年、ようやく考案された）。そこでゴルトンは、もっと確かな知識を生み出すため、計測と統計に注目する。そして一八六九年には、この分野に関する、彼としては初めての本格的な著書『Hereditary Genius: An Inquiry into Its Laws and Consequences』（遺伝的天才——その法則と結果に関する研究）を出版し、人間の知的能力は遺伝することを満足できる形で証明した。原始データに選んだのは、「著名人」をまとめた膨大な人名録（ラウトレッジ社の『Men of the Time』〈時の人たち〉）で、そこから家系図を作ったうえで、「天賦の才能」に基づいて、独自に考案した知識階級のカテゴリーに各人を当てはめた。それから、それぞれの家族のなかでAからGまでの階級がどのように変化するか分析し、「どの世代もつぎの世代の天賦の才能に大きな影響力を持っている」と結論した。[50] そして、この考え方に従って、「数世代にわたって賢明な結婚を繰り返せば、すごい才能に恵まれた人間を創造するのは可能ではないか」と考えた。「脚力が強い馬や犬を交配させ、優秀な子孫をいつまでも残す」のと同じだった。[51]

これは、ゴルトンの統計上の観察から優生学が生まれた重要な瞬間だった。このあと彼は、人間の美徳は測定できるだけでなく、変更も可能だと確信するようになった。そして、ある記事では新たに創造した科学の長所を詳しく説明し、つぎのように記した。「馬や牛の品種改良にかける費用と手間の二〇分の一が、人類の改良のための計測に使われれば、すごい天才がきら星のごとく創造される！ 愚か者同士を交配させれば、間抜けが繁殖する可能性があるが、それとは反対に、優秀な預言者や聖職者を世界に送り込むことができるだろう」。[52]

『遺伝的天才』でのゴルトンの論法には、つじつまの合わない面があり、いまでは疑う余地がない。彼の結論は根拠の薄弱な前提の数々に基づいており、その根底にある偏見は隠しようがない。たとえば、知的能力を測るための信頼できる代替的指標として、評判を選んだのはなぜか。そもそも、裕福な権力者の子孫は、貧民の子どもよりも物質的な利点に恵まれているはずだ。そして、優秀な馬同士を交配させれば、速く走れる馬が誕生するというだけで、人間の知性が遺伝すると結論するのはなぜか。馬と人間の資質は本当に同等なのか。いまゴルトンの著書を読んでみると、厳格な科学的調査が必要なはずの分類作業のなかで、彼が犯した間違いが簡単に見つかる。たとえば人種間の知的能力の違いについて推測する部分では、古代ギリシャ人を「人間という動物の最高の品種」として賞賛し、[53] 認知能力に関しては近代のヨーロッパ人よりも少し上にランクされると考えた（もちろん、死者をこのような形で賞賛するのは無難だ）。ところが「ニグロという人種」は、白人よりもふたつ下にランクされるという。そしてゴルトンがこんな結論を導き出したのは、著名な黒人について思い浮かばなかったからにすぎない[54]。

こうした数秘術的なアプローチをとったのは、ゴルトンが正規分布に畏敬の念すら抱いたことが何よりも大きな理由だ。ケトレーと同様に彼は、正規分布には自然の威光が刻印されていると考えた。したがって、データが正規分布のパターンに従っているものは、「きわめて信頼できる基準」と見なされた。彼の結論は、「異なる条件のもとで」、すなわち環境的要因の影響下ではなく[55]、本来備わっている遺伝的資質によって導かれたことが正規分布のパターンによって保証される。後にゴルトンは、二種類の影響力を説明するために「氏と育ち」という表現を考案したが、どちらが優勢だと考えているか常に明確な姿勢を示した。『遺伝的天才』では、つぎのように書いている。「時として明確に表現され、しばしば暗示される仮説に対し、私はまったく我慢がならない。なかでも、良い子になるための教訓の物語には呆れる。生まれてくる赤ん坊はみんなほとんど同じだとか、子ども同士、大人同士の違いを生み出すのは、たゆまぬ努力と道徳的行為のみだとか、とんでもない話だ[56]」。

ゴルトンは正規曲線を崇めまつり、想像力を飛躍させた。もしも優生学が、社会を組織化する基本原理として主要な宗教に取って代われば、いつの日か正規曲線は十字架の代わりに崇拝されるかもしれないと考えた。「『誤差の法則』によって表現される宇宙の秩序は素晴らしい形状をしている。これほど想像力に訴えるものを、私はまず知らない」と彼は記した。「野蛮人がこれを理解したら、神として崇めるだろう。大混乱のなかでごく控えめに、しかし厳格な形で君臨している。群衆の規模が大きくなり、無政府状態が深刻になるほど、完璧な影響力を持つ[57]」。

ただし、ケトレーは平均を賞賛すべき資質と考えたが、ゴルトンにとって平均は厄介な存在だった。彼は正規曲線の盛り上がった部分から、凡庸さが大きな波になって迫ってくる印象を受けた。その波は文明に激しく衝突し、男女を問わず、世界を前進させる能力を持つ一握りの優秀な人間を溺れさせてしまう。こうした黙示録のような恐ろしいシナリオは、優生学の支持者の多くを行動に駆り立てたが、ゴルトンは数学への好奇心も刺激された。もしも世界が一握りの人たちの成功に左右されるなら、データだけを使って有能な人物と無能な人物を選り分けられるのではないか。そして、天賦の才能を授けるために遺伝が重要な役割を果たしているなら、つぎの天才がどこから登場するか予測するのは難しくないのではないか。このような疑問から、ゴルトンはきわめて重要かつ素晴らしい統計の手段の数々を考案した。彼の研究の多くは無知をさらけ出したが、彼自身は間違いなく数学の天才だったのである。

ゴルトンは『遺伝的天才』を出版したあと、遺伝の仕組みを明らかにするにはデータがもっと必要だと理解した。しかしIQテストがまだ発明されていない時代には、知性を評価するための無難な方法がなかった。そこで生体認証の研究に注目し、複数の世代にまたがるデータを収集するために独自の方法を考案した(「統計学者の仕事は、古代エジプトのイスラエル人と変わらない」と彼はかつてこぼした。「レンガを作るだけでなく、その材料を見つけてこなければならない」[58])。たとえばゴルトンは、人間の被験者を対象にしていくつものテストを考え出し、反応時間からパンチ力や聴力まで、ありとあらゆるものを測定した。一八八四年には「人体計測研究所」を設立し、色々な健康診断を行なった。そのめずらしさに大勢の市民が引き寄せられ、有料で診断を受けると、自分のデータのコピーを宝物のように大切に保管した。ゴルトンはこの時点で十分に有名人だったので、当時のイギリス首相ウィリアム・グラッドストーンも研究所を訪れた。自分の頭蓋骨は人並み外れて大きいと確信していたのは間違いない。「グラッドストーン氏は、頭の大きさに面白いほどこだわった。でも結局、頭周りはそれほど大きくなかった」[59]と、ゴルトンは後に回想している。

何年にもわたって生体認証に関するデータを集めたゴルトンは、その集大成として一八八九年に代表作『Natural Inheritance』(自然的遺伝)を発表した。ここには、まったく新しい統計的手法を使って長年蓄積された洞察がまとめられ、彼の著書のなかでは最も大きな影響力を持った。たとえば世代ごとの身長の研究では、つぎのように指摘している。親の身長が異常に高くても低くても、この極端な特徴を子孫が同じように受け継ぐとは限らない。むしろ、子どもたちの身長は平均に近づく傾向がある。それはまるで、正規曲線のスロープに反重力が働き、外れ値を吸収して包含したような印象を受ける。ゴルトンはこの現象を「凡庸への回帰」と呼んだが、今日では平均への回帰として知られる。さらに彼は、身長のふたつの発現（親と子の身長）の違いを追跡するために使用する数学的ツールを微調整すれば、どんなふたつの変数のあいだの結びつきの強さを測ることも可能で、ふたつの変数が並行して移動するか否か、確かめられることがわかった。こうした測定は尺度がかならずしも限定されず、いかなる数字の組み合わせも対象に含まれる。したがって温度や自殺率から人間のひげの長さや回復力まで、あらゆるものの関連性を確認することができる。ゴルトンはこの方法を「相関関係」（co-relation）と名付けたが、ほどなく綴りは変更され、いまでは馴染み深いcorrelationになった。

回帰と相関関係の発見は、「科学史の数々の出来事のなかでも最高の評価に値する。ウィリアム・ハーヴェイによる血液の循環の発見や、アイザック・ニュートンによる光の分解に匹敵する偉業だ」と、スティグラーは書いている[60]。どちらも驚くほどの柔軟性と力を備えたツールなので、科学者がこれを使えば、他の方法では集計データから引き出せなかった結論が導き出される。表面的な測定結果の力が増幅され、一見すると異なる現象同士の関連性が発見される。たとえば、肺がんと喫煙の関連性を考えてみよう。今日ふたつの関連性は紛れもないが、二十世紀初めにはきちんと理解されていなかった。最初は疫学者が、一九三〇年代に行なわれた人口調査で相関関係に注目した。しかし、タバコの煙に含まれる発がん性化学物質に基づいて科学者が因果関係を特定するまでには、数年の歳月を要した。ヒト生物学のような複雑な体系には、変数や相互接続システムが驚くほどたくさん存在する。そのため研究を進めるうえで、統計ツールは実に貴重な存在である。ゴルトンの弟子であり伝記を執筆したカール・ピアソンは、つぎのように指摘する。「かつて定量的科学の研究者は、因果関係の視点からしか考えることができなかった。しかしいまでは、相関関係の視点からも考えられる。これによって、定量的手法、ひいては数学的手法を応用できる範囲は大きく広がった。さらに、科学に関する私たちの見方、さらには人生に関する見方まで修正された」[61]。そして、ゴルトン本人はこう記した。「なかには統計という名前そのものを嫌悪する人たちもいるが、私にとって統計は、美しさと魅力に満ちあふれている。乱暴に扱わず、高度な手法を慎重に使い、その結果を用心深く解釈すれば、複雑な現象への対処に驚くほどの力を発揮する」[62]。

優生学とIQ

キャリー・バックがゴルトンの発言をどのように解釈したか、考えてみるのは興味深い。ゴルトンが没する五年前の一九〇六年、バージニア州シャーロッツビルで生まれたバックは、偉人として「丁寧に扱われる」存在とは確実に縁がなかった。むしろ、統計的尺度を数字の世界の特徴ではなく、人間の生来の資質についての記述として見なすと何が起きるのか、彼女の生涯は如実に物語っている。

バックは十七歳のとき、養い親の甥によってレイプされた。そのせいで妊娠すると、罰として州の精神病院に送り込まれた。その病院で、彼女も生まれたばかりの娘も「知的障害」と診断される。実は彼女の母親も、数年前に同じように診断されていた。結局バックは、優生学の名のもとで去勢された。後に教師たちが証言した内容からは、バックが正常な知能の持ち主だったことがわかる。しかし病院で彼女を監督した人物は、彼女のケースを見せしめにしたかった[63]。バックに不妊手術を施すべきだと主張し続け、最後は最高裁判所で争うことになった。最高裁判所では一九二七年、賛成が八票、反対が一票で、優生学を目的とするアメリカでの強制的な不妊手術を合法と認めていた。「全世界にとってこれは良い結果だ」と、裁判所が多数決で下した決断について、裁判官のオリバー・ウェンデル・ホームズ・ジュニアは記した。「堕落した子孫が罪を犯したり、愚行を繰り返したりするのを待つよりも、先に去勢してしまえば、明らかな不適格者がとんでもない行動を継続する事態を社会は防ぐことができる」。アメリカ最高の法律家のひとりとしてしばしば尊敬されるホームズだったが、バックの一族に関しては残酷な決断を下した。「愚か者が三世代にわたって続けば、不妊手術の十分な根拠になる」と判断したのである(64)。

ここで最も衝撃的なのは、当時はこうしたケースが例外ではなかったことだ。バージニア州は、血統の純粋性の追求に取り組んでいたが、他州よりも進みは遅かった。すでに不妊手術は慣例になっていたが、バックの一件によってようやく「憲法による裏付けが与えられた(65)」。不妊手術に関する最初の州法は、すでに二十年前に確立されていた。そして一九三九年までには、全米の三二州が、強制的な不妊手術を認めていた(66)。アメリカでの優生学の台頭には、多くの要因が貢献している。そもそもアメリカでは、人種別の階層が習慣として確立されていた。大がかりな都市化や移民などの社会的変化が進行し、改革運動も盛んだったので、社会を改善するための科学的に健全な手段として、優生学が受け入れられる環境が整っていた。そのため優生学という学問は、大衆的な読み物で賞賛され、アレクサンダー・グラハム・ベルやセオドア・ルーズベルトなどの著名人によって擁護され、草の根の運動を通じて大衆に普及した。たとえば優生学会は一九二〇年代、「理想の家族コンテスト」を各州の博覧会の目玉として定期的に開催した。参加者は遺伝的美徳について審査され、「私は輝かしい嗣業を受けました」という聖書の言葉が刻まれたメダルを手渡された(67)。アメリカ合衆国の――実際のところ、あらゆるアングロ・サクソンの国家の――未来が、「欠陥があって堕落した原形質を勢いづかせる源泉を枯渇させる」法律の導入に左右されることは、常識としか考えられなかった(68)。

優生学の運動は、ゴルトンと弟子たちが創造した統計による支えなしには存在しなかった。しかしこの優生学の教義を正当化するためには、もうひとつの形の計測が同様に重要な役割を果たした。それはＩＱテストだ。

キャリー・バックがバージニア州から「知的障害」と判断されたときには、その証拠がビネ＝シモンテストによって提供された。これは近代のあらゆる知能テストの先駆けで、一九〇五年にフランスの心理学者アルフレッド・ビネと同僚のセオドア・シモンによって発明された。教室で特別な援助が必要な子どもを特定する方法の考案を、ビネがフランス政府から任せられたのがきっかけだった。そのためビネは、子どもの「精神年齢」の特定に役立つ一連のテストを考案する。たとえば四歳児なら、どちらの直線が長いか、これは何という家庭用品なのか、答えられるはずだ。七歳児は簡単な図形を模写し、写真について説明できる。十歳になれば、硬貨の種類を見分け、ランダムに並べられた単語（「パリ」「お金」「川」など）から文章を作れるはずだ。そして数年後、重要な特性が加えられた。回答を簡単に照らし合わせて比較するために、テストの結果を数字で示すようになったのだ。そしてこれが、被験者の知能指数、すなわちIQとして知られるようになったのである。(69)

以後IQテストは、あらゆる時代の社会統計のなかで最も大きな影響力を持つ一方、最も悪用された。残念なことにビネは、自分のテストが知能テストとして欠陥があることは無論、まさか認知能力のランク付けに使われるとも考えなかった。教室で支援が必要な子どもを特定するための手段として考案しただけだ。ケトレーや彼が発明した平均の支持者たちが後にIQテストを実践したとき、個人が所有する「本物の」資質と見なすようになったのだ。ビネ本人は、認知能力は複雑なので、ひとつの単位では測定できないという主張を曲げなかった。そして自分の研究が悪用される可能性を予測さえしていた。「我々はこの事実について強調する必要がある」と、一九一一年に記した。「なぜなら、あとになると結果を単純に解釈して、八歳児の知能が七歳児並みだとか、九歳児並みだと語るようになるからだ。こうした表現が恣意的に受け入れられると、誤解を招いてしまう」(70)。実際にビネは、IQテストに関連する多くの問題を予言していた。たとえば、教えにくい子どもたちを無視する言い訳として使えるし、結果は特定の時間を切り取ったスナップショットなのに、子どもの能力の永続的な評価と見なされてしまう。自分のテストは「指示を学んで同化する能力」だけを評価するのであって、生来の資質や定まった資質を評価するのではない点を、ビネは何度も繰り返して強調した。[71]

しかしビネのテストがアメリカに上陸すると、そんな警告はすぐに無視された。真っ先に採用したのは心理学者であり優生学者のヘンリー・ゴッダードで、一九〇八年にテストを英語に翻訳した。彼は、個々の人物の知能を測る決定版としてＩＱテストを行ない、つぎのように記した。「どの人間も、潜在的な知能指数は決まっている［……］それを超えて教えるのは無駄な努力だ[72]」。そして一九一〇年には、ＩＱの低い子どもを分類するための新しい三段階のシステムを提案する。精神年齢が三歳児にも満たない「愚か者」（idiots）、三歳から七歳の範囲の「低能児」（imbeciles）、八歳から十二歳の範囲の「間抜け」（morons）（これはゴッダードによる造語）だ。ここで重要なのは、これらのカテゴリーが不変だという点が強調されたことだ。ビネと異なりゴッダードは、テストの点数は教育へのアクセスや権力への信頼感など様々な要因を反映するとは考えず、知能そのものの表現だと明言した。「どんなに教育しても、良い環境を整えても、知的障害者を正常にすることはできない。赤毛の牛を黒毛の牛に変えられないのと同じだ」と語った[73]。

こうしたアイデアはアメリカで非常に大きな影響力を発揮した。そしてゴッダードの研究は、外国人嫌いや人種差別に基づく前提を正当化するために使われた。彼は一九一三年、エリス島に到着する移民のＩＱテストを始めるが、いちばん安い最下等船室でやって来た移民が特に対象になった。すると、イタリア人の七九パーセント、ハンガリー人の八〇パーセント、ユダヤ人の八三パーセント、ロシア人の八七パーセントは「精神障害者」だと評価された。この結果にゴッダードは衝撃を受け、テストの条件を緩くした。それでも、移民の四〇ないし五〇パーセントは、精神年齢が十二歳児に満たないと結論した。ゴッダードによれば、「移民は驚くほど知能が低いという一般的な結論からは、逃れようがない」ものだった[74]。自分や助手たちがインタビューを行なった人たちは、船底に何週間も家畜のように押し込められた状態で新しい国に到着したことも[75]、おそらく英語を完璧に理解できないことも、彼の主張では考慮されていない。

ところが、こうした悲惨な結果は特異な例ではなかった。一九一七年には、ビネから取り入れたIQテストが、今度はおよそ一七五万人のアメリカ陸軍の入隊者を対象にして行なわれた。その結果、白人の平均精神年齢は十三歳、ロシア人は十一・三四歳、イタリア人は十一・〇一歳、「黒人」は十・四一歳という結果になった（黒人の場合は皮膚の色の明るさによってさらに区別され、肌が白いほうが知能は高いと見なされた）。そしてここでも、多くの入隊者がろくな教育を受けていないといった環境的要因や、テストの質問の内容で文化に関するものの比率が高いことは考慮されなかった。一方、平均的な白人の入隊者の知能が明らかに低い結果に対しては、「優生学者は知恵を出し合った。それでも貧しい精神障害者が見境なく交配した結果［……］破滅的な結果が引き起こされた」と考えるしかなかった。[76] しかしこうした結果は積み重なる一方で、さすがにゴッダードも衝撃を受け、以前の研究の多くを後には撤回し、自分が考案した方法に疑問を抱き始めた。「我々はジレンマに陥って進退窮まったようだ。人口の半分が精神障害者か十二歳並みの精神年齢というのは、精神障害の限界を超えている」と考えるようになったのである。[77]

このような条件下で、キャリー・バックは非難されたのだ。全国民の認知能力を詳しく判断するため、当時は疑似科学的なテストが行なわれた。テストは統計分析に基づいているが、もっと重要なのは、社会が抽象的な測定値によって厳密にモデル化され、支配されるという確信が大きく影響していることだ。統計の歴史の研究者は、今日の私たちが知っている形の統計にはふたつの異なる起源があると指摘する。[78] ひとつは、グラントやペティが始めた既知の知識の定量化で、それによって事実は「記憶しやすく、教えやすく、政府関係者が使いやすくなった」。[79] もうひとつは、ド・モアブルやラプラスが始めた数学が起源である。こうした科学者たちは、間違いや確率に数字の構造で取り組む方法を発見した。やがてふたつの道はケトレーによって結びつけられた。その結果、平均の測定値は真の財産と見なされた。しかし、ゴルトンや優生学はこの方針と対立し、長年にわたる偏見や人種差別を正当化するため、知能を具体的な形で表現した。優生学は何よりもまず政治のプロジェクトだが、科学の土台の上に構築された。一見すると「客観的な」数字を根拠にして成り立っている。

今日では、統計の数学的原理はこうした歴史の寄せ集め状態の影響をほとんど受けない。そして、研究の方向づけや支援に対する数字の応用に熱心な様々な分野において、研究を補完する学問として重宝される。それでも統計が創造した数字の二面性には、未だに苦しめられている。一方では何かをでっち上げるために、もう一方では何かを発見するために数字は利用される。たとえば教育、収入、ＩＱについての統計は、すべての国家や人種について徹底的な判断を下すために使われる。かたや、他の多くの統計は、正規曲線には社会の運命をある程度まで判定する機能がある点に未だに注目して評価する。ゴルトンは、無知な「野蛮人」はいつか曲線のスロープを崇拝するだろうと推測したが、実際にその通りになった。いわゆる人種現実主義者をはじめ知能に妄想を抱く人たちは、曲線の規則正しさを誤解して、人間の価値が変わらない何よりの証拠だと判断した。それについてはビネ本人が、一世紀以上前に誰よりもはっきりこう警告している。「近代の一握りの哲学者は〔……〕個々の知性には決められた量があり、増加することはできないと主張する。そんな残酷な悲観主義に、我々は抗議して反発しなければならない[80]」。

優生学の教義は、第二次世界大戦後に支持を失った。ナチの野蛮な断種プログラムがいかに悪質か、明らかになったことがきっかけだった。アメリカでは六万人以上が強制避妊の対象になったが、ドイツではおよそ三七万五〇〇〇人が同じ目に遭い、それ以外に数百万人が、Lebensunwertes Leben——これは公式のカテゴリーで、「生きる価値のない生命」を意味する——の人種をヨーロッパから「取り除く」という名目で殺害された。しかもこれは過去の問題ではない。二〇二〇年の報告からは、カリフォルニア州の刑務所では二〇一四年までに何百人もの女性が強制避妊の手術を受けさせられたことが明らかになった[81]。一方、中国で迫害されている少数民族のウイグル族も、同様の強制避妊や産児制限や中絶を迫られている[82]。ナチ党員が戦争犯罪で連合国から訴えられたニュルンベルク裁判で、SS人種・移住本部の責任者だったオットー・ホフマンは、優生学はドイツの創造物ではまずあり得ないと指摘した(83)。実際、これらの問題でナチがインスピレーションを受けたのは、連合国側のアメリカだった。ホフマンは、対キャリー・バック訴訟でのウェンデル・ホームズ・ジュニアのつぎの発言を引用し、検察官たちに聞かせた。「愚か者が三世代続けば、強制避妊の十分な根拠になる」。ナチがこの教えに従った結果、必然的な結果が導かれたのだ。

第8章　メートル法に抗う人々

メートル法と帝国単位の文化戦争

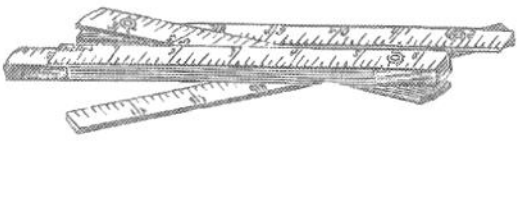

だから、「メートル法」などすべてなくしてしまえ
外国の学校で教えられたものはいらない
我らは今後も父なる神を崇拝する！
そして父なる神の「規則」を守る
完璧なインチ、完璧なパイント
イギリスの誠実なポンド
どれも地球上に自分の場所を確保している
最後のラッパの音が聞こえるまで、居場所を確保するだろう

度量衡の保存と完成のための国際機関の歌①

計測自警団

どんな強盗映画でも、強盗たちの現場の下見は重要な部分だ。主人公は目立たないような姿で現場に現れ、周囲に溶け込むように最善の努力を払いながらもターゲットから目を離さない。ターゲットは、主人公にとって感情的な意味を持つ歴史画かもしれないし、比類なき透明さと輝きが魅力の宝石かもしれない。いずれも魅惑的で、盗まずにはいられない。十月のある曇った日の午後、パブで座っている私の心には、そんな宝物が思い浮かんだ。もっと平凡なターゲットのことはほとんど考えなかった。それは錬鉄製の道標だ。

通りの反対側に立っている道標は、注意深く監視されるような存在とは思えない。歴史的な意味も金銭的な価値も主張できる存在ではない。実際、イギリス南西部のタックステッドという町をたまたま歩き回り、歴史的に有名な風車までの距離が何メートルなのか知りたい人でもないかぎり、あまり興味は湧かない。それでもこの道標の存在が特筆すべきなのは、「メートル法への積極的な抵抗」(ARM)として知られる計測関連の自警団の注目を集めているからだ。では、この団体はどんな目標を掲げているのか。それは、イギリスで「強制的に押し付けられたメートル法に反対し」、伝統的な帝国単位を守ることだ。では、その戦略は? メートル法で表記された標識や道標にゲリラ戦を仕掛ける。真夜中に引き抜いて生け垣に放り込んだり、ペンキやステッカーを使って表記を修正したりする。こうして醜いメートル表記を取り除くと、そのあとに、実用的で素晴らしいイギリス古来の単位、すなわちマイルやヤードやフィートを代わりに登場させる。

ARMが二〇〇一年に創設されて以来、メンバーは全国で三〇〇〇本以上の道標を撤去したり、表記に変更を加えたりしてきた。村や海辺の町だけでなく、首都にまで攻撃を仕掛けた。運輸省の道路標識に関する法規によれば、こうした活動は完璧に合法的だという点をグループは強調するが、それでも隠密行動なのは事実だ。メンバーは行動するときに仮名を使う。ロッド・パーチ、ポリー・ペックなど、昔の計測単位にちなんだ名前を選び、変更作業を慎重に完遂させるために特製の道具を使用する(好んで使われる道具のひとつがブリーフケースにしまわれた脚立で、「ヘンリー・ザ・ハイト・エンハンサー」として知られる)。荒唐無稽な行動だが、標的にされた相手は面白さを理解しない。ARMのメンバーは逮捕され起訴され、刑務所で一晩を過ごすこともある。

以上は、私がオンラインで読んだこの団体の伝説だ。しかしこの十月の日の午後、パブで私の向かい側に座り、前述の道標を振り返りながら気にする人物は、ARMの筋金入りの活動メンバーではないかという疑いが湧いてきた。彼の名前はトニー・ベネット(コードネームはハンドレッドウェイト)。サイダーを少しずつ飲みながら、福音派キリスト教や欧州懐疑主義と、メートル法に反対する独特の行動の関連性について説明してくれた。

私がトニーと初めて会ったのは、ロンドンから乗ってきた列車を降りたときだった。彼は低い壁に寄りかかり、色褪せたプラスチック製のアイスクリームの容器から、早めのランチを取り出して食べていた。外見からは、やさしそうな人物だという印象を受けた。流行遅れの眼鏡をかけ、Vネックのジャンパーを羽織り、歩き方がぎこちないところから、自分の祖父を連想した。しかし、タックステッドののどかな石畳の裏通りを一緒に散策し、あちこちのパブでグラスを重ねながら話すうちに、私の先入観とは異なる独自の性格が前面に押し出されてきた。実はトニーは狂信的だった。クリップボードやノートを抱え、物静かな文学青年のように見えるが、それでも狂信的なことに変わりはなかった。

彼の話では、すべてはニムロデに遡る。このニムロデはノアの曾孫で、「主の前に力強い狩人だった」。やがて世界の人々を結束させるためにバベルの塔を建設し、人類が天国に到達することを目指した。「そこで神が介入し、塔の建設を食い止めたんだ」とトニーは語った。「そして人々が地球全体に広がり、地球の豊かな恵みの恩恵を受けられるように、様々な言語を話すようにした。それも超自然的な力で一瞬のうちに」。トニーによれば、おかげで世界は複数の異なる国家に分割されたのだから、それは神が望む設定だという。「概して我々キリスト教徒は、国民国家は永続的で権力が安定していると信じる。誰もが独自の特徴を持つ国家で暮らすべきだ。そうすれば、生活に団結力が備わるし、目的意識も高くなる」。

そのためトニーは一九九七年にイギリス独立党（ＵＫＩＰ）に参加して、それをきっかけに伝統的な度量衡への興味が芽生えた。「ハーロウでのキャンペーンを見たとき、『風変わりなやつら』だと思ったけれど、とりあえずパンフレットを受け取ったんだ」という。やがて党の顧問弁護士になり、ジェフリー・ティットフォードの政治秘書になった。ティットフォードは二〇〇〇年から二〇〇二年までＵＫＩＰの党首を務め、欧州議会に同党から最初に派遣された三人の党員のひとりに選ばれた。ＵＫＩＰやその知的基盤に込められた啓示は、聖書の啓示と矛盾がなかった。その結果としてトニーは、「実際のところ欧州連合（ＥＵ）というプロジェクトは、決して労働組合のようなものではない。一九四〇年代まで遡り、国民国家の力を取り除くための用意周到な計画」であることを理解したのである。

後に彼はつぎのように語った。「じっくり観察してみると、ヨーロッパのプロジェクトの真意がよくわかるようになった。バベルでの出来事を逆転させるための、意図的な計画なんだ。国民国家というアイデアは余計なものだ、必要なのは強力な国際機関の構築で、できれば世界全体をひとつの政府が支配するのが望ましいと訴える」。こうした傾向と闘うためには、ＥＵから離脱するだけでなく、欧州の統合を目指す他の側面とも戦う必要があるという。統一通貨であるユーロの導入を防ぎ、欧州大陸全体でのメートル法の利用を終わらせなければならない。トニーや同胞にとって、「ひとりの国王、ひとつの法律、ひとつの度量衡」という、フランスの革命家がカイエ（陳情書）で掲げたスローガンは、脅威の再来でしかなかった。

ＡＲＭとその合法的な類似の組織の英国度量衡協会（ＢＷＭＡ）にとって、イギリスにおける帝国単位からメートル法への変更との闘いは一九六五年に始まった。この年に商務省は、メートル法の採用への十カ年計画の概要を示した。この計画は、業界団体の要請を受けて作成された。イギリスが帝国単位にこだわり続けると、国際市場で後れを取る可能性を各業界は案じたのだ。ここで重要なのは、このメートル法への移行は、ＥＵの前身となる組織にイギリスが加盟する数年前に決定されたことだ。つまりメートル化は外部から押し付けられたのではなく、最初から国内の決定事項だったのである。決定から数年のうちに、日常生活の様々な側面がメートル法に移行した。たとえば紙のサイズには一九六七年から、薬局の処方箋や高等教育の試験には一九六九年から導入された。そして一九七一年には、通貨のメートル化という重要な一歩を踏み出し、従来のポンド、シリング、ペンスから成る制度（八世紀に計測法を改革したシャルルマーニュの成果を受け継いだものだ）を放棄して、通貨の十進法が制定される。この切り換えは、重量のポンドやオンスの放棄と変わらないほど文化的に重要だったが、大した問題もなく実現した。それからの数十年間、自動車業界から製薬業界まで、イギリスの主要な産業のすべてでメートル化が実現した。一九九〇年代までには、道路の標識や食料品店の秤など、人目を引く測定単位に帝国単位を使い続けるケースや、ふたつの単位を並行して使うケースはほんの一握りになった。

もしもバナナの房がなければ、メートル法へのゆっくりとした移行はそのまま継続していただろう。二〇〇〇年、スティーブ・ソーバーンというサンダーランドの露天商は、取引基準の秘密調査官に売ったバナナに、帝国単位のポンドとオンスで価格を設定していた（一ポンドにつき二五ペンス）。そのため、小分けにできる商品はメートル法を使って販売することを義務付けたEUの指令に違反したと見なされ、ソーバーンの秤は没収される。そして、同じように告発された四人と一緒に、二〇〇一年に法律違反で有罪となった。[2] この一件で度量衡の問題は全国的に注目される。そして貿易基準管理局の報道官が、彼らが殉教者ぶるのはかまわないが、それでも法律は変わらないと発言すると、報道機関はソーバーンたちのグループを「メートル法の殉教者」と呼んだ。[3]「市場の露天商が正義の秤にかけられた」という見出しには抗えない魅力があった。そして露天商が有罪を不服として高等裁判所に上訴すると、UKIPはこれを好機ととらえ、ソーバーンの裁判費用を負担しただけでなく、公聴会が開かれる裁判所の外に支持者を集めて抗議運動を行なった。「我々の度量衡のほうが優れている」「英国の物差しには、メートルではなくインチを使え」といったスローガンが書かれた横断幕を参加者は掲げた。あるときの抗議運動では、果物や野菜を売る屋台が裁判所の外に即席で設けられた。[4] 抗議運動の参加者に売ったバナナはもちろん、古き良き時代の帝国単位で重さを量った。

これは有権者を分断させる争点として完璧で、独立党が自分たちの大義に人々を引き付ける良いチャンスになったと、トニーは説明してくれた。この一件はシンプルで、関連付けが簡単で、EUの越権行為に対する不安を簡潔に表現している。「民間伝承として広く支持された。『スティーブ・ソーバーンがバナナをポンドで売れないなんて、おかしいじゃないか』と、右翼の評論家は訴えた。それを読んだ人たちが電話をかけてきて、党に入ってくれた。『EUの官僚に対し、ようやく誰かが立ち上がってくれた』と喜ばれたよ（もちろん、ソーバーンが訴えられたのは、イギリス政府がEUの法律を施行したからで、EUの指令そのものが理由ではない）。この一件は取るに足らないけれど、それでも判例になった。一部の分野では、イギリスの法律よりもEUの法律のほうが優先されることが明らかになった。上告を担当した裁判官は、論争のきっかけになったバナナについて『イギリスの法律史上最も有名なバナナ』だと言ったよ」[5]。

メディアスクラム（即席の記者会見）を行なったひとりが、将来のUKIPの党首であり、ブレグジット推進派のナイジェル・ファラージだった。彼は一九九九年、ふたりの仲間と一緒に、同党で最初の欧州議会議員になった。小売商たちの上告が二〇〇二年に棄却されると、ファラージはラジオや新聞で激しく抗議して、これはイギリスの政治的独立の終焉を象徴する出来事だと訴えた。「いまやイギリスはEUに支配されている。国会は役に立たない。この一件は、それを何よりも証明しているのではないか」と問いかけた[6]。

こうした不満は何年間も取るに足らない問題だったが、このときばかりは多くの人たちが認識する以上に広く影響をおよぼした。イギリスが二〇一六年に国民投票でEUからの離脱を決めたとき、BBCのある政治記者はつぎのように指摘した。度量衡を巡る論争は、ブレグジットのプロジェクトにとって重大な分岐点だった。この出来事をきっかけに、「世論はEUからの離脱に傾いた。国民の日常生活に影響をおよぼし、その責任をEUに押し付けられるものが、実体のある形で提供され、批判しやすくなった」のである[7]。イタリアの町市場の壁に刻み込まれた計測の見本や、中世ヨーロッパで穀物を計測するための詳細なルールと同様、バナナの価格についての論争は抽象的でも専門的でもない。具体的な中身が、あなたの目の前で計測される。そして、E

Uはこの問題に関して態度を軟化させたが、不満は解消されなかった。実際にEUは二〇〇七年、好きなときにいつでも帝国単位を使ってもかまわないとイギリスに伝えた。当時、EUの産業担当長官だったギュンター・フェアホイゲンはこう語った。「熾烈な闘いが数十年にわたって続いてきたが、そろそろ終わりにしたい。私から見れば、まったく意味がない」(8)。今日、イギリスではほとんどのケースでメートル法が採用されているが、食品パッケージの一部では二種類の単位が併用されており、帝国単位が文化の一部に組み込まれて変化が困難な生活領域では、帝国単位だけがそのまま使われている。道路標識には未だにマイルやフィートやヤードが残されている。多くの人たちが身長をフィートやインチで測り、体重の推移を確認するためにストーンやポンドやオンスを使う。そして、パブでパイントを廃止することなど誰も真剣に考えない。心と体に深く関わるこうした分野の計測に、帝国単位は固く結びついているのだ。

タックステッドのパブでグラスを重ねながら、トニーはこうして一部始終を説明してくれた。そのあいだ私は外を眺め、これから「修正する」予定の道路標識に視線を向けた。道路標識の測定単位を変更するなんて、実にくだらないと思う。この程度の破壊行為は意味がないし、あとで修理する市の職員を困らせるだけだ。ならばなぜ、トニーはこんなに気にするのだろう。なぜ何年もこんな行動を続けてきたのか。注目を集めることだけが理由ではないはずだ(それも理由のひとつであることは間違いないが)。

さらに話を続けていると、村の住民が列をなして入ってきた。最近流行している新型コロナウイルスの感染予防対策として、距離を開けたテーブルにひとりずつ座っている。酒が入り、みんな部屋のあちこちから楽しそうに大声で会話を交わし、バーのスタッフにドリンクを注文している。その騒々しさで、トニーと私のあいだに芽生えた親密な雰囲気は台無しになった。誰かが席を離れて他の誰かのテーブルに向かうとかならず、大声で威勢よく歓迎の言葉がかけられる。「二メートル離れろよ。スティーブ、二メートル離れるんだ。それ以上は近づくな!」。政府の公式ガイダンスで、それはフィートではなくメートルで決められている。トニーはこれに気づいているだろうか、そして気にしているのだろうか。私は好奇心をそそられ、このソーシャルディスタンスについて指摘した。しかし彼はグラスの残りを飲みながら私に向かってしかめっ面をして、こう言った。「さあ、グラスを空けよう。真っ暗にならないうちに仕事を仕上げなくちゃね」。

ナショナリズムと国際主義

メートル法への反感の歴史は、メートル法そのものと同じだけ古い。実際のところ、メートル法の度量衡が完成する以前から始まったと言ってもよい。ミリメートルやデシカディルなどが新しい単位の名前として提案されたが、それが新しい度量衡を国民に採用してもらうための妨げにならないかどうか、フランスの知識人は議論を交わした。特にイギリスとアメリカでは、メートル法への移行に対する猜疑心や不安が強かった。何かを実施するとき、こうした課題に直面するのはめずらしくないが、どちらも独自の計測系を創造して受け継いできたので、それがメートル法への移行を実行するための課題になっていた。イギリスでは帝国単位、アメリカでは慣用単位が使われていたのだ（ふたつの計測系のあいだには、量の測り方などに小さな違いがあるが、歴史や利用法はおおよそ似通っている。そのため便宜上、ここからはふたつをまとめて帝国単位と呼ぶことにする）。

アメリカでは、メートル法採用の序曲は建国の時点から始まっていた。科学に関心の高いトーマス・ジェファーソンは、度量衡改革のための運動にかねてより積極的で、フランスのサヴァンたちの活動を注意深く見守っていた。一方、ジョージ・ワシントンは一七八九年の議会での大統領就任演説でこう語った。「貨幣と度量衡をアメリカで統一することは、きわめて重要な目標であり、十分に注意を払うべきだと確信している」[9]。ただし、計測系の改革へのこうしたアプローチは、大きな重要性を強調する一方、実際の問題解決には提案した本人以外の誰かが、誰でもよいから取り組むべきだとほのめかした。実際にこれは、大西洋をはさんだふたつの大陸のどちらでもお馴染みの特色になった。メートル法への移行が必要であり避けられない点は、アメリカとイギリスのどちらでも何度も認識されている（それは今日まで続いている）。しかし、長期的な利益を得るために必要な短期的な苦労を敢えて引き受ける人はまずいない。ワシントンの演説から三年後、一七九二年貨幣法によってアメリカの貨幣は「一律性」を達成し、一ドル銀貨とそれを十進法で分割した単位が確立された。しかし度量衡の問題は、解決までにずっと長い時間がかかった。

ジェファーソンは一七八九年にフランスから帰国してワシントンのもとで国務長官になると、アメリカでの度量衡の改革の進め方についての調査を任せられ、これが改革の出発点になった。彼はグリッドによる土地計画を発案していたが、統一された計測系が採用されれば、国の一体化はさらに進むだろうと考えた。大陸では、イギリスから受け継がれた単位を使用してほとんどの取引が行なわれていたが、異なる国からアメリカにやって来た入植者は、独自の計測単位を持ち込んだ。そのため、アイルランド、スコットランド、オランダなど、様々な国の様々なタイプが寄せ集められ[10]、商取引の進行が妨げられた。ちょうど、アンシャン・レジーム下のフランスと同じような状態だった。

この問題はジェファーソンにとって、単なる政治問題ではなかった。彼は定量化された生活に対し、個人的に強い関心を持った。たとえば、彼の楽しみのひとつが、特注のオドメーター（走行距離計）を購入することだった。彼は政府の用事で国じゅうを東奔西走したが、移動に使う馬車にこれがあれば、どのくらいの距離を移動したのか測ることができる。そこで、車輪のスポークにオドメーターを装着し、車輪が回転する回数を数えた。その結果から、走行距離を計算したのである。ジェファーソンはこうした距離の計算に取りつかれ、「モンティチェロ」を出発してあちこちに立ち寄り、最後に「大統領の官邸」に到着するまでの行程をすべて表に記録した[11]。本来が科学者の彼にとって、十進法で行なう計算は自慢の種で、自伝の草稿にはつぎのように記した。「私は移動するとき、クラークが発明したオドメーターを使う。ここではマイルがセント［一〇〇分の一］に分割される。そのため、マイルとセントで距離を示せば、誰でも理解しやすい。フィートとセント、ポンドとセントといった組み合わせはわかりやすい」[12]。後にグレードアップされたモデルは、一マイルを通過するたびに自動的にベルが鳴った。発明者には手紙でこんな感想を伝えた。「ヨーロッパでもアメリカでも［……］これに匹敵するオドメーター」を知らない。この特殊な機能に、彼は「大いに満足した」[13]。

ただし、メートル法に関するジェファーソンの調査は、順調に進んだわけではなかった。なかでも最も予想外の問題は、イギリスの海賊だった。いや正確には、十九世紀に国の認可を受けて略奪行為を繰り返す私掠《しりゃく》船《せん》だ。私掠船は外洋で奇襲をかけ、そこから得られた利益を少しだけ国王に提供した。ジェファーソンは一七九三年、基本単位のメートルとキログラム（当時のキログラムはグラーヴと呼ばれていた）について記した写しをフランスから取り寄せたが、それを積んだ船は大西洋を航海中に進路を外れてカリブ海まで漂流し、そこで私掠船に襲われて略奪された。度量衡の重要性を理解しない海賊は、船のその他の中身と一緒に競売にかけてしまった[14]。

メートル法への移行の正しさを裏付けるはずの基本単位に関する情報は、ジェファーソンの手に届かなかった。ただし、これはかならずしも決定的な要因ではなかった。むしろ彼がメートル法の科学的根拠について調べてみると、説得力がなかった。パリを通過する子午線に基づいて長さの単位を決定する方法は、どうも気がかりだった。当時の実験から、地球は完璧な球体ではなく、上と下が押しつぶされたミカンのような形をしていることが明らかになったからだ。そうなると、子午線で区切られたすべての部分が同じカーブを描くわけではなく、メートルの値を確認して再現するためには、パリを通過する子午線しか使えない。このように利用できる地域が限られると、「まさにその事実によって、地球上のすべての国家は［フランスの］計測系を共有できなくなってしまう」とジェファーソンは記した[15]。その結果、メートル法は「機能しない」と明言した。この分析に基づいて彼は一七九〇年、議会にふたつの提案を行なった。自分が考案したシステムを使ってイギリスの測定単位を見直すか（ただし、振り子の揺れ幅を使って長さの基準を決定する、すでに科学的に確立された方法が参考にされた）、あるいは新しい測定基準を各州に導入し、アメリカ独自の「均一で安定した」度量衡を明確に定めるか、どちらかにすべきだと提案した(16)。

結局、政府は何もしないことを選択した。ジェファーソンの提案は数年にわたって上下両院で協議され、認可を目指して委員会も結成されたが、時間はいたずらに過ぎるばかりで、思いきって方針を決定しようとする政治家は現れなかった。ジョン・クインシー・アダムスは、国務長官だった一八一七年にこの問題と向き合い、もはや手に負えないと投げ出した。度量衡の改革は、「立法当局にとって最も達成が困難な事業のひとつ」だと結論した。それは法律の制定が難しいからではなく、「法律を実行に移すこと」が難しいからだ。ひとつの国の測定単位を一気に変更すれば、「男女を問わず、共同体のあらゆる大人や子どもの幸福に影響がおよぶ。あらゆる家に入り込み、あらゆる手を拘束してしまう(17)」。

このように計測には大きな影響力が備わっている。それを考えれば、単位の変更が征服や革命など、社会の混乱時にしばしば行なわれることも納得できる。古くから確立されてきたものがサイコロのように空中に放り投げられ、混乱状態が発生したときでなければ、計測のような社会の根幹に関わるものの再編はあり得ない。たとえばフランスでは、ナポレオンが一八一二年にメートル法を廃止して、ハイブリッド型のmesures usuellesを採用したが、一八三〇年の七月革命をきっかけにキログラムとメートルは復活した。この革命で復古王政のシャルル一〇世に代わって即位したリベラルな従兄のルイ・フィリップ一世は、無血革命で進歩への関心を回復させることで、自らの支配の正当化に努めた。そしてメートル法の復活は、この事業の象徴だった。フィリップの知識人の偉大な業績は、過激主義の流血沙汰が残した瓦礫の山から救い出さなければならない。

宮廷には銀行家や地主や実業家が大勢いたことも幸いした。測定単位がメートル法で統一されれば、誰もがその恩恵にあずかるはずだった。

ヨーロッパの他の場所では、メートルとキログラムはナポレオンの征服の結果として定着した。ウィトルド・クラによれば、メートルはいわば「フランス軍の銃剣のあとを追って進軍し」、征服された国には、ナポレオン法典による法律や商業の様々な改革と一緒に押し付けられた[18]。新しい測定単位に反対する国もあれば、歓迎する国もあった。たとえばオランダやベルギーやルクセンブルクでは、統一感のない地元の測定単位の代わりとしてメートル法は歓迎された。しかしイタリア半島では、商業的自立の歴史が古い都市国家が、独自の測定単位を採用していたため、受け入れに対する抵抗が強かった[19]。

ただし十九世紀には、ふたつの強力な概念がメートル法への移行の定着を促した。ナショナリズムと国際主義という、ふたつの信条が同時に影響をおよぼしたのだ。一部のナショナリストにとってメートル法への移行は、啓蒙主義思想から派生した卓越した結果のひとつだった。普遍的な計測系は、新しい政治構造で重視される人権の普遍的尊重に付随するものだ。そして現実的な考え方の持ち主から見れば、メートル法の度量衡からは地域の格差を解消する手段が提供されるので、異なる経済や産業をひとつの国家プロジェクトのもとで結合するうえで役に立つ。そのため、ナショナリズムの思想は国によって形が大きく異なるが、どの国でもメートル法への移行は好まれた。リベラルなリソルジメント【訳注／イタリアの統一と解放を目指す運動】が展開されたイタリアでは、一八六一年にイタリア王国が成立すると、メートル法が採用された[20]。もっと独裁的なプロセスで統一されたドイツでも、一八七一年にドイツ帝国が成立する以前から、プロイセンやバイエルンなどの州では商取引を円滑に進める共通の言語として、メートル法の単位が使われ始めた[21]。そして南米でも、メートル法への移行は国家建設のプロジェクトの一環と見なされた。植民地を脱し独立へと進んだ一八六〇年代から一八七〇年代にかけて、メートル法は中立的で合理的なシステムとして採用された。そこにはチリ、メキシコ、ブラジル、ペルー、コロンビア、ウルグアイ、アルゼンチンなどが含まれる。イタリアの政治家マッシモ・ダゼッリョはイタリアが統一される以前の一八六〇年、つぎのように語った。「我々はイタリアを創造した。今度はイタリア人を創造しなければならない[22]」。その達成を助ける手段として期待されるもののひとつが、メートル法への移行だった。

こうしてナショナリストはメートル法を好む理由を色々と見つけたが、国際的な思想の持ち主からもメートル法は評価されるようになっていた。ナショナリズムから生まれた国際主義は、多くの異なる種類の知識人や政治家をひとつに結びつけた。社会主義者も自由主義者も帝国主義者も、世界の結束を強めたいと願う気持ちは同じだった。労働者の団結、貿易障壁の緩和、新しい領土の征服など手段は異なるが、目標は変わらない。そして目標の達成を促す新しい発明――蒸気船、鉄道、電気、電信――の潜在的可能性に注目した。当時の活気にあふれた精神を体現しているのが、国際平和会議だ。これはフランス、ドイツ、アメリカ、イギリスの活動家が企画した一連の会議で、将来の国際平和への取り組みのためのたたき台が創造された[23]。一八四九年にパリで開かれた会議では、小説家であり詩人のヴィクトル・ユーゴーが、彼の伝記作家いわく技術の進歩と人類の輝かしい未来を心の底から熱烈に賞賛し、聴衆を熱狂の渦に巻き込んだ。「人類を代表する天才が、毎日どんな発見を行なっているか考えてみたまえ。どの発見も同じ目標に貢献する。それは平和だ！」とユーゴーは大声で語りかけた。「何と素晴らしい進歩だ！　何とわかりやすい目標だ！　自然はどんどん人類の支配下に置かれている！[24]」

こうした確信は、国際的な度量衡の導入に追い風となった。実際にこの時期には、多くの集団がメートル法への支持に回るようになっていた。その多くは職能団体、あるいは統計学者や地理学者などがまとまったグループで、シンプルなメートル法への移行の恩恵を受けることが期待された。たとえば一八六三年にはパリ郵便会議が、郵便物の重量別の分類にメートル法を使うことで合意した。この会議には一五カ国が参加しており、

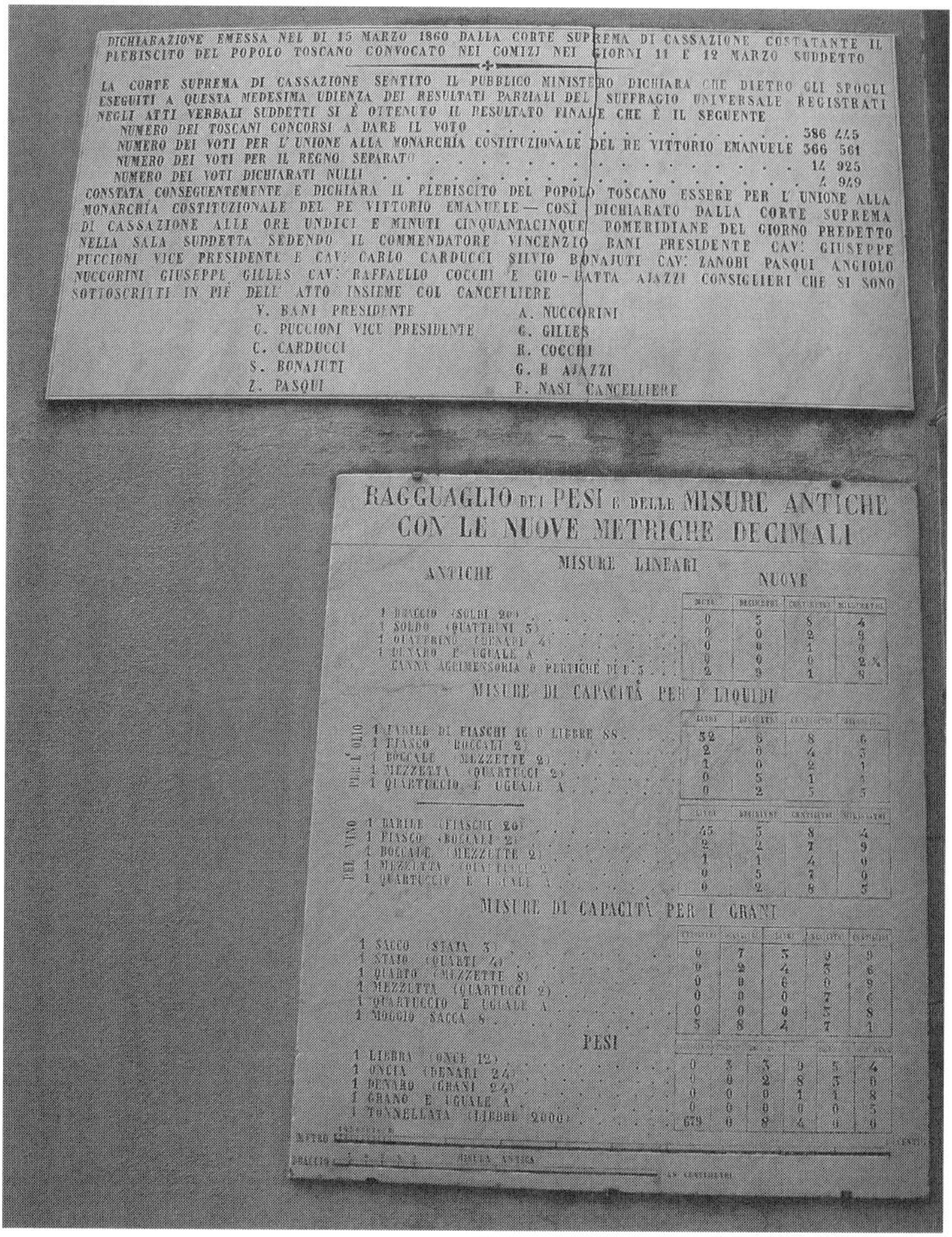

図10　イタリアのコムーネのひとつカンピーリア・マリッティマが後のイタリア王国に併合される以前には、メートル法への換算について記された銘板が建てられた。

世界でやりとりされる郵便物の九五パーセントを引き受けていた。ある代表は会議の同僚にこう語った。自分たちが監督する郵便物は、「文明や進歩や知性といった要素を印刷物の形で拡散している。人々が無知で、世界の交流が停止された結果、国家間に無益な障壁を設けてきたが、あらゆる郵便物はそれを取り除くための役に立つ[25]」。キログラムで重さを量れば、この素晴らしい活動はさらに勢いづくだろう。

メートル法への熱狂ぶりはすさまじく、この時期にはイギリスやアメリカでさえもう少しで変更するところだった。イギリスでは、メートル法採用のための法案が賛成票一一〇、反対票七五で庶民院を通過したが、時間的制約のおかげで貴族院では投票まで至らなかった。そして一八七一年の二度目の投票では、反対者が過半数を五票上回って否決された[26]。メートル法への政治家の熱狂は、多くの人たちを驚かせた。一八六三年七月九日のタイムズ紙に掲載された社説は、メートル法採用の計画への怒りと不信感をぶちまけた。メートル法に移行すれば、国じゅうのあらゆる家庭が「困惑し、混乱し、残念に思う」とはっきり記されたのである。

アメリカでは、メートル法が一八六六年に可決され、メートル法での度量衡の使用が産業界で法的に守られるようになっただけでなく、地域特有の単位への公式の換算表が提供された（イギリスでは、同様の法律が一八六四年に可決された）。法案を提議した共和党議員で奴隷廃止論者のチャールズ・サマーは、国際主義の原則に基づいてメートル法を擁護し、上院での演説ではこう語った。「度量衡をひとつに統一するというアイデアには魅力がある。これがすべての文明世界で共通のものになれば、少なくとも度量衡に関しては、バベルの混乱が克服されるだろう。これは貨幣制度の統一というアイデアと類似している。どちらも、すべての文明世界をひとつの言語で統一するという壮大なアイデアの先駆けになるだろう[27]」。

やがて、メートル法が世界で傑出した存在になるために最も重要な一歩が記された。一八七五年にメートル条約が締結されると、メートル法を明確に定義して発展させ、広く普及させるために、多くの機関が創設された。そのひとつが国際度量衡局（フランス語の名称the Bureau International des Poids et Mesuresにちなみ、

BIPMとして知られる）で、様々な国の計測に関する研究の調整を行なう。さらにBIPMは、メートル法規格の創造と普及を集中的に手がけ、メートルやキログラムの基準が新しくなれば、それを発足時から加盟している一七カ国に伝える。アメリカはこの一七カ国に含まれるが、イギリスが参加しなかったのは注目に値する。ある歴史家によれば、この時代にメートル法は、多くのエリートから「価値があり、社会の改善につながる大義と見なされ、否定するのは無論、批判するのもためらわれた」[28]。

ピラミッドは万国共通の測定単位

世界のエリートが集まり、ひとつの大義のもとで結束しているように見えるときは、猜疑心が生まれるものだ。度量衡改革への熱狂が十九世紀後半に大西洋を渡ってアメリカに戻ってくると、今度はメートル法への強い反感が膨らんだ。科学史家のサイモン・シャファーによれば、この時代の計測学はとりわけ重い負担を背負っていた。というのも計測は、「崇高な道徳、資本主義経済、科学の説明責任への要求を同時に解決すること」が期待されたからだ[29]。その結果、測定基準の起源と維持を巡る議論は白熱し、様々な集団が測定基準への要求や関心を高めた。

アメリカでは、度量衡の保存と完成のための国際研究機関が、メートル法への反感のはけ口になった。この小さな集団は、メートル法への反対を掲げる最初の公式機関として、一八七九年に設立された[30]。外国人への不信感、階級差への不安、疑似科学への愛情など、広範囲にわたる特徴や信念が組み込まれているが、数百人の会員はひとつの大義のもとに結集した。それは従来の計測単位を守り保存することだ。九年間という短いけれども中身の濃い活動期間のあいだに、詩やパンフレットを作成し、演説を行ない、政治家へのロビー活動をこなし、テーマソングまで採用した。「ポンド法のパイントは世界基準」というタイトルの熱狂的なナンバーでは、愛国主義と伝統的な計測単位への熱烈な信仰が結びつき、「メートル法などすべて」なくしてしまえと求めると同時に、「イギリスの誠実なポンド」の大勝利を宣言している。

この歌は、計測に関して最もよく知られた神話のひとつにも言及している。すなわち、インチやパイントやポンドはある意味、神から授けられた神聖な測定単位だという神話だ。この信仰は、今日でも過激なグループのあいだで未だに人気があるが、その起源は十九世紀最大の流行現象のひとつにまで遡る。それはピラミッド学という類似科学だ。いまではピラミッド学という言葉は、エジプトのピラミッドを中心とする数々の陰謀論に言及し、宇宙人の設計者からピラミッドの神秘的な力まで、あらゆる事柄を網羅する。しかし、当初は計測学に範囲が限定されていた。ギザの大ピラミッドは神の設計に基づいて建設されたもので、その寸法を正しく測れば、石の形をした「無言の遺言」は世界の歴史だけでなく未来も明らかにしてくれると、信じられていたのだ。

ピラミッド学の生みの親は、ジョン・テイラーという人物だ。ロンドンの出版業者であり、生涯独身で、ジョン・キーツなど偉大な詩人の世話役を務めた。一八五九年に彼が発表した本は、ピラミッドは神の啓示に従って建造されたことを初めて主張する内容で、『The Great Pyramid: Why Was It Built? And Who Built It?』（大ピラミッド――それはなぜ建てられたか。誰が建てたのか）というタイトルが付けられた。テイラーによれば、ピラミッドの底面の周の長さを高さの二倍で割ると、まさに円周率の値が得られる。無理数であり、数学定数である円周率が発見されたときは、ピラミッドが建設されてから何世紀も経過していた。そこでテイラーは、ピラミッドは「神聖なるキュビット（肘尺）」が基本単位として使われたと考えた。この理論は、アイザック・ニュートンにまで遡るという。ニュートンによれば、同じ単位はノアの方舟やソロモン神殿、契約の箱が納められている至聖所にも使われている。[31] この「神聖なるキュビット」を二五で割り算すると、（おおよそ）イギリスのインチに相当する。そこからテイラーは、大ピラミッドは「偉大なる創造主」本人から啓示を受けたイスラエル人が建設したものであり、石の建造物には、聖なる測定単位を選ばれた民（イングランド人）が使えるように、保存する目的があったと主張した。

テイラーの理論は鮮烈で独創的だったが、ある人物の存在がなければほとんど知られなかっただろう。それはチャールズ・ピアッツィ・スミスという、科学者として尊敬され素晴らしい成果を残した人物で、弱冠二十六歳でスコットランドの王立天文学者に任命された。スミスはテイラーのビジョンへの改宗者のなかでも突出しており、テイラーの理論について多くの著書で詳しく説明している。まずは一八六四年、『Our Inheritance in the Great Pyramid』（大ピラミッドのなかにある私たちの遺産）という六六四ページにおよぶ大作を発表する。テイラーと異なりスミスは、大ピラミッドを調査するため実際にエジプトを訪れ、現地で計測を行なった。妻を同行してギザの平原に打ち捨てられた墓で暮らし、調査結果を三巻から成る『Life and Work of the Great Pyramid』（大ピラミッドという生涯をかけた事業）という著書にまとめ、つぎのように結論した。神はアダムに言葉を授けたが、それと同様、大ピラミッドは「万国共通の測定単位を人類に伝えるために残されたもので、どの国も特に意識することなく、この計測単位を大いに利用してきた(32)」。

これらの著書はセンセーションを巻き起こした。何百万人もの読者を獲得し、多くの言語に翻訳され、ピラミッドに焦点を当てた様々な理論の出発点になった。テイラーの神聖なるキュビットを使い、スミスは大ピラミッドのあらゆる側面を調査して、科学的にも歴史的にも事実と矛盾しないと思えるたくさんの計測結果を手に入れた。地球の平均密度、極軸の長さ、地球から太陽までの距離など、あらゆる事柄が石の建造物に書き込まれている。さらにスミスは、王の部屋に収められた中身が空っぽの花崗岩の石棺には、実際には容量を計測する目的があったと結論するだけでなく、ピラミッド内部の通路すなわち大回廊には、世界の歴史が隠されているという理論まで考案した。回廊を聖なるインチで計測し、一インチを一年と考えると、天地創造の年代が浮かび上がるという。回廊の傾斜の変化や壁に残された印は、大洪水やキリストの誕生など、歴史的な出来事の象徴と見なされた。スミスにとってやや気がかりなのは、大回廊がそれほど長くないことだった。もしも本当に世界の歴史を象徴するなら、黙示録がいつ実現するのか記されているのではないか。「その疑問への答えは、大回廊の長さをピラミッドインチの計測結果から見つけ出すしかない」。当初の計算からは、一八八一年が世界の終わりという結果が導き出されたが、これではやや近すぎて不安が残る。そこで後の出版物では、回廊の先にある通路や部屋も神聖な暦の一部と見なすことにした。そして、大回廊から延びている特に狭い通路に注目する。腰を深く前傾させなければ通れないほど狭い通路は、聖書によればキリストの再臨に先立ち争いが繰り広げられる時期に相当すると解釈した。「しかしこの耐え難い部分は極端に短い」と指摘して、読者を安心させている。五十三年間におよぶ闘いが終わると、人類は「控えの間に到達して自由になり、まもなく花崗岩に守られながら静かで穏やかな時を過ごすことができる(33)」。

このような計算はスミスにとって、大ピラミッドが「人間の知性をはるかに超えたもの、いやむしろ、人間の知性とはまったく異なるもの」であることの証明だった(34)。しかし同時に彼は、帝国単位への忠誠心は、宗教的信念や外国人への猜疑心など、それ以外の信念に基づいていることも明らかにした。「メートル法の地位がパリで向上した結果、フランスの国家（と称される組織）は、自分の手で正式にキリスト教を廃止して、聖書を燃やし、神の存在を否定して、聖職者のくだらない発明と見なし、人類を、すなわち自分たちを崇め奉るようになった(35)」。さらにスミスは、ヨーロッパの文化や科学の優越性を何度も強調し、エジプト人が見逃してきた隠された真実を明らかにした能力を高く評価した。その一方、人々がクリノメーター【訳注／傾斜と走向を測定する器具】やセオドライト【訳注／水平および垂直の角度を測定する器具】を間近で見れば、「ヨーロッパ人が何か奇妙で面倒なものを考案して覗き込まないかぎり、征服を進められない証拠としか思えない」とこぼしている(36)。しかしそれは、あながち間違いではなかった。

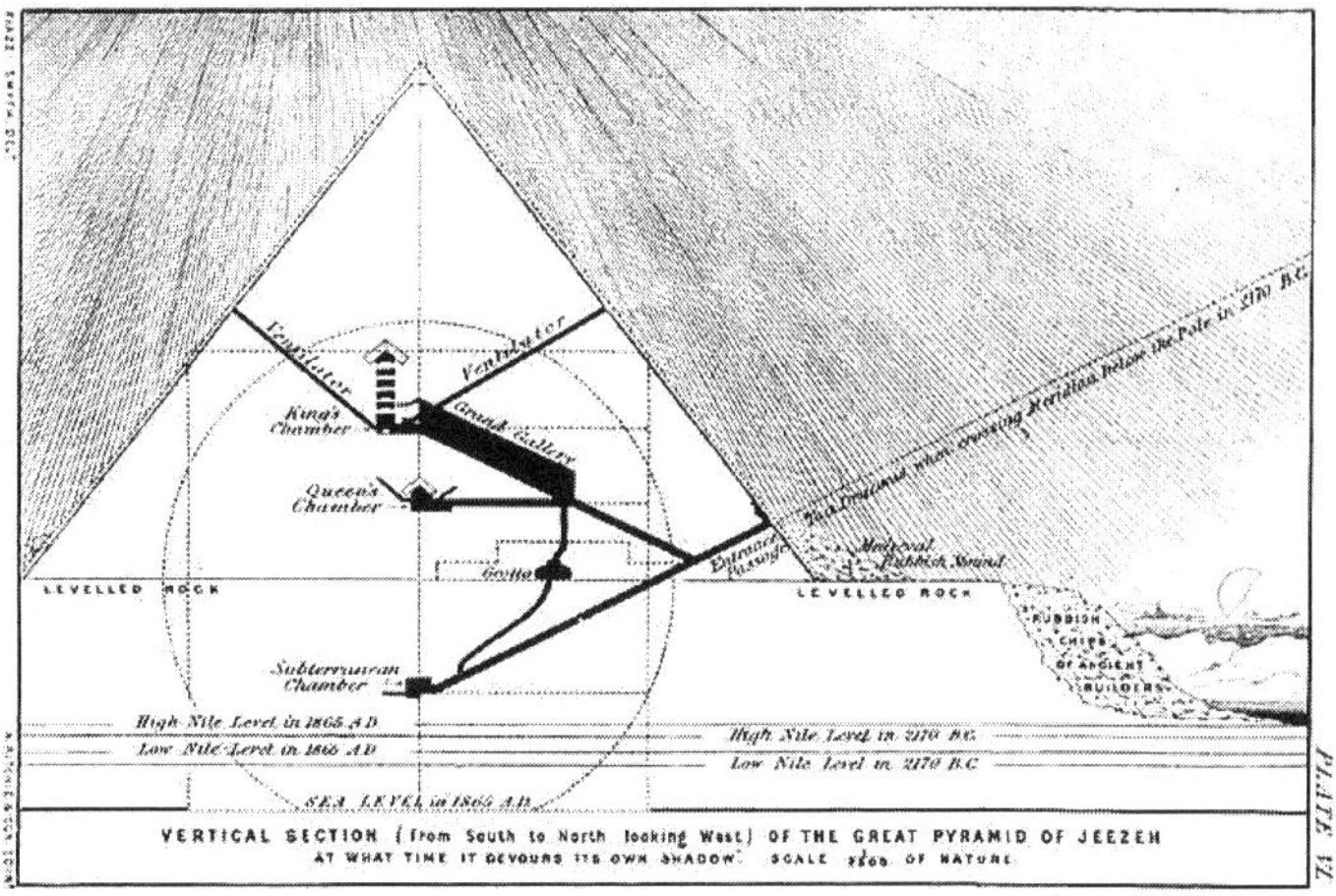

図 11　スミスが 1864 年に発表した著書『Our Inheritance in the Great Pyramid』（大ピラミッドのなかの遺産）に掲載されたイラスト。ピラミッドの幾何学的な妥当性が分析されている。

こうした古代の知恵や神の聖なる目的についての話は、アメリカの度量衡の保存と完成のための国際機関に所属する敬虔で自己顕示欲の強い計測学者たちに大きくアピールした。グループのなかでも特に信心深いメンバーのひとりが、チャールズ・A・L・トットンだ。軍事戦術が専門の教授であり、パイントと救済が歌詞に登場するテーマソングの作曲者でもあるトットンの主張は、スミスのレトリックよりもさらに過激だった。一八八四年に発表した『An Important Question in Metrology, Based upon Recent and Original Discoveries』（計測学の重要な疑問――最近の独自の発見に基づく）では、「地球には秘密のシンボルが隠されており、それが大洪水から人類を救ってきた」と述べている。つまり、「一定の比率で建設されたブロックには、宇宙の比率に関する疑問への回答となる重大な真実が込められている」ので、「それに耳を傾け、人類が暮らす地球の大きさを正しく理解する」よう読者に呼びかけている[37]。さらに彼は、スミスの主張に見られる外国人嫌いの傾向を徹底させ、アメリカ合衆国は「神の摂理が明確な形で表れた」結果として誕生した国家であり、「不毛の地に残された遺産を受け継ぐに値するユニークな存在だ」と賞賛した。(38)アメリカの測定単位を利用する価値がある人間は、男女ともにアメリカ人だけだと、トットンは自画自賛している。「小さな子どもに外国語で物乞いをさせても意味がないのと同様、政治家には、メートル法を国民に押し付ける権利がない」と主張している。(39)

測定単位への情熱がいつまでも冷めないのは不思議かもしれないが、トットンの本を読むと当時の熱気がよく理解できる。その大部分は細かい単位表で、古代の度量衡がお互い同士、あるいは現代の度量衡といかに関連しているかを示し、まるで儀式で詠唱する聖歌やマントラのような印象を受ける。トットンはこのような形で、数秘術の神秘主義と陰謀に関する驚くべき真実を融合させた。ある部分では、液体の量を段階的に計測して計算している。最小単位の一滴から始め、徐々に量を増やしては変わった単位——ログ、バス、ラバー（水盤）など——を当てはめ、最後の最も大きな単位は「一シー（海）」となる。(40)このアプローチは、（古代エジプトの）アメノペのオノマスティコンと似ている。どこまでも広がる世界を秩序立てて整理して、計測の素晴らしい潜在能力を示した点は同じだ。大混乱のなかから一貫性を創造し、広大な世界を包含する能力が度量衡には備わっていることを示した。

こうした科学と神秘主義の結びつきは興味深いが、それだけでは十九世紀に展開された規格争い、すなわちメートル法と帝国単位の争いで勝利を引き寄せられるとは考えられなかった。スミスも国際機関も類似科学を愛好したが、アメリカにメートル法は必要ないことを示すため、もっと道理にかなった理由の概要を紹介した。それは国民や政治家の議論で取り上げられ、今日でも議論の話題として登場する。

最もよく指摘されるのは、帝国単位の妥当性が認識される点だ。ゆっくりと時間をかけて発展してきたので、手に馴染んだ道具のように、利用者の使い勝手が良いように形作られたという。現実的に最大の違いは、伝統的な単位は十進法ではないところだ。十進法は一〇を底《てい》とする位取りが採用されており、単位の変換や大きな数の計算が簡単にできる。一方、アメリカの慣用単位は一二を、イギリスの帝国単位は一六を底としており（たとえば一フィートは一二インチ、一ポンドは一六オンス）、モノを三分の一や四分の一に分割しやすい。そのため市場での物々交換など迅速な計算が求められる場面では、こちらの計測系のほうがふさわしい。ピザを分けるところを想像してほしい。四つや八つに分けるのは簡単だが、一〇個に切り分けるには頭を悩ませる。

メートル法への移行に反対するキャンペーンでは、十進法の欠点を指摘するだけでなく、帝国単位は人体に対応している点が優れていると主張した。それは今日も変わらない。私たちの体は、測定単位の基準として真っ先に使われる。人体は利用しやすく、釣り合いがとれ、一貫性が備わっているからだ。十九世紀にアメリカ人やイギリス人がインチ、フィート、スパンの長さを知りたければ、インチは親指の幅、フィートは足の長さ、スパンは両腕を水平に広げた長さから推測することができた。決して正確ではないが、計測手段が常に手元に存在している。一世紀以上前、こうした単位がどれだけの効用をもたらしたのか想像するのは難しいが、これを失うのは、ベルトから役に立つ道具を力ずくで引き抜かれるような気分だっただろう。

度量衡の保存と完成のための国際機関がこの点を強調すれば、階級という要素に世間の注目が集まる。自分たちは庶民の代表だと主張する一方、メートル法を押し付けるグループを顔のない役人や強欲なビジネスエリートとして対比させることができる。この時期には、反メートル法キャンペーンの一環としてアメリカで広く流布して注目された報告書があった。執筆者のコールマン・セラーズ二世は影響力のあるエンジニアで、アメリカ機械学会の会長を務めていた。セラーズはメートル法への移行に数々の反論を行ない、メートル法に移行する以前のフランスは、アメリカよりもずっと改革が必要だったことや、アメリカで計測器具の製造工場を改造する費用は馬鹿にならないことを指摘した。しかしアメリカ独自の計測系の何よりも重要な点は、測定単位を単に計算に利用する人たちではなく、国の富を生み出す人たちが恩恵をこうむることだった。セラーズは、度量つぎのように記した。「教師、研究一筋の学者、専門家など、物差しや巻き尺を手に持った経験がなく、度量衡の計算に専念する人たちにとって、測定単位など単なる法律上の問題としか思えないかもしれない。しかし労働者や市場の商人など、この国の富と繁栄を生み出す人たちにとって、この問題はきわめて深刻である」[41]。

スミス本人も、この主題に関して激しい怒りをぶちまけ、まるで伝道師のように聴衆を何度も魅了した。メートル法への移行をごり押しするやつらは、「早く金持ちになりたくてしょうがない。それも大金持ちになりたいやつらだ。すでに金持ちなのに、富をさらに増やそうと目論んでいる」と訴えた[42]。そして、商人の遊休資産と、度量衡変更の影響が最も大きい労働者の生活とを対比させてこう記した。「実践的な度量衡は、主に労働者階級の問題である。貧しい人たちや、世の中で日々の仕事を手で行なう人たちの関心事だ。自分は苦労して働かず、他人の労働の成果や真髄を吸い取るだけの金持ちには何の関係もない」。このような経過からは、十九世紀に展開された規格争いが、現在の文化戦争と似ていることがわかる。「本物の」階級である労働者と、肉体労働と縁のないエリート層を対抗させている点は同じだ。メートル法はフランスのサヴァンが考案したという事実に注目すれば、これはまったく不公平な対比というわけでもない。

ただし、十九世紀に帝国単位の生き残りに本当に貢献したのは、信念や伝統を強調した議論ではなく、もっと厳しい現実だった。実はイギリスもアメリカも、度量衡を変更する必要がなかったのだ。イギリスは十九世紀の大半、最後はアメリカに追い抜かれるまで、世界最大の工業国だったため、大量の貿易や産業資本が既存の計測系に組み込まれていた。レースの途中で馬を取り替えるのは、多くの政治家にとって最善の解決策には思えなかった。アメリカでは一八七七年に下院で採択された決議のもとで、政府の取引のすべてでメートル法を義務付けた場合、「どんな反対意見」が考えられるか、行政部内の各連邦機関に問いかけた。その結果、ひとつの例外を除き、すべての機関がメートル法への移行に否定的だった。アメリカの慣用単位に馴染んでいること、メートル法への移行は費用も労力もかかることが理由として挙げられた[43]。一方、イギリスでは一八九六年、メートル法には帝国単位と法的に平等な地位が与えられた。ふたつの世界大戦とそれに続く景気の悪化がなければ、最後にメートル法は全面的に採用されていたかもしれない。こうした出来事は、ピアッツィ・スミスのピラミッドインチでも予測できなかった。

道標を襲撃する

ジョージ・オーウェルの小説『1984』では、三分の一ほど読み進めた時点で、主人公のウィンストン・スミスは、ビッグ・ブラザーが政権を取る以前のエアストリップ・ワン（旧英国）での生活の残された証拠を探すため、パブに入っていく。彼はひとりの老人を引き止めてここの歴史について尋ねるが、このプロレタリア階級の労働者の記憶は「やたらに細かいけれども、意味のない内容ばかりだった」。実際、過去からの生き残りである老人の話を聞くうちに、ウィンストンは失望した。全体主義国家が台頭したことよりも、日常生活のささやかな楽しみを奪われたことへの関心のほうが強かったからだ。なかでも老人が特に残念に思っているのが、一パイントのビールを飲めなくなったことで、いまやバーテンダーを説得しても作ってもらえない。

「丁寧に頼んでいるじゃないか」と老人は、肩をいからせ、むきになって言った。「この酒場には、一パイントのジョッキもないのか」

「だからパイントっていうのは何ですか」とバーテンダーは、カウンターに指をついて身を乗り出すようにして言った。

「おい、聞いたか！　バーテンダーのくせにパイントを知らないだとさ。呆れたよ。一パイントは一クォートの半分じゃないか。そして四クォートは一ガロンだろう。これじゃあ、A、B、Cから教えなきゃいけないな」(44)。

ここでパイントの消滅は、イギリスの伝統文化が破壊され、独裁政権が日常生活を完全に支配している現実を象徴している。英語を簡略化した新しい言語のニュースピークには、破壊的な思想を不可能にする目的があったが、メートル法の採用は過去との決別を狙ったものだった。従来の「自然な」秩序を破壊して、効率を重視する官僚的発想にふさわしい計測系に取り替えられた。作中の老人は最後にメートル法で量を測った飲み物を出されるが、これは人間にはふさわしいサイズではないと不平をこぼす。「半リットルじゃあ足りない。満足できないよ。でも、一リットルは多すぎる。小便が近くなるし、料金も高い」。

タックステッドのパブでトニーと一緒に最後のドリンクを飲み干し、駐車している彼の車に向かいながら、私の心にはオーウェルの小説のこの場面が思い浮かんだ。トニーのミッションはまるでドン・キホーテのようで、現代性の力を止められないことはわかっていても、それに絶望的な最後の抵抗を試みている。しかしそれは伝統や地域社会や場所への愛情に根差したもので、多くの人たちから共鳴されている。すでに紹介したが、前世紀にフランセス・トロロープはアメリカ合衆国の住民についてこう嘆いた。「祈りの時を告げる村の鐘は鳴らない［……］たとえ死んでも、古くからの神聖な場所に葬られるわけではない」。帝国単位がイギリスから取り除かれ、トニーは同じような喪失感を経験している。

私たちは変更が必要な標識を確認しながら、攻撃の準備に午前中を費やした。村じゅうの様々な小道を歩き回り、帝国単位で距離を確認したうえで（一ヤードは一歩の長さだと、トニーから教えられた）、メートル単位の表示の上に貼り付けるラベルを集めた。これで準備は完了。計測単位を巡る戦場での戦闘態勢は、ほぼ完璧に整った。車のトランクから、トニーは戦いに臨むメンバーが正式に身に着ける装具一式を取り出し、私に手渡してくれた。それは、ひときわ目立つベストとクリップボードとバインダーだ。私の呼吸はおかしなほど荒くなっている。標識にステッカーを貼り付けるだけなのに、不法行為に手を染めるように感じられ、いや、実際に不法行為だった。もしも誰かに呼び止められたらどうしよう。警察がやって来たらどうしよう。トニーは作業中に逮捕された経験がある。二〇〇一年にケント州で道路標識をいくつも取り替えようとしたときには、警察官に見つかって一晩を独房で過ごした。違法行為が発覚するたび、窃盗と器物損壊の罪に問われ、五十時間の奉仕活動を言い渡されてきた。後に審査員団は窃盗罪を覆し(器物破損罪は引き続き適用された)、トニーが実際に標識の破壊を計画した証拠はなかったという判決を下した。(45)

「こんなときは緊張しないの」と私は尋ねた。トニーは脚立を肩に担ぎ、工業用接着剤を手に持ち、銃を点検する兵士のようにノズルが詰まっていないか点検している。「もちろん、いつでも緊張するさ。でもそれはつきものだからね」と答えてくれた。

トニーによれば、ARMのメンバーが作業しているところを目撃しても、だいたいはまったく驚かれない。よく目立つベストはそのために役立つ。これより前に別のパブで、彼はこの主張の正しさを裏付けるビデオを見せてくれた。これは「均一な服従」(Uniform Obedience)と呼ばれる作戦の録画で、登場する俳優はいかにも公務員のようなあか抜けない服装で、市の中心部に立ち、組織に加盟している市民に向かい、一風変わった行動を呼びかける。「リンゴの左側を歩いてくれますか」と、歩道に置かれたリンゴの芯を指さしながら、ひとりの通行人に呼びかける。「そうです、左側ですね。ではつぎに、敷石を踏みつけてくれますか。ありがとうございます。これは重さを確かめるテストでした」。ビデオに登場する人たちは全員(少なくとも、ディレクターが映像に残すことを決めた人は全員)、指図された通りに行動している。トニーにとってこれは、人間性についての本質を表している。私たちは恣意的な規則に何も考えずに従うのだ。トニーが自身をその例外だと思っているのか敢えて尋ねなくても、そう思っているのは間違いないだろう。そこで代わりに、バンクシー【訳注/ロンドンを中心に活動する正体不明の路上芸術家】も公務員のような服装をすれば公共物に修正を加えても罪に問われないのかと尋ねると、この比較に興味を示した。「そうだね。そのとおりだ」とトニーはおかしそうに笑った。

市民がARMの作業に気づく稀な機会には、標識が変更される様子を見て面白がるか、スタンドプレーだと考えて無視する。「あるときイーリーで僕たちが標識を変更していると、二人連れが立ち止まってしばらく作業を観察していた」。ARMのメンバーはふたりが困っているのではないかと考えたが、数分後には立ち去った。「そして歩きながら、こう話しているのが聞こえた。『典型的な役所仕事だな。ひとつの標識の改修に四人がかりで取り組んでいるよ！』」

今日では、メートル法の採用を渋る国はごく僅かだ。メートル法を正式に採用しない方針にこだわるのは、アメリカとリベリアとミャンマーの三カ国だけだと、ほとんどの情報源が指摘する。ただし、この分け方は少々間違っている。メートル法への移行は出来事というよりはプロセスである。そしてどの国でも、メートル法の単位が一部の地方で部分的に採用されることはめずらしくない。さらに多くの先進国は伝統に譲歩して、古い単位の名前や値を何らかの形で残している。たとえばヨーロッパの多くの国では、五〇〇グラムの重さは非公式には「一ポンド」とされる。そしてフランスではリーヴル、ドイツではプント、イタリアではリーブラが、ポンドを表す単位として使われている。

アメリカとイギリスはなかなか妥協を許せないようだ。（ピラミッド学者のトットンによれば、「地球上で同胞《はらから》と呼び合える」のは結局のところこの二カ国しかない(46)）。イギリスでは、少なくとも生活の一部の領域では、帝国単位の維持が広く支持されている。世論調査によれば、パブでのパイントや道路標識でのマイルを放棄したい人はいない。ただし予想がつくと思うが、支持は徐々に弱まっている。帝国単位が盤石な領域でも、メートル法に馴染んだ若い世代は採用に拒絶感を持たなくなっている。それでもブレグジットの決定によって、一部の人たちは帝国単位の復活への希望をつないだ。EUからの離脱に賛成を表明している有権者を対象にして行なわれた調査の結果からは、回答者の半分は店でのポンドやオンスの復活を望んでいることがわかった（死刑の復活に賛成する人も同じ割合だった[47]。しかし、国民の反対の声が特に大きな分野で過激な傾向を和らげるため、数十年をかけて慎重に作業が進められてきたことを考えれば、いまさらそれを覆すのはあまりにも非現実的だ。主権にこだわり経済を自ら悪化させることも厭わない姿勢は、ブレグジットのような運動から見てもあまりにも迷惑だ。

アメリカでは、メートル法への移行を大きく後押しする最終段階が一九七〇年代に進められたが、十九世紀と同様の抵抗に遭った。外国のアイデアがもたらす脅威、肉体労働者が受ける被害、そしてアメリカの「自然な」測定単位の優越性を反対派は強調した。メートル法への移行は一九七五年に本格化した。ジェラルド・フォード大統領がメートル法化法に署名した結果、「メートル法の利用機会を増やすための調整作業や計画は、国策」として確立された[48]。その後は大がかりなプロパガンダが展開され、土曜日の朝の新聞の風刺画やコマーシャルメッセージやポスターを使い、メートル法が本当に採用されていることを強調した。自動車産業など一部の業界は測定単位の変更を思いきって決断したが、移行が法律で義務付けられたわけではなかったので、キャンペーンの勢いは徐々に衰えていった。

そんなとき、文化戦争の舞台に過激な戦士たちが登場した。まずは、オクラホマ州の全米カウボーイ殿堂の会長のディーン・クラケルが、「メートル法は間違いなく共産主義者の仕業だ。ひとつの貨幣制度、ひとつの言語、ひとつの度量衡、ひとつの世界――共産主義者はそのすべてを目指している」と訴えた。つぎにシカゴ・トリビューン紙のコラムニストのボブ・グリーンがメートル法への移行を嘆くコラムを数回にわたって寄稿して、アメリカに押し付けるのは政府の金の無駄遣いであり、一部のアラブ人が企てた悪事であり、「そこに一部のフランス人とイギリス人も加担している」と非難した[49]。そして、ホール・アース・カタログ誌の発行者のスチュアート・ブランドは、人体に基づく計測単位の長所についてニュー・サイエンティスト誌に記した。ホール・アース・カタログ誌はカウンターカルチャー系の雑誌で、アップルの創業者スティーブ・ジョブズのような人物に影響を与えている。ブランドによれば、「慣用単位が素晴らしい点は、手や目を使って計測しやすいように高度に洗練された形で進化したところだ。（学校のように）紙の上で数を計算するだけなら、メートル法は十分に機能する。しかし料理や大工仕事や店での商売では、メートル法は手に余る」。そしてメートル法への抗議があまり聞かれないのは、「計画全体が真剣に受け止められていないこと」が唯一の理由だと記した[50]。

アメリカの反メートル法キャンペーンは、一九八一年に最高潮に達した。その舞台は、ニューヨークのエリートを対象に開かれた「フットボール」という計測関連の催しだ。ニューヨーク・タイムズ紙の報道では、およそ八〇〇人のゲストがこのイベントに集まった。「イーストサイドのファッションとグリニッジ・ヴィレッジのパンクが混じり合ったダンスフロアで、参加者は『一インチも譲るな』と書かれたバッジを着用した。そして夜の催し物のひとつが、美脚（beautiful foot）コンテストだった。へそ曲がりで有名な作家のトム・ウルフは、トレードマークの白いスーツ姿で会場に現れ、知識人の立場から熱弁をふるうだけでなく、その正しさを裏付けるため、新聞から以下の記事を引用して紹介した。ウルフが同紙に語った話によれば、「メートルはパリ郊外のどこかで測量棒を使って決められたらしい」。「そんなものを測定の基準として採用するのは完全に個人的な判断であり、頭からひねり出されたものだ。フランス人が賞賛に値することは認めるべきだが、この重要な問題を任せるわけにはいかない[51]」。その翌年の世論調査では、アメリカ人の大半がメートル法の単位の採用に反対した。そして幸いにも、メートル法移行のためのプロジェクトは、ロナルド・レーガン大統領によって廃止された。予算削減を目指すレーガン政権には、これで新たな勲章が追加された。

このように公式には拒絶されたものの、アメリカでは第一印象よりもずっと広くメートル法が普及している。そもそも連邦政府は一八九三年から、フィートやポンドやオンスをメートル法に基づいて定義してきた[52]。なぜならメートル法は、厳密な科学的プロセスの成果として申し分ないと判断したからだ。アメリカの商品の多くは国際市場へのアピールを狙い、メートル法と慣用単位が併用されている。自動車業界や製薬業界をはじめとする多くの業界では、メートル法に統一されている。そしてアメリカ軍では国際部隊との連携を円滑に進めるため、メートル法が大半を占めている。それにもかかわらず、一九七〇年代から何度も試みられてきたメートル法の立法化は、ことごとく失敗している。文化的な視点からの反対は以前にもまして強力になった。二〇一九年にはフォックスニュースで、外国人嫌いで有名な右翼主義者のホストのタッカー・カールソンが、ニュー・クライテリオン誌の編集者のジェイムズ・パネロをゲストに招き、メートル法に反対する組織の活動が大成功を収めた事例の一部を楽しそうに紹介した。カールソンはメートル法を「風変わりで理想に走りすぎ、洗練さに欠ける不快な計測系だが、これに抵抗しているのは我々アメリカ人だけだ」と語った。一方パネロは、慣用単位は「古代の知識や古代の知恵」に由来していると賞賛した。画面の下を流れるテロップは、現代の政治で際立つ個人攻撃の典型例で、意図的にぶしつけな質問を投げかける内容だった。「メートル法は完全なでっち上げではないか」と問いかけた。[53]そう尋ねられればイエスしかないが、では、でっち上げでないものがあるのだろうか。

タックステッドでは、こうした議論は取るに足らない。むしろ重要なのは、塗料が飛び散った不安定な脚立のほうだ。トニーはそれを緑色と金色の標識の前に立てかけた。敷石の上で危なっかしく揺れるが、トニーは自信たっぷりだ。新しい帝国単位の表示を取り出し、裏側に接着剤を噴射して、脚立を上って標識の数字の上にしっかり貼り付けるまで数秒しかかからない。私は数枚の写真を撮った。それでも不安で、クリップボードで書類をチェックするふりをしながら、パブの窓から誰か地元の住民に見られていないか肩越しに後ろを振り返った。目立つベストはカモフラージュに優れているが、正体を見破られない保証はない。何をしていると思われるだろうか。

私の心配をよそにトニーは任務に集中し、帝国単位のステッカーに糊付けし、標識に貼り付ける作業を手早く進めていく。一枚、二枚、八枚、一〇枚と瞬く間に仕上げてしまう。これは日頃の練習の成果だ。最後のステッカーを貼り終わると、トニーはすぐに脚立を蹴飛ばして折りたたみ、かばんを手に持ってこう言った。「さあ行こう、道の先にもうひとつ残っている」。あとをついていきながら、私は後ろを振り返って手仕事の成果を確認した。「ウィンドミルまで二四〇ヤード」「アルムスハウス（救貧院）まで五四〇ヤード」と標識は変わっている。道路標識に無許可で修正を加える作業としてはきれいな仕上がりだ。しかも標識にステッカーを貼り付けるだけだから、実に簡単だ。つぎの道路標識の変更も同様にあっという間に完成したが、私はずっと何の役にも立たず、ただ心配するだけだった。五分後、道路標識への襲撃は終了する。私たちは車まで小走りで戻ると、使った道具をトランクに詰め込み、目立つベストをすぐに脱ぎ捨てた。まるで銀行強盗が目出し帽を外しているような気分だ。トニーは勝利に満足して晴れやかな表情をしている。私も思わず気分が高揚した。ＡＲＭは再び奇襲に成功したのだ。

　私たちは駐車場を立ち去ったが、メートル法の導入にトニーが強い使命感を持って取り組む謎の解明という最後の仕事が残っていた。実際のところなぜこんな行動をとるのだろうか。それは伝統やイギリスへの愛情だろうか。それとも宗教的な情熱だろうか。あるいは単に退屈しているからなのか。トニーは質問への直接の回答を避けたが、古風な趣のある田舎町で標識を変更する行為がもはや、かならずしも人生の優先事項でなくなったことは認めた。「キリスト教の信仰が深まると、教義に従って暮らすことのほうに興味が湧いてきた」という。「だからこの行動は僕にとって、残っているエネルギーを燃やしているようなものなんだ。それに、大胆な行動を厭わないメンバーは限られていて、そんなに多くない」。実際のところ、少なくともトニーとＡＲＭにとっては、度量衡との闘いは終わったような印象を受ける。それでも、伝統に執着する人たちの主張に私は惹きつけられた。昔ながらの計測系が歴史的にも文化的にも充実した内容である点に注目し、抽象化が進む世界で大切な遺産を守りたいと願う気持ちは立派だと思う。しかし、こうした単位もかつては日常生活の重要な現実を象徴する存在だったが、いまでは適切な利用範囲は減少している。たとえば、一二や一六を底とする帝国単位は、商品を半分や三分の一や四分の一に分けるには便利だが、いまやスーパーマーケットで売られる商品はあらかじめ分割されているのだから、もはや妥当とは言えなくなった。それに、古い測定単位は「人間的な尺度」に基づいて構築された点を賞賛されるが、理解できないものに挑戦するほど人間的なことがあるだろうか。それは現代の世界の明確な特徴であり、発見までにかかる時間は個人の理解の範囲を超えている。それにメートル法に反対する人たちが好んで指摘するように、「正しい」計測法の最終的な決め手は親しみやすさと伝統だ。しかし、伝統は変化に対して免疫があるわけではない。だから帝国単位がもはや役に立たなくて放棄されるのであれば、それもまた自然な流れだと言える。

私たちは田舎道を戻って最寄りの駅に向かいながら、すでに馴染み深くなったトピックについて話し合った。ARMの過去の功績、抗議の必要性、イギリス文化のルーツなどが話題に上った。トニーによれば、タックステッドはかつてイギリスの作曲家グスターヴ・ホルストが暮らした場所で、有名な組曲『惑星』はここで作曲された。そして後には組曲のひとつ「木星」の有名なテーマを讃美歌に編曲して「タックステッド」と名付け、それに合わせて「祖国よ、我は汝《なんじ》に誓う」という愛国的な詩が作られた。これはイギリスの首相の葬儀、英国国教会の礼拝、BBCプロムス【訳注／ロンドンで毎年夏に開催される、クラシックの音楽コンサート・シリーズ】など、イギリスでも特に愛国心が鼓舞されるイベントで定番として歌われる。「理想的には、僕はこの歌を聞きながら標識の変更に取り組みたかったよ」とトニーは言った。丘を越え、太陽が生け垣の後方に沈み始めると、トニーは静かに讃美歌を口ずさみ始めた。

祖国よ、我は汝に誓う

地上のいっさいのものの上なる、あまねく、完全無欠のものよ
我が愛の仕えるものよ

第9章　すべての人たちのための計測

メートル法はいかにして物理的現実を超越し、世界を征服したのか

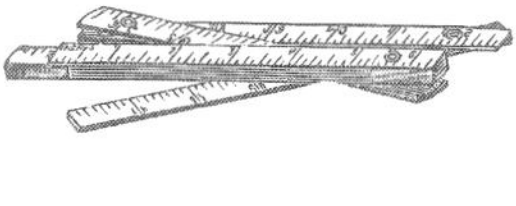

自然の法則には防衛能力がある。しかしエラーは（と、私の母に真剣な表情を向けながら、彼は補足した）――よく聞いてくれよ、エラーというものは、人間の本性が何も警戒しないうちに、細かい穴や小さな隙間を通して忍び込んでくるものだ。
ロレンス・スターン『トリストラム・シャンディ』(1)

役目を終えたキログラム原器

二〇一八年十一月、湿度が高いけれども快適な金曜日に、私はひとりの王の打倒を目撃するためにパリ郊外へ向かった。ジャーナリストとしてイベントに参加して、たくさんの国から集まってきた科学者や外交官の話を盗み聞きしながら午前中を過ごした。みんなコーヒーを飲みながら、「フランス革命の時代のあとでは、計測の分野で最大となる革命」について噂している。会場は、ベルサイユ宮殿からそれほど遠くないシャトーで、ここはルイ一六世が、サンキュロット（下層市民）に（自由への解放の象徴である）フリジア帽の着用を強要されるまで国家の象徴として君臨していた場所だ。しかしこの日は、問題は投票によって解決される予定だ。

参加者は、メートル法で最後まで残っていた物理的な基準の廃止を目指していた。それはキログラム原器だ。一七九九年以来、この重量の単位はパリに保管されている金属の塊を使って定められ、一八八九年には現在のような国際キログラム原器（ＩＰＫ）として定義されるようになった。みんながロビーで交流しているあいだ、ル・グランＫという名前で親しまれるこのキログラム原器は、数マイル離れた場所にある地下の金庫のなかで、円筒形の三重のガラス容器のなかに厳重に保管されている。これこそがキログラムの本物の重さで、世界じゅうのキログラムはすべてこれに合わせて決められる。これ以上でも以下でもない。少しでも釣り合いがとれなければ、世界じゅうのどの秤も修正が必要になる。だから、もう廃止するべきだという動きが出てきた。

国際キログラム原器の保管場所にやって来ると、釣鐘型の容器のなかには、きれいに面取りされた小さな円筒形の原器が収められているのがわかる。表面には何の印もなく、きれいに磨かれて鏡のように光り輝いている。そのデザインは、最初にメートル法を定めたジャコバン党員の控えめな傾向を反映しており、当時としては最も耐久性の高い素材で作られた。すなわち、冶金学的安定性に優れた白金とイリジウムの合金が使われている。そんな素材の副作用で、キログラム原器は密度が非常に高く、驚くほどコンパクトだ。もしも手に取れば——それは許されない行為だが——手のひらにすっぽりと収まる。鶏の卵と大きさは変わらないが、大きさの割にずっしりと重たく、手が思わず下がってしまう。ほとんどの人は、これほど密度の高い物体を手に持つことに慣れていない。そのため、キログラム原器はあなたの手を強引に下へ引っ張っているような印象を与える。まるで、物質は魂を有するというアリストテレスの主張が正しく、地球上の元の場所に戻ろうと力を振り絞っているようだ。かつて原器の管理を任されていた人物の話では、この重さには不意を突かれるという。「初めてトングでつまんだとき、もう少しで落とすところだった」と打ち明けてくれた。

パリにある地下の保管庫から、キログラム原器は計測に関する指令を世界じゅうに伝える。そのコピーは国際度量衡局（BIPM）によって作られる。この機関は、メートル法、正式にはSIまたは国際単位系として知られる計測系の管理を任されており、キログラム原器のコピーを世界じゅうの研究所に送る。すると各研究所は、それを使って商業関連の重量を認証し、顧客に提供する秤を調整する。そしてその秤は、鉄鉱石からアプリコットまで、あらゆるものを測るために使われる。どの測定値も妥当であることは、商工業全体に張り巡らされた迷路を逆戻りして、キログラム原器が収められている保管庫にたどり着けば、はっきりと証明される。

聖杯と同様、本物のキログラム原器はひとつしかないが、複数のコピーが存在する。そしてパンの材料の小麦粉の量を測るにせよ、ジムでバーベルを上げるにせよ、木材をトン単位で購入するにせよ、姿が見えないル・グランKが秤の反対側に置かれているものと見なして重さが決定される。名目上はメートル法を採用しないアメリカなどの国も、メートル法を使って単位を決定している。そして研究所や工場は密かに、メートル法の圧力に屈している。その絶対的権力と比べれば、ルイ一六世でさえかすんでしまう。

ただし、湿度の高い金曜日のパリで、キログラム原器のこの世界での命は終わろうとしていた。計測関係の道具やメートル法をテーマにしたケーキで飾り立てられたロビーでゲストやメディアが交流しているなかに、私は馴染み深い姿を見つけてほっとした。人なつこい笑みを浮かべ、厚くて丸い眼鏡をかけているのは、スティーブン・シュラミンガーだ。アメリカの計測系の総本山である米国立標準技術研究所（ＮＩＳＴ）に所属する物理学者である。

シュラミンガーは、計測学の守護霊のような存在だ。とにかく陽気で知識は豊富で、魅力にあふれている。度量衡の世界に、暖炉で燃える火のような心地良さを添えている。そして、アメリカでキログラムの新しい定義の作成に関わるチームのメンバーとして重要な役割を果たしている。私は以前に話をした経験があるが、彼の情熱と寛容さにはいつも好印象を持った。「ジェームズ、ジェームズ、ジェームズじゃないか」と、彼はドイツ語なまりの英語でまくし立て、私を手招きしてグループに誘ってくれた。「パーティーにようこそ」。

シュラミンガーによれば、キログラムの定義の見直しは、フランス革命から始まった歴史的プロセスの総仕上げになるという。現代の計測学者の目標は、十八世紀のサヴァンと同じで、あらゆる時代のあらゆる人々にとって役立つ計測系を創造することだと教えてくれた。そしてこの点を強調するためにシャツの袖をまくり、この目標がタトゥーで刻まれた前腕を見せてくれた。これは、チームの全員が共有している。「これをやり遂げるために、みんなでタトゥーを入れることにした。僕もようやく二週間前に入れたんだ」という。このモットーは、計測学が目指す耐久性と正確さと再現性を反映しているが、根底にある課題を示唆してもいる。すなわち、科学は決して立ち止まってはいけないという課題だ。十進法は大切だ。そして科学機器の精度が数世紀のうちに向上すると、それと同時に計測基準に対する要求も増えた。十八世紀の天文学者は望遠鏡の改良によって多くの間違いを発見したが、同じような問題は決して消滅しない。

　最初のメートル法の単位は、「自然界を計測した」値を利用して問題の解決を図った[2]。メートルは地球の子午線の一部、キログラムは一立方デシメートルの水の量として定められた。そして値が確立されると、単位にアクセスできる環境づくりが必要になり、欠点があることを承知で物理的な基準が設けられた。現在のキログラム原器は一世紀以上にわたってうまく機能してきたが、それでも問題は発生した、最も深刻なのは、時間と共に重さが軽くなることだ。この重さの違いは、半ば定期的に行なわれる計量によって明らかになった。計量はおよそ四十年ごとに行なわれ、世界じゅうの原器がパリに飛行機で運ばれてきて、ル・グランKやその儀仗兵と比較される。それは「証人」となる六つのキログラム測定器、すなわちテモワンで、原器と一緒に保管されている。

　この計量は、中世ヨーロッパで行なわれた穀物の量の測定と似ている。あらゆる動きが精査され、あらゆる変数が制御される。こうなると、プロトコルは儀式に格上げされる。原器は神体となり、どれも計測する前には慎重に磨かなければならない。エーテルとエタノールを混ぜた液体にひたしたカモシカの革を使って手で磨き、二回蒸留した水で蒸気洗浄する。計測はきわめて重要なので、何事も絶対に成り行き任せにはできない。ＢＩＰＭの公式のクリーニングマニュアルには、あらゆるステップが事細かく説明されている。カモシカの革にかける圧力の量（およそ一〇キロパスカル）から原器と蒸気洗浄機のあいだの距離（五ミリメートル）まで細かく決められている。ろ紙を使って余分な水を取り除く方法まで、詳しく決められている。「この作業を行なうためには、紙の端が水滴と毎回接触していなければならない。そして水は、ごく細い管を使って紙に垂らすこと」とある。[3] ここまでくると世俗的な宗教儀式も同然で、計測を司る神々をなだめ、計測の国際基準を維持するために涙ぐましい努力がなされる。なんといっても計測系は、現代世界の多くのものを支えているのだ。

しかし、こうして献身的に奉仕したにもかかわらず――いや、むしろ奉仕したからこそ――ル・グランKの重量がテモワンや各国の原器と食い違っていることが一九八八年に発見された。各国の原器のほうは重くなり、オリジナルの原器のほうは軽くなっていたのだ。確かに大した違いではない。キログラム原器のあいだの違いは平均すると僅か五〇マイクログラムにすぎず、これは指紋の質量に等しい。[4] 他のいかなる状況でも気づかれないが、ここでは深刻な不安の種だった。重量が食い違っているとしたら、どちらが正しい値なのか。そもそも、質量を規定する物体の質量をどのように検証すればよいのか。国際合意では、ル・グランKが測るものが正しいキログラムと見なされるが、そうなると重量が減るわけにはいかない。それでは宇宙に存在するすべてのものが、少し重くなってしまう。

幸い、解決策は存在する。詳しく調べると食い違いが発見された原器はキログラムが最初ではなかった。そして実際のところBIPMは過去一世紀のあいだに、メートル法を支える他の原器をすべて取り除いてきた。計測を支えてきた柱はひとつずつ取り除かれ、その代わりに、物質的な世界とは関係のない定義が採用された。測定単位を物理的な原器と結びつける代わりに、いまではメートル法は自然界の基礎定数を使って定義される。それなら、現実に内在する特質だと確信できる。たとえばメートルは、もはや金属棒の長さと等しくない。光が二億九九七九万二四五八分の一秒に移動する距離である。そして秒は、もはや太陽日の八万六四〇〇分の一の長さではない。セシウム133原子放射の周期の九一億九二六三万一七七〇倍の継続時間である。[5] 物理的な原器は世界じゅうで測定値を統一するために未だに使われている。しかし理論的には、世界じゅうのどの研究所もメートル法の単位をゼロから創造して定義することができる。

ベルサイユでは、最後まで残っていた原器が世界から取り除かれることが予想された。シュラミンガーは気分が高揚して目を輝かせている。「キログラムが人工物の重さとして定義される限り、すべての時代のすべての人たちのものとは言えない。誰もが原器を複製できないのだから、『すべての人たちのための』ものではない。そして原器は物体で、物体はかならず変化するのだから、『すべての時代には』通用しない。変わらないものはないよ」と彼は私に話した。そんなわけで、今回パリに一同が会した。もっと安定性と永続性のあるものに計量学を根づかせることが目的である。まもなく変化が実現すると思うと、シュラミンガーは嬉しくて歌でも歌いそうだ。「本当に信じられない。ついにこの日がやってきた！　信じられない。この混乱状態をようやく抜け出せる。これからは宇宙の構造が基礎単位になる。言ってみれば、天国がね！」(6)

計測学者、チャールズ・サンダース・パース

ただし、天国への歩みの歴史は古く、自然界の定数を使って計測単位を定義する試みは、百五十年以上前にチャールズ・サンダース・パースという人物によって始められた。マサチューセッツ州ケンブリッジで一八三九年に誕生したパースは、思想史ではそれほど有名ではないが、彼の功績をよく知る人たちから見れば、どんなに賞賛しても十分ではない。彼らにとってパースは「アメリカのアリストテレス」であり、「アメリカ大陸で最も独創的かつ多才な知識人」で、「地球の歴史で前例のない」成果の数々を残した(7)。哲学者と論理学者として最もよく知られるが、化学者、エンジニア、心理学者、天文学者、数学者、そしてもちろん計測学者としても功績を残している。これだけ知識人としての活動が多岐にわたるのは、一貫性のない性格の影響であり、結局はそれがキャリアの実現を妨げた。実は彼は「誇大妄想と空想癖」の発作に襲われる一方、「耐え難い徒労感」で定期的に気分が落ち込み、不眠症にも苦しめられていた(8)。しかも女たらしの遊び人で、無愛想

だったため、愛する家族を遠ざけ、敵を刺激した。要するに、控えめに表現するなら、複雑な人物だったのである。

このようにパースは個人的には混乱していたが、彼が興味をそそられた疑問はシンプルそのものだった。「我々は何を知っているか。そして何かを知っていることをどうやって知るのか」というのが主な関心事であり、それに対する回答の一環として、真にアメリカのオリジナルと言える最初の哲学的伝統を創造した。それはプラグマティズムだ。あらゆる哲学の学派と同様、プラグマティズムも理論が緻密でわかりにくい部分があるが、物事の意味は世界に与える影響のなかに発見できるというアイデアが、本質を最もうまく要約している。パースの友人であり、やはりプラグマティストである心理学者のウィリアム・ジェームズはこう語る。「真実が何を意味するのか最終的に判断するためには、真実がどんな行動を指示または触発するのか注目すればよい」[9]。

この主張をパース自身の人生に当てはめてみると、結果はまちまちである。彼の思想は社会に大きな影響を与えたが、それは他人の研究に応用されることが大前提だった。学界では評価されず、孤独のなかで無一文で死ぬときには、世界を揺るがすような成果を残せなかったと確信していた。晩年になって人生を振り返り、自分の致命的な欠点は自制心の欠如だと結論した。「私は長年、言語に絶するほど苦しんできた。極端に感情的な性格が災いし、自分自身をうまく制御して研究を進める方法がわからなかった」と語っている[10]。

この発言の起源は、パースの父親のベンジャミンにまで遡ることができる。父親も息子と同じく伝説的な人物で、リンカーン大統領のもとで米国科学アカデミーの設立に貢献した。息子の潜在能力に早くから気づき、思春期に達する前から「天才」のレッテルを張って息子を追い込んだ。数学や論理学や哲学を自ら教えたが、何よりも重視したのは注意力の訓練だった。そのためにカードを使った問題の解答に長時間取り組ませ、夜中から明け方まで続くこともあった。そして、息子が何か間違えるたびに厳しく叱責した[11]。それでもパースは父

図12　数学者であり哲学者であり、計測学者でもあったチャールズ・サンダース・パースは、長さの単位を自然の定数に初めて結びつけた。

親を崇拝し、厳しい教育を自分のものにした。そして息子ができたら（それは実現しなかった）、「個人が他人よりも秀でるために必要な唯一のこと、すなわち自制心を」教えたいと書いている[12]。

しかしパースは早くから神経障害を発症し、生涯にわたって苦しめられたため、自制心のような資質を身につけるのはきわめて困難だった。三叉神経痛の発作に襲われると、顔や顎にいきなり耐え難い痛みが走った。パースは症状を緩和するため、アヘンとモルヒネとエーテルとコカインを混ぜ合わせて飲んだ。どれも当時は合法的な処方薬だったが、彼は過剰に摂取した。

パースはいつ発作に襲われるか予測がつかず、言うことを聞かない犬が電気ショックの首輪をはめられたような状態だった。それがきまぐれな性格を誘発し、本来なら賞賛してくれるはずの人たちを遠ざけ、心のなかで過酷なまでの労働倫理が育まれたと伝記作家は推測している。痛みから解放される時間は貴重な贈り物なので、執筆や思考のために利用しなければならない。その結果、生涯で一冊の本しか残していないが(星からの光の計測に関する著書)、書き残した原稿用紙は全部で一〇万枚以上にもなった。自分が創造する哲学体系は「大局的なので、これから末永く、人間の理性の働きのすべてが[……]細かい部分まで十分に明らかにされるだろう」と確信していた(13)。

計測精度の高まり

パースの計測学との出合いは、最初の仕事で実現した。彼の最初の就職先は米国沿岸測量部だった。これはトーマス・ジェファーソンが一八〇七年に設立した科学機関で、アメリカの物理的境界を確定することが目的だったため、ひいては計測学の世界との関わりが生まれた。パースはこの測量部に三十年以上勤務して、様々な役割を与えられたが、そのひとつが度量衡課の責任者だった。本人にとってこれは、論理や記号論からかけ離れた仕事だったが、彼の科学哲学の発達に重要な役割を果たした。

計測の分野で働くにはちょうど良い時期だった。というのも、当時は正確さが科学界でも産業界でも代名詞になっていたからだ。「計測学」という言葉は一八一六年に英語に初めて登場した(14)。それ以後、計測学の分野は鉄道や電信などの実際的な発明だけでなく、熱力学や電磁気など理論上の大発見を支えた。一九三一年、物理学者のフロイド・K・リヒトマイヤーは前世紀を振り返ってこう述べた。印刷機は中世の人たちの心を刺激したが、計測は十九世紀の科学に同じことをした。「十九世紀の物理学の目覚ましい特徴は[……]細かい計測の徹底だ。おかげでデータの精度は高まり、物理学の研究所では正確さが不可欠な要素のひとつとして認識された」と、「The Romance of the Next Decimal Place」(小数点以下へのこだわりに伴う高揚感)というタイトルでサイエンス誌に発表した論文に記した。「計測の精度が高まるたびに、理論には重要な修正が加えられ、滅多にはないが、新しい発見につながる[……]こうした事例は頻繁に発生するので[……]有名な格言を言い換えてつぎのように結論したい。『つぎの小数点以下の位に目を凝らせば、物理学の理論はおのずと生まれる[15]』。

顕著な例が電気の計測だ。電気に関する理論の大発見は当時の知の巨人たち（ジェームズ・クラーク・マクスウェル、マイケル・ファラデー、ケルヴィン卿など）を魅了しただけでなく、商業や政治の分野での需要の増加にもつながった。電気を売買するためには、正確に測らなければならない。一方、電気抵抗の計測単位の規格化は、電信線の敷設にとって欠かせない。それは特に保守作業で不可欠だった。特定のケーブルの長さを確認する技術者が電気抵抗を正確に計測できれば、基本的な数学をちょっと使うだけで故障部分を直ちに特定できる。電信線を使ったメッセージのやりとりは、企業の活動にとっても政治統制にとっても役に立った。たとえばイギリス領インド帝国では、電信が普及していたおかげで、比較的少数の兵力（およそ六万六〇〇〇のイギリス兵と一三万のインド人）で、二億五〇〇〇万以上の人民を統制することができた[16]。そして一八五七年のインド大反乱が失敗に終わると、イギリスの技術が勝利につながったと国内の新聞は報じた。「今回のインドほど、電信が衝撃的で重要な役割を果たしたことはなかった。これがなければ、最高司令官は実際に兵力の半分を失っていただろう」と、タイムズ紙の特派員は記した。そしてイギリスのある役人はこう宣言した。「電信がインドを救った[17]」。

十九世紀前半には必然の結果として、ライバル関係にある世界のふたつの計測系で統合が進んだ。メートル法はフランスで最初の導入に失敗したが、その創造原理である科学的中立性と平等性のおかげで、ヨーロッパ全体に普及した。一方、イギリスではメートル法の台頭も一因となり、古代ローマ人やアングロ・サクソン人にまで遡る独自の計測系が見直された。こうして一八二四年に創造されたイギリス帝国単位は、地球に基づいた定義という点ではなく、史上最大の帝国の軍事力と経済力によって権限を保証された。ただしフランスの事例から教訓を学び、世界じゅうで共有できる正確な物理的基準の創造を念頭に置いて、イギリス政府は多大な努力を払った。ヤードやフィートやインチの値が科学ではなく歴史を起源にしているからと言って、一貫性に欠けるわけにはいかなかった。

こうして大きく注目されエネルギーが注がれた結果、十九世紀になると計測学は、「過去の時代には前例のないほどの安定期」に入り、「信頼性、正確さ、精度、耐久性」に優れた新しい基準が出来上がった。[18]ただし、交易や産業活動ではこれらの計測系は確かに十分に機能したが、研究室では欠点が次第に目立つようになった。なぜなら、計測はある重大な点に関して、未発達な分野だったからだ。エジプトのファラオやメソポタミアの王と同様、十九世紀の科学者やエンジニアや地図製作者は、世界の重さや長さを測るために物理的な基準に頼っていたのだ。メートルやヤードの創造にどれだけ多くの知性をつぎ込んでも、計測単位の値は未だに金属の塊によって定義された。そして地球上のあらゆる物質と同様、この金属は腐食する可能性があった。

この状況に内在する危険は、一八三四年に劇的な形で表面化した。この年、イギリスの国会議事堂の所在地であるウェストミンスター旧宮殿が火事で全焼し、ヤードとポンドの原器も燃えてしまった。皮肉にも火事の原因は、やはり古くからの計算器具の不始末だった。それは割符だ。割符は小さな木片で、そこに金銭取引などの決済が刻み込まれる。ふたつに分割すれば、悪用されないように保管（stock）することが可能で、一方は借り手が、もう一方は貸し手が持っている。半分に分割できるユニークな形状のおかげで、記録の捏造が防止できる（「株主」〈stockholder〉という言葉はこれに由来している）。イギリス政府は中世以来、会計にこの割符を使ってきたが、ようやくこの古い記録を処分する決定を下した。そして宮殿の地下にある焼却炉で荷車二台分の割符が燃やされたが、その火が広がって建物全体に回ったため、イギリスの原器も消失したのだった。[19]

一八七〇年には、ジェームズ・クラーク・マクスウェルが問題の概要を明確に示した。一世紀前にメートル法の創造に関わった人たちは、当時考えられる最も安定した土台に基づいて計測単位を定義した。それは足元の地面だ。しかし、これは近視眼的だったとマクスウェルは指摘した。地球は「冷却すれば収縮し、落下した隕石が積み重なれば拡大し、回転率は少しずつ低くなる可能性がある」。それよりはむしろ、十九世紀に新たに発見された領域に科学者は注目すべきだと彼は指摘した。「もしも長さや時間や重量に関して絶対に永続的な基準を確保したいならば、地球の面積や動きや質量に頼るべきではない。不滅かつ不変で、どれも完璧に同じ形をした、分子の波長や振動周期や絶対質量に目を向けなければならない[20]」。

マクスウェルの提案は筋が通っていたが、メートル法をこのような形で定義する実際的な方法の紹介にまでは至らなかった。実際、この時代の科学者の多くは、新しい測定基準の採用に懐疑的だった。「計測学」という言葉を考案した数学者のパトリック・ケリーは、つぎのように案じた。「自然は不変の基準を拒むのではないか。なぜなら科学が進歩するにつれて、困難は増えていくからだ。たとえ知覚できるようになっても、克服できない問題は出てくるものだ[21]」。そしてイギリスが一八三四年の火事で原器を取り替えたときには、その制作を担当した天文学者のジョン・ハーシェルが、原器の性質が一過性である点を強調し、作るまでに苦労したことをわざわざ説明した。彼によれば、「我々のヤードはひとつの純粋な有形物で象徴される。それを慎重にコピーすることで、同じものを増やして長続きさせる。天然由来のものから慎重に引き出すと、雲から落下したように手に入る[22]」。権威を高めるために科学の抽象的な理論に注目するよりも、イギリス人は「自然の法則と地道な研究」に頼るほうを好んだ[23]。

しかしパースから見れば、自然の定数を使って計測単位を定義する課題は刺激的だった。彼は沿岸測量部で振り子の実験を担当したとき、すでに物理的な基準は誤りやすいことに気づいていた。そのため、アメリカ政府が大切に保管している複数の原器がお互いに食い違うだけでなく、ヨーロッパの原器とも異なっている気がかりな事実を発見した[24]。後にはこう記している。「科学的な考え方が欠落していると、研究にどれだけの正確さが求められるか理解できない。電気を計測に使わないかぎり、大部分は精度が悪く、カーテンを取り付けるために窓の寸法を測る内装業者と大差ない。本当に驚くばかりだ[25]」。

アメリカの計測学の全体的な発展を支援するため、パースはフランスとドイツとイギリスを訪れ、専門家の知識を学んだ。一八七〇年から一八八三年にかけて、ヨーロッパ訪問は全部で五回におよび、原器を持ち帰っては返還し、マクスウェルをはじめ当時の最先端の科学者とも会う機会を持った。著述家のヘンリー・ジェイムズはパリでパースと夕食を共にしたが、そのとき世間と同じ典型的な印象を抱き、それについて兄弟のウィリアムに手紙で説明している。それによれば、パースは「耐え難いほど孤独で禁欲的な生活を送っているが、身に着けているものの素材は贅沢だ。私と秘書を除いては、文字通り誰とも会わない。機嫌が悪くなければいたって好人物だが、機嫌が悪くなると手に負えない(26)」。

光でメートルを定義する

ではここで、パースが大西洋を横断中の客船のラウンジに座っているところを想像してほしい。目の前にある新聞の束には、測地学の最新の進歩についての記事が掲載されている。そばに置かれた革製のかばんには、金属製の原器が入っている。これに基づき、世界のあらゆるものは計測される。彼が乗っている船でさえ、不便な生活をスムーズにする能力が計測に備わっているおかげで実現したものだ。前世紀には、アメリカからヨーロッパまでの航海には数カ月を要し、帆船は潮の流れや風の影響で進路をそれたものだ。しかし十九世紀に登場した鉄製の客船は、ファーストクラスの客室と豪華な食事が楽しめるだけでなく、最高の快適さが提供される。出発と到着の予定時間は信頼性が高い。チケットを予約できるし、蒸気機関は精密に設計されているので、陸に上がれる時間を確実に予想することができる。

このおよそ十年にわたるヨーロッパ訪問のあいだにパースは、マクスウェルが提案した普遍定数に基づきメートルの長さを定義する構想を練り始めた。その普遍定数とは光の周波数だ。彼の方法では、回析格子として知られるツールが用いられる。これは小さなガラスや金属に何千本もの細かい筋が引かれたもので、そこに光を当てると回析するので、そこから光の波長を測定できる。ＣＤやＤＶＤの裏側を見た経験があれば、盤面が虹色に光っていることに気づいただろう。これがまさに回析格子だ。ＣＤの裏側には、データがコード化され、レーザーでエッチングされた小さな突起や溝がいくつもあるが、これは科学者の実験器具に付けられた細長い切り込みやくぼみと機能的には変わらない。こちらのほうがより正確な点だけが異なる。パースが利用した回析格子は、当時の最先端の技術だった。水を動力とする複雑な装置で動かされるダイヤモンドの針が、細かい筋をつぎつぎと引いていく。手作業だが機械のように正確で、一センチメートルの幅に六八〇八本もの筋を等間隔で平行に引くことができた[27]。

ＣＤをランプの下に置くのと同じように、通常の光を格子に当ててみると、複数の異なる色に分かれるはずだ。どの色も、電磁スペクトルの特定の波長に対応している。ところが純粋な光源を当てると、波長に応じたドットのパターンしか見えない。光源が同じである限り、このパターンは常に安定している。パースはこれに注目し、長さの基準を決めるために使おうとした。制作した回析格子を光が通過するときの角度を記録して、そこから光の波長を計測したうえで掛け算をすれば、メートルが再現されると考えたのである。

これは呆気ないほど簡単な方法だ。パースによれば、必要なのは正確さを追求することだけ。光源の不純物を減らし、回析格子の一貫性を徹底させるだけでよい。「これまでは金属棒が長さの原器として使われてきたが、あと数年もすればようやく変更されるだろう」と、彼は一八八一年に沿岸測量部に提出した報告書に記した。「長さの基準が自然発生的に変化すれば混乱が生じ、正確な計測ができなくなることは指摘されるまでもない」。しかし新しい定義ならば、メートルは光によって定義される。そして「光なら、自然界で最も不変の存在だと確信できる十分な理由がある[28]」。

パースの研究が興味深いのは、実践的な取り組みだけが理由ではない。研究と同時に、真理や科学に関する哲学を発展させたからでもある。パースほどひたむきに研究し、哲学に大きな影響を与えた計測学者は他にいない。そして彼の思想は、哲学にはどんな傾向があり、何が要求されるのか、完璧な形で解明した。彼は大西洋を船で横断中、プラグマティズムの哲学の土台を築いた。フランス語で書かれた「The Fixation of Belief」〈信念の定着〉というエッセイを英語に翻訳し、そのあと「How to Make Ours Ideas Clear」〈私たちのアイデアを明確にする方法〉というエッセイを執筆した。後にさらに四本のエッセイを執筆し、それをひとつにまとめて「Illustration of the Logic of Science」〈科学の論理の解説〉というタイトルを付け、ポピュラー・サイエンス・マンスリー誌に発表した。

そのなかでパースは、「科学的手法」は世界で知識を獲得するための唯一の確実な手段だと論じている。これは傲慢な印象を与えるかもしれないが、彼は様々な方法で科学的手法の適切さを主張している。まず、科学的手法の利用範囲は科学者に限定されない。探求心に富むあらゆる人たちが、工場にせよ犯罪現場にせよ、あるいは考古学の発掘にせよ、真実を解き明かすために実践する。しかしつぎに、科学者は完全無欠ではないと考えた。他のいかなる人間の集団とも同じように間違った考えを信じてしまう。それは様々なケースがあるが、たとえば理論と矛盾する証拠を無視するし、重要な権力者の発言だというだけで正しいと信じてしまう。さらにパースによれば、科学者はたびたび偽りの論理や推論が正しいと思い込み、世界から学べることがあるのに注目しない。それは、過去の科学的「知識」を見ればよくわかる。地動説からカロリー理論まで、いかにも筋の通る理論が、事実や数字によって誤りを証明されている。このような思想は、知識を得るための探求を、単なる「趣味の追求のレベルに貶めてしまう」とパースは論じた。[29] そして趣味には流行りすたりがある。

信頼性のあるデータを生み出すのは、実験と観察だけだとパースは考えた。というのも、彼は論理や数学の抽象化に精通しているが、真実は手や目を使って生み出されるものだと固く信じていたからだ。したがって、ラヴォアジエのような科学者を賞賛した。彼は慎重な計測を行なってフロギストンが存在しないことを証明し、秤や蒸留器を「思想の道具」に変化させた。その結果、ラヴォアジエは「推論の新たな概念を創造した。推論とは目を見開いて行なうものであり、言葉や幻想ではなく、本当の物事を操作しながら進めていくものだと考えた」とパースは指摘している。[30] さらに、こうした研究は他人に検証されて初めて成功する点を強調した。「ひとりの人間の経験は、単独では何の意味もない」と記している。「他人には見えないものが見えるなら、それは幻覚と呼ばれるものだ」。経験は、グループの一部としてのみ機能するものであり、結果を照合して比較しなければならない。「恣意的な部分や個人主義的な特徴は、思想から削り落とさなければならない」[31]。

一九〇三年に行なった連続講義のなかで、パースは記述や正確さへの熱い思いを以下のように情熱的に語った。

リチウムの定義を知りたくて化学の教科書を調べれば、これは原子の重量数が七個の元素だという説明を見つけるでしょう。でも、執筆者がもっと論理的な思考の持ち主なら、こんなふうに説明するはずです。ガラスに似ていて半透明で、灰色または白色で、非常に硬いけれど、そのくせもろく、不溶性の鉱物のなかから、赤く光るものを見つけましょう。そうしたら、この鉱物を石灰か毒重石《どくじゅうせき》のヒ素と粉砕して溶かせば、塩酸のなかで一部が溶解します。つぎにこの溶液を蒸発させ、残基を硫酸で抽出し、きれいに浄化すれば、普通の方法で塩化物に変換されます。これが固体の状態で手に入ったら、溶解し、数個の強力な細胞と電解すれば、ピンクがかった銀色の金属の小球が生み出され、引火性混合物の表面に漂っているのが見えます。これがリチウムです。[32]

ただしパースの思想と性格を伝えるためには、彼の哲学に最後にひとつ加えなければならないことがある。

これはおそらく、彼の最も重要な信念だろう。知識は結局のところ偶発的なものだと彼は考え、それを「可《か》謬《びゅう》主義」と呼んだ。

パースは、人生において絶対に確実な事実は存在しないと考えた。私たちが存在を確信するあらゆるものは、間違いを証明される可能性がある。五感に関する基礎的な原理もそうだし、厳密な検査を経て明らかに欠点のない緻密な科学的理論でさえ、間違っている可能性はある。ただし可謬主義の教義は、懐疑論者のアプローチとは一線を画する。懐疑論によると、私たちは何事も確実に知ることはできないが、可謬主義では、物事を知っていると確信してもかまわないと補足している（実際、それは生きるために欠かせない）。しかし同時に、明らかに完全に間違える可能性を考慮しなければならない。

パースは、こうした可謬主義の教義が受け入れ難いとも、議論の余地があるとも思わなかった。「科学では、何事も確信できないことは昔から真実だった」と述べている。それでも、彼の信念と性格の核心部分にはおそらく驚かされるだろう。仏教徒は世の無常を受け入れるが、パースは可謬主義に同じ姿勢で臨んだ。それは世界についての真実を学ぶための前提条件であり、彼の魂を奮い立たせるものでもあった。「実際、可謬主義のもとで間違いを悔やむ一方、知識から提供される現実を信頼し、物事の発見に強くこだわる姿勢を崩さないおかげで、私の世界観は常に成長しているようだ」と彼は記している。(33) 常に注目し続けることの利点を少年時代に父親から教え込まれたことを考えれば、おそらくこれは彼の警戒感を支える真実だったのだろう。彼は常に間違える可能性に怯えていたのである。

パースは計測が正確さに欠けることを経験し、こうした見解をさらに強めた。彼にとって、世界は誤りで満ちあふれていた。真実を支える強固な基盤を確立するために最善の努力を払っても、呆気なく失敗する可能性がある。「何事に関しても、絶対に確信することはできない。あらゆる計測の値が正しいと確信できることなどあり得ない」と、未発表の原稿で嘆いている。(34) パースはこのような姿勢で臨み、しかも可謬性を受け入れたうえで真実の発見を切実に望んだため、計測学では守護聖人に近い存在になった。彼の性格も研究も、計測学の中心にある根深い反目を把握していた。実際、細かく計測するほど、たくさんの間違いが見つかる。真実を突き止めようと努力するほど、前提の不適切さが明らかになる。知識や装置を総動員して追求し続けると、最後はパチンと空中分解する。鉛筆は折れ、ガラスは割れ、線は引き裂かれ、再び虚空に放り込まれる。そうしてそこから手と目を使い、ゼロから同じことをやり直すのである。

マイケルソンとモーリーの失敗

パースは光を使ってメートルの定義を試みたが、残念ながら失敗した。本人の予想通り、可謬性が障害になった。彼は研究のメモや要約を残しているが、自分でも満足して公表に値すると評価できるほど厳格な定義を生み出さなかった。しかし彼の科学哲学の教えは忠実に踏襲され、彼が考案した手法は他の人たちから注目されて改善され、メートルの定義が見直されただけでなく、物理学に革命をもたらした。

十九世紀末には、物理的な世界を動かす基本的な仕組みはおおよそ理解されたと結論され、多くの科学者が満足感を抱いていた[35]。マクスウェルの電磁気は、電気と磁気と光をひとつの首尾一貫したシステムに統一した。一方、ニュートンの力学は運動や慣性や運動量の世界を未だに支配していた。確かに未解決の問題は残されていたが、達成が困難な目標はなかった。アメリカの物理学者アルバート・A・マイケルソンは、一八九四年にこう述べている。「基本的な大原則のほとんどは、どうやら確立されたようだ［……］物理学では未来の真実が、小数点第六位までの数字で探求されるべきだ[36]」。

マイケルソンは自らの忠告に従い、当時は一般に受け入れられていた真実のひとつの証明に取り組んだ。それは「発光性のエーテル」の存在だ。波が海のなかを移動するように、光はエーテルを媒体にして進んでいくという理論が、当時は受け入れられていたのだ(「発光性」とは「光を運ぶ」という意味で、「エーテル」の起源は古代ギリシャにまで遡る。エーテルは液体でも空気でもなく、希薄な媒体で、それが天上界を満たしていると考えられていた)。この時代の物理学者は、光は粒子ではなく、何らかの波だとほぼ確信していた。そうなると波が伝わる媒体が必要になり、エーテルが注目された。音の波が空気を伝わるように、光の波がエーテルのなかを進んでいく。これは、パースが警戒した「常識的な」推論そのものだった。

エーテルの存在を発見するため、マイケルソンと同僚のエドワード・モーリーは、光の速度にエーテルがおよぼす影響の計測に取り組んだ。一八八七年には、マイケルソンが発明した干渉計という装置を使って実験を行なった。実験では、ひとつの光源から照射された光をふたつに分割し、直角に設置されたふたつの鏡の一方にそれぞれ照射して、反射した光を再び収束させる。分割されたふたつの光線が同じ速度で移動していれば、波長は完全に一致するので、白と黒の同心円状の「縞」のパターンが出来上がる。しかしエーテルが存在するなら、地球が太陽を周回するうちに横方向の力が働き、いわゆるエーテルの風が発生する。その結果、ふたつの光線のうちのひとつは減速し、同心円のパターンが乱れるはずだ。後にマイケルソンはこの実験について娘に説明するとき、速さを競うふたりのスイマーにふたつの光線をたとえた。「流れの激しい川を泳ぐスイマーはその影響で往復に苦労するが、流れのない場所を泳ぐスイマーは同じ距離を簡単に往復する。川に流れがあれば、常に二番目のスイマーが勝利を収める[37]」。

ところがこの実験からは何も発見されなかった。流れも遅れも発生せず、ひいてはエーテルの存在が確認されず、マイケルソンもモーリーも困惑した。しかしエーテルが存在しないことの発見は、それ自体がきわめて重要な発見で、さらに重要な大発見へとつながった。そのためふたりの研究は、「歴史上最も重要な失敗を犯した実験」としてしばしば言及される。

しかしマイケルソンとモーリーは大発見を行なう前に、おそらく失敗から受けた心の傷を癒やすため、実験に使った装置を別の目的に使うことにして、今度はメートルの計測に取り組んだ。干渉計で生み出される光の「縞」の数を数え、メートルの長さの定義を試みたのである。そして実験を行なった年には、「On a Method of Making the Wave-length of Sodium Light the Actual and Practical Standard of Length」〈ナトリウムライトの波長を長さの事実上の実際的な基準にするための方法に関して〉というタイトルの論文を発表した。論文ではまず、光を使ったメートルの定義に「実際に初めて取り組んだ」パースの功績を賞賛してから、「その精度は高く、誤差は五万分の一から一〇万分の一程度」だと指摘した。[38] それから数十年のあいだに、ふたりの手法はさらに洗練され、光の照射によって規則正しい縞のパターンをさらに多く生み出す新しい方法も他の科学者によって発見された。これは、世界じゅうで長さを測るための事実上の基準となり、高い精度を求められるあらゆる種類の作業で使われるようになった。そしてついに一九六〇年、国際度量衡局（ＢＩＰＭ）はこれを正式な定義として認め、「自然で容易に破壊されない」基準を土台とする最初の単位が採用された。その結果メートルは、真空中でクリンプトンランプから発せられる光の波長の一六五万七六三・七三倍に等しいという定義が誕生した。[39]

ただしメートルの話はここで終わらない。マイケルソンとモーリーがエーテルは存在しないことを証明した結果、物理学の土台には亀裂が入った。これは、一九〇五年になってようやく解消される。この年にアルバート・アインシュタインが発表した四本の論文には、特殊相対性理論ならびに有名な方程式$E=mc^2$が含まれていた。アインシュタインの特殊相対性理論にはふたつの重要な前提がある。まず、観察者が一定の速度で移動している限り、物理学の法則は変化しないこと。つぎに、観察者の動きが遅くても速くても、それとは関係なく、光の速度は一定だということだ。アインシュタインの理論は時間と空間を大胆かつ魅力的な方法で結びつけた結果、十九世紀に確実な真実だと思われていた事柄が全面的に見直された。さらに、マイケルソンとモーリーの実験が発見した厄介な問題の解決にもつながった。アインシュタインは後に、この実験結果とその後の分析が、相対性理論の革命の土台になったと語っている。「もしもマイケルソンとモーリーの実験から深刻な問題が生まれて彼らが困惑しなければ、誰も相対性理論を（道半ばではあるが）救いと見なさなかっただろう[40]」。

マイケルソンは、将来の物理学では小数点以下第六位までの精度が求められると述べたが、二十世紀の科学のストーリーを見るかぎり、ずいぶん自信過剰な印象を受けるし、先見の明のなさを嘲笑いたくもなる。しかし彼は、あながち間違っていたわけではない。物理学の未来では実際に小数点以下の精度が求められるようになったが、そんな未来を誰も予想していなかった。光の速度の計測を行なう実験をきっかけに、科学者は宇宙に対する評価を改め、それはガリレオ以来最大の規模に膨らんだ。

こうした幸運は、計測学にも恩恵をもたらした。宇宙のどこでも光の速度は一定であることがアインシュタインによって確認されると、一九八三年にはメートルの定義が再び見直された。今度は、「光が真空を二億九九七九万二四五八分の一秒で進む距離」と定められた[41]。そして光の速度が長さの単位と関連づけられたため、この定義によってメートルの長さだけでなく、光の速度の測定も可能になる。これは循環論法のような印象を受けるかもしれない。光の速度を使ってメートルを定義する一方、メートルによって光の速度を定義するのだから。しかしその結果、測定単位の認識論的土台は、大切に保管される金属の棒ではなくなり、宇宙のどこでも一定の無形物の値が代わりに採用された。メートルのストーリーのこのような幕引きは感慨深い。メートル法は二世紀以上前、政治的平等という新たな理想を支える象徴として思い描かれた。最初に測量を行なったふたりの科学者は、戦争や革命の嵐が吹き荒れるなか、教会の尖塔や丘の頂上から視線を走らせた。しかしいまでは、光が計測の基準になった。光は変化しない絶対的な存在である。

新定義の誕生

ベルサイユの豪華な講堂の舞台に立ち、科学者のウィリアム・ダニエル・フィリップスは計測学を上機嫌でこう賞賛した。「メートルの定義は見事で、しかも美しい」。そしてこの日、科学者たちは「キログラムにも同じ美しさを」与える予定だった。

フィリップスはノーベル物理学賞を受賞した人物で、米国立標準技術研究所（ＮＩＳＴ）に所属する計測学者だ。白いあごひげをきれいに整え、恰幅が良く、シーズンオフのサンタクロースに扮装しているような印象を受ける。いまはステージ上で、キログラムの現在の状況がいかに馬鹿げているか、嬉しそうに熱弁をふるっている。「ちょっと考えてみましょう。いまは二十一世紀なのに、質量を決定する基準が人工物なんですよ。十九世紀に作られた金属の塊で、しかもそれは十八世紀に作られた物体を参考にして作られたものです」と、大げさに怯えている仕草をしながら説明した。「こんな恥ずべき状況は解決しなければならない！」

でも、どうやって解決するのだろう。メートル法の長さは、光の速度と結びつけることで物理的世界との関わりを断ち切った。だから、キログラムにも独自の定数が必要だとフィリップスは指摘する。そして計測学者や物理学者が数十年にわたって苦労した結果、ある定数が見つかった。その定数は、ｃという記号で表される光の速度の補完物として機能する。シュラミンガーによれば、「光の速度が陽なら、これは陰に相当する」。それはプランク定数で、ｈという記号で表される。

こんなふうに考えてほしい。光の速度は、宇宙を光年という非常に大きな単位で定義する。光の速さは現実の世界の上限で、光よりも速く移動することはできないし、光が届かない場所に情報を伝えることもできない。要するに、光は越えられない。一方プランク定数は、現実の世界の下限を定義するうえで役に立ち、物質を構成する最小の単位である素粒子に注目する。要するに、プランク定数はこれ以上分割できない。光の速度が銀河、ブラックホール、星のあいだの空間など広大な領域を支配するのに対し、プランク定数が支配するのは原子や電子の領域であり、原子よりさらに小さな世界では、深い穴が小さな口を開けている。

　プランク定数の発見は、量子力学にとってきわめて重要だった。そしてこの革命は、マイケルソンとモーリーの有名な失敗によって引き起こされた。ここで「量子」とは、私たちが理解しているつもりの現実は量子化が可能で、複数の部分に分割されるという事実に言及している。これはシンプルな事実だが、あらゆる量子理論の土台を形成している。つまり、限界まで突き詰めて宇宙の最小の現象――光子《こうし》の行動、ゼロ質量の光の粒子など――に注目すると、観察する対象のあいだの連続性は消滅し、一個一個から成る不連続な単位だけが残る。そのうえで光子のエネルギーを測定すると、その結果は個別のカテゴリーに分類される。要するに、無限に変化を繰り返す連続体ではなく、梯子の段のようなものが観察される。プランク定数からは、梯子の段のあいだの距離が特定される。

　実際のところ、プランク定数は気が遠くなるほど小さく、理論的に最小の長さや質量や温度を明らかにするために使われる。したがってプランク定数を下回る値では、私たちがこれらに関して理解している特性は消滅し、現実の説明としてもはや意味をなさない。たとえば最小の長さであるプランク長は、一・六のマイナス三五乗メートルである。プランク長がどれだけ小さいのか、もう少しわかりやすく説明しよう。原子を地球の大きさにまで拡大しても、その長さは拡大しないままの原子よりもさらに小さい[42]。私たちが知っているかぎり、世界でこれ以上小さなものはない。その点が注目され、いまでは量子宇宙が話題に上るようになった。これ以上の分割は不可能な限界が確実に存在するのだ。この発想はとにかく難解で、マクロの世界から学んだ直感にも反する。しかし実際には、量子力学やそれが暗示する内容を理解するのは、禅の公案について考えるのと少し似ている。必要なのは知性ではなく、素直に受け入れることだ。

現実離れしているが、それでもプランク定数の計測は可能だ。実際、多くの異なる方法で計測できる。そうなると、どんなにあり得ないように見えても、プランク定数の値は正しいことが暗示される。そんな方法のひとつでは、キブル天秤という装置を組み合わせ、キログラムの定義が見直される。

キブル天秤は、ＳＦ映画のセットから盗んできたような外見をしている。ヴィクトリア朝時代の孤児の手で組み立てられた初期の蒸気機関を誰かが持ってきて、鋼鉄とクロムを使って作り直したようにも見える。しかし実際には精巧な作りで、強烈な印象を放つ。中央に巨大な車輪があり、ふたつの上皿天秤は支柱、ワイヤー、真空管、パイプで囲まれ支えられている。ただし、普通の天秤はふたつの天秤皿のどちらにも物体を置き、それぞれにかかる重力のバランスをとることで重さを量るが、キブル天秤は使い方が異なる。一方の天秤に物体を置いて、電磁力とのあいだでバランスをとる。この電磁力の大きさは、きわめて正確に計測される。実際、キブル天秤では非常に細かい精度が求められるので、真空状態のなかで操作される。そして操作を行なう技術者は、地球を周回する月の位置によって引き起こされる重力の変化を考慮しなければならない。

この天秤がプランク定数を使ってキログラムを正確に計測するプロセスは複雑だが、ふたつの簡単な方程式で説明が可能だ。最初の方程式は、本章ですでに紹介した$E=mc^2$。Ｅはエネルギー、ｍは質量、ｃは光の速度だ。もうひとつの方程式はそれほど知られていないが、物理学にとって先述の方程式と同様にきわめて重要である。そして、量子の世界を説明するために使われる最初の固有方程式でもある。それは$E=h\gamma$。Ｅはエネルギー、γは振動数を表す（これは小文字のｖではなく、ギリシャ文字の小文字のγである）。そしてｈは、すでにお馴染みのプランク定数である。

このふたつの方程式には重なる部分がある。$E=mc^2$は、光の速度を知っているかぎり、質量はエネルギーによって測定できることを示している。一方、$E=h\gamma$のほうは、ｈすなわちプランク定数を知っているかぎり、エネルギーは振動数、すなわちあらゆる電磁波の特徴によって測定できることを示している。このふたつの方程式の各辺を少し細工すると、$m=hf/c^2$という新しい方程式が出来上がるが、この値からは、質量を定義することができる。つまり新しい方程式は、キブル天秤が電磁力によってキログラムを正確に計測するプロセスを表している。しかも最終的には、光の速度でメートルの問題を解決したときと同じ結果が得られる。どちらのケースでも定数が存在するが、計測にはある程度の不確実性が伴う。しかしキログラムとメートルのどちらの単位にせよ細かく計測すれば、将来の計算に定数が当てはめられる。そして、cとhは陰と陽の関係にあることを思い出してほしい。光の速度は秒速二億九九七九万二四五八メートルというとてつもなく大きな値だが、それに対してプランク定数の値はとてつもなく小さい。六・六二六〇七〇一五×一〇のマイナス三四乗ジュール。すなわち、〇・六に一ジュール秒の一〇億分の一の一兆分の一のさらに一兆分の一を掛け算した値になる[43]。ちなみに一ジュール秒は、一個のリンゴを空中に一メートル放り投げるために必要なエネルギーの量にほぼ匹敵する。そこから、〇・六に一ジュール秒の一〇億分の一の一兆分の一のさらに一兆分の一を掛け算した値がどんなものか、想像してほしい。宇宙は文字通り、これ以上は小さくできない。

フィリップスはキログラムの定義の見直しについての説明を終えると、今回の作業に関わった科学者たちに声をかけた。ひとりずつ呼ばれると、彼らは起立してお辞儀をした。フィリップスは同僚たちの名前をつぎつぎ紹介し、これまでの労をねぎらった。「キブル天秤にはたくさんの人たちが取り組んでくれました。電気標準への移行に取り組んでくれた皆さん、起立してください！」。すると、世界じゅうの研究室から集まってきた人たちがひとりずつ、あるいはグループでゆっくりと起立した。「量子標準に関しては、クラウスが頑張ってくれました。ウルリヒも頑張ってくれました。全員を紹介しましょう」とフィリップスは誇らしげに語った。会場全体で数十人の男女が立ち上がった。聴衆は喝采を惜しまず、最後は大きな嵐のように劇場を包み込んだ。

私のような部外者には、どんな功績をほめたたえているのか正確にはわからない。現代の計測学の課題は間違いなく難解で、様々な分野での最新の研究が関わっている。それにベルサイユに集まった大勢の人たちから聞かされたが、たとえキログラムの定義の見直しが計画通りに進んでも、それが実行に移されたことは誰にもわからない。それでもベルサイユの会場は、知識を積み重ねてあらゆる障壁を取り除いた成果への誇らしさで満ち満ちていた。かつてパースが自らの哲学で明らかにしたように、世界は間違っている事柄や不正確な事柄だらけだが、力を合わせて努力を惜しまず、コミュニケーションをとるのを怠らなければ、内在する可謬性を克服することはできる。いまや世界じゅうの国が話す共通の言葉として、いかなる通貨や言語よりも広く受け入れられたメートル法は、この壮大な事業に欠かせない要素だ。舞台ではフィリップスが、計測学の創設時のビジョンを私たちに向かって繰り返した。「こうして今日は、革命的な夢の実現に大きく近づきました。すべての時代のすべての人たちのための計測単位が、まもなく実現します」。

拍手喝采がやみ、キログラムの新しい定義を認定するための投票が始まると、私はこの、すべての時代のすべての人たちのためというモットーが実際のところどれだけ真実なのか、考えずにはいられなかった。そもそもキブル天秤は費用がとてつもなく高く、動かすのも技術的に難しい。この新しい方法ならば理論上、いつでもどこでもキログラムをゼロから再現できるが、それを実現できるだけの資源と専門知識を持っている国は、実際のところ数えるほどだ。それでも、本当にすべての人たちのための定義なのだろうか。かつての革命家たちから見れば、答えはノーだ。しかし革命家たちの前提にも欠点はあった。地球の子午線を測るために七年をかけてフランスを横断した成果が有益だったのは、簡単に再現できないからでもあった。一度限りの結果は、他の人たちからの挑戦を受けない。そのため、メートル法に伴う権力は、創造するために時間と労力を費やした人たちに主に集中した。

現代の哲学者ブルーノ・ラトゥールは、こうした現象を「ブラックボックス化」と呼んでいる。新しい手法が定着すると、「科学的・技術的な成果の実態が、華やかな成功の陰で見えなくなってしまう」。科学的知識がブラックボックス化されると、知識が創造された状況は顧みられなくなる。人為的なミスが発生することも、代わりの理論が存在することも、見えないだけで実験には失敗が不可欠であることも無視して、こうした不確実性のいっさいをはぎ取ってしまう。すると最後は、研究作業のインプットとアウトプットしか残らない[44]。他のものはすべて、ブラックボックスに隠されてしまう。このプロセスは科学の権威を高め、研究につきものの混乱や不測の事態を取り除いてしまう。そのため結果は素晴らしいだけでなく、客観的な印象を与える。さらに、科学が進行するプロセスに対する批判を寄せ付けず、物議を醸す決断や独断を隠してしまう。たとえば気候変動についての議論を考えてみよう。いままでは、地球の温度の上昇を二度未満に抑えるべきだと強調される。しかしこれは明らかに恣意的な数字であり、温暖化に関連して予測される結果はまったく確信できない。事態は少し良くなるかもしれないし、逆にもっと悪くなるかもしれない。温暖化のプロセスをブラックボックス化すれば、政策立案者や公開討論には明確な目標が手に入るが、陰謀論者や「懐疑論者」を勢いづかせる可能性もある。地球の未来について何か重大な真実が隠されているのではないかと想像力を働かせるかもしれない。

計測の世界では、キログラムの定義のブラックボックス化は逆効果のような印象を受ける。普通の人たちが、生活に影響する分野から締め出されてしまうようだ。このような疎外感がメートル法に反対する運動を誘発する一方、それとは反対に、誰もが自分の手と目で計測単位を検証する中世のpietre di paragoneを促した。ただし、計測の精度が高まり、それに伴って都合の悪い部分が曖昧にされたのは、科学と産業の融合が引き起こした直接的な結果だ。現代の世界がもたらす恩恵の前兆であり、所産でもある。こうしたものと引き換えに、私たちは現在のような快適さを手に入れた。恩恵をいつまでもこうむるなら、測定単位がどのように定義されるか、気にする人などいない。この状況を正しく判断するには、おそらくパースのプラグマティズムの哲学が役に立つだろう。かつて彼はイエスキリストの賢明な教えを繰り返し、こう語った。「実によって彼らを見分けることができる[45]」。この場合、現代の計測の果実は、よかれ悪しかれ現代の世界の果実なのだ。

ベルサイユでは、講堂での投票は誰もが予想した通り承認され、キログラムの正式な定義は翌年から変更されることになった。そして計測学者が望んだように、このニュースを聞き逃した人は誰も気づかなかった。計測学は見えない学問である。研究成果は世間の目から遠ざけられ、小数点以下の文字列の末尾に隠されてしまう。しかしそれでも、この不安定な数字に現代の計測の世界は依存しており、それと共に、人知のフロンティアも依存している。

第10章 管理される日常

現代の社会で、そして私たちが自らを
理解するうえで計測が占める場所

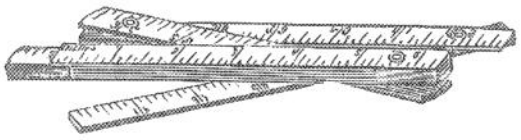

私たちが「現代」と呼ぶ生活様式の文化的原動力は、世界を制御できるというアイデアや希望だ。しかし実際には、制御できない物事に遭遇しながら世界を経験する。[1]
ハルトムット・ローザ『The Uncontrollability of the World』（制御不能な世界）

規格化されたピーナッツバター

現代の生活における計測の優位性を体現するものがあるとすれば、それはピーナッツバターの存在だ。これは米国立標準技術研究所（ＮＩＳＴ）が製造するもので、中身が一七〇グラムの瓶が三個まとめて九二七ドルで業界に販売される。コストがずいぶん高いのは、めずらしい材料を使っているからでも、製造プロセスが複雑だからでもない。瓶の中身がひとつずつ厳格に分析された結果だ。このピーナッツバターは冷凍、加熱、蒸発、鹸化《けんか》のプロセスを経て製造され、様々な側面から計測が行なわれる。その結果、これを購入するバイヤーは、炭水化物、たんぱく質、砂糖、繊維の比率が、スプーンでどの部分をすくっても同じであるだけでなく、様々な有機分子や微量元素がミリ単位まで同じ比率で全体に行き渡っていることを確信できる。微量元素のなかには銅、鉄、マグネシウムなど馴染み深い名前のものだけでなく、ドコサン酸、エイコサン酸、テトラデカン酸など、聞き慣れない名前の物質も含まれる。瓶のなかの原子が詳しい検査を回避できる可能性はまずない。そのため、成分に関してこれほどよく知られたピーナッツバターはこの世に存在しない。しかも、食感はざらつかず、まろやかだ。

このピーナッツバターは、一二〇〇種類以上にもおよぶ標準物質（SRM）のひとつである。このSRMは、NISTが業界や政府の求めに応じて創造した。現代の計測学のバイブルであり、どの項目も、私たちの生活の見えない場所で行なわれる計測の重要性の証《あか》しである。何かの検証や認証や点検が必要なときは、それが新しいディーゼルエンジンの排出レベルにせよ、高出力レーザーで使われるガラスの光学的特性にせよ、SRMのカタログに掲載されている規格と照合すれば正しさを確認することができる。建設業界を対象としたコンクリートと鉄のサンプル、食品メーカーを対象とした液体状ほうれん草や粉末状ココアなど、ほとんどの項目はありふれたものだ。しかしなかには、神の食料庫から盗んできた食材のような印象を受けるものもある。精製された元素のインゴットや気体の圧力容器は、細かく等級分けされ、どこを切り取っても成分が均一に混ぜ合わされている。そして風変わりなものもある。どんなに変わった物質も規格化してやろうと、固く決心した官僚の情熱から生み出されたとしか思えない。たとえば家庭ごみ、クジラの脂肪、放射性物質を含む人間の肺が思い浮かぶだろうか。SRMには順番に#2781、#1945，#4351として登録されている。

しかし、風変わりな物質にも目的がある。たとえば家庭ごみは、環境関連機関が工場の汚染物質レベルを点検するための参考として利用される。クジラの脂肪の規格は、海に化学汚染物質がどれだけ蓄積されているか、科学者が追跡するために役立つ（これに関して脂肪が特に役立つのは、クジラは海洋食物連鎖の頂点に位置するからだ）。一方、粉末状の肺は、放射性物質による体内被曝の程度を測るための基準として使われる。これは冷戦が核による絶滅を引き起こす可能性に対する不安への対応策として生まれた副産物で、計測のプロトタイプの創造にNISTが創意工夫を凝らしていることがよくわかる。原爆の誕生の地であるロスアラモス国立研究所の職員からは、合わせて七〇キログラムの肺が提供され、そこからサンプルが作られる。どのドナーも一生のうちに被曝を経験しており、死んだあとは自分の体を科学のために提供する。多くのSRMと同様、肺は凍結乾燥させてから粉砕して細かい粉末にする。そうすればどのサンプルも均一性が保証される。そして研究室のノートには、粉末にする作業を担当したNISTの研究者が、つぎのような忠告を記している。面白いと思うかもしれないが、本人はいたって真面目だ。「安全な取り扱いを徹底するため殺菌のプロセスを経ているが、粉末状にする段階では小さな細胞組織が研究室の壁や人体に飛び散る可能性が時としてあることには、大きな不安を覚える。ネクタイや白衣は、少なくとも一度は取り替える必要がある。なかに細胞組織が漂っている赤い分泌物が、ホールにまで飛んできたときもあった」(2)。計測を確実なものにするための作業は、決してきれいとは言えない環境で人目につかず進められているのだ。

「これらの物質の目的は、顧客に『本物』を提供することだ」と、標準物質室(ORM)のスティーブ・コケットは語る。コロナ禍の影響でNISTの本部が閉鎖されたため、私たちはビデオ通話を利用したが、彼の情熱と穏やかな人柄は、コンピュータを通じても伝わってくる。ORMに異動する前は、NISTの光学規格の開発に関わっていた。彼は計測の細部にまでこだわり、自分が仕事で何を求められているか理解している。そんなスティーブは、NISTの計測を顧客が全面的に信頼してくれるために、自分は労を惜しまないと強調する。規格について「我々は徹底的な分析を行ない」、どの物質も最終的にはメートル法に依存するという。これならNISTも定義に悩まない。計測の細かい部分について何か疑問があれば、「廊下の向こうまで足を運べばよい。専門家が何でも教えてくれる」と語った。

SRMは、二万五〇〇〇平方フィートの倉庫に保管されている。このスペースには様々なグレードの冷凍庫が装備され、放射性物質や危険物を封じ込めておく場所も確保されている。スティーブの説明によれば、カタログは様々なカテゴリーにおよぶが、どのSRMも利用の仕方に応じて、キャリブレーション(調整)かバリデーション(検証)のいずれかのグループに分類される。検証では、業界で実施されるテストの一貫性が、SRMを使って保証される。たとえばSRM#1196のタバコの規格品は、一〇〇個が二一八ドルで販売される。これは、タバコメーカーが煙の質を比較するために使われるものではない。詰められた葉っぱの可燃性を

図 13　NIST は標準物質を取りそろえている。クジラの脂肪、被曝した人間の肺の粉末、ピーナッツバターなどの標準物質がある。

研究室でテストするためのものだ。スティーブによれば、タバコの不始末による火事は、アメリカで死者が発生する住宅火災の大きな原因だという。毎年何百人もの命が奪われるが、火元の半分ちかくは居間で、三分の一が寝室である。[3] こうした危険を減らすため、耐火性のあるマットレスやソファーやシーツに関して、州や業界で様々な基準が設けられている。しかし、そのためにメーカーが行なうテストに一貫性を持たせるためには、まずはＳＲＭのタバコを使って出火に関するテストを行なう必要がある。そこで、＃１１９６の出番となる。タバコそのものは普通のメーカーが製造し、成分も通常のタバコと変わらない。違うのは、均質性と中身の予測可能性で、ＮＩＳＴはその点を厳重にテストして検証する。そのうえで、どれも同じものが各メーカーにまとめて提供される。そこからは、驚くほどの利益がもたらされる。「規格に従って製品が作られたおかげで、多くの命が救われた」と、スティーブはタバコについて誇らしげに語った。

　ＳＲＭのもうひとつの用途である調整では、他のテストを検証するための基準となる物質が提供される。たとえば、あなたが食品メーカーで製品の栄養価を点検したいとしよう。一定の分子や化合物の存在について検査する機械を購入することはできるが、ではその検査が正確だと、どうしてわかるのだろうか。この場合、ＮＩＳＴから購入したＳＲＭと比較すればよい。どれも費用をかけて徹底的に数値化されており、いたって正確だ。もしもあなたの検査結果がＮＩＳＴの測定値と一致すれば、機械は信用できることになる。たとえばピーナッツバターには、このような使用目的がある。他のピーナッツバターを分析することだけが目的で作られたわけではない（そのためにも使われるが）。このピーナッツバターの脂肪と砂糖の混合比は、一般食品の分析データとして、類似する商品の検査を調整するために使うこともできる。だからＳＲＭのカタログには、牡蠣《かき》の細胞組織（＃１５６６）、牛の肝臓（＃１５７７）、料理用チョコレート（＃２３８４）など、変わったものが含まれる。どれも、めずらしい特徴に対応できるように選ばれた。

　サンプルは食べてもまったく問題ないが、スティーブはこっそり飲んだことも、かじったことも認めようとしない。二〇〇三年には、料理評論家のウィリアム・グライムスが、ＮＩＳＴのピーナッツバターを試食するチャンスに恵まれた。そして食後には、こんな感想を述べた。ほとんどの消費者ブランドみたいなクリーミーな味わいはない。見たところは、本物の食品というよりも、工業用のペーストのようだ。あらゆる点を考慮すれば、いたって平均的だと評価できる(4)。ＮＩＳＴは、こうした評価を喜んだはずだ。

　ＳＲＭが変わったものばかりなのは、現代の抽象化された計測に対応したからだ。いまやメートル法の定義は、親しみが感じられず、不可解なものになってしまった。かつては重さも長さも任意の単位で、目には見えない自然界の定数によって値が決められたものだが、ＳＲＭは物理的な素材を目的や定義に合わせて新しい形で利用する。どれも特別なニーズに応えるために創造され、正確な計測値のおかげで重宝される。風変わりではあるが、古代エジプトの測定棒やバビロニアの商人の青銅の重りと同じ基本的な目的を達成する。すなわち、時間や空間や文化を超えた均一性を創造し、距離の隔たりを克服し、見知らぬ者同士が信頼し合える環境づくりを目指す点は同じだ。ただしピラミッドの時代からは変化した部分がある。計測は以前よりも正確になり、関わる範囲は広くなった。現在の測定基準には、しばしば地球全体が組み込まれる。

二十世紀に入ると、計測の活動は規模が拡大し、驚くほど数が増えた。いまやＮＩＳＴは多くの機関のひとつにすぎず、およそ一四〇カ国に独自の規格関連の組織がある。(5) さらに、数多くの国際機関が同じ目的のために活動している。たとえばジュネーブに本部を置く国際標準化機構（ＩＳＯ）は、およそ二万二〇〇〇の標準規格を提供し、精密製造や臨床検査に使われるクリーンルーム（一立方メートルの空気に含まれる粒子の数に基づいて一から九までの九段階に分けられる）から、写真フィルムの速度（ＩＳＯがカメラの基準を設定するためのソース）まで、あらゆるもののガイドラインを発行している。面白いところでは、ＩＳＯ３１０３は紅茶の淹れ方の標準的な方法のガイドラインだ。六ページにわたる説明書のなかでは、ポットのタイプ（磁器または陶器）、乾燥した茶葉の量（一〇〇ミリリットルのお湯につき二グラム）、滲出時間（六分）が記されている。その目的は完璧なお茶を準備することではない。ＮＩＳＴの家庭ごみや粉末状の肺と同様、他の場所で行なわれるテストで何度も繰り返し使える基準を確立することだ。このケースでは、「お湯を注いだ茶葉が感覚器官をどのように刺激するか検査したい」食品メーカーによって、ＩＳＯ３１０３は利用されている。

しかし、そもそもなぜ計測はこれほど急に増えたのだろう。こうした広い意味で計測学について研究する学者は数えるほどだが、そんな学者たちによれば、いくつかの関連し合った理由が説明として考えられる。ひとつは消費者文化の台頭だ。選択肢があふれ返る市場では、商品に関して信頼できる規格が求められる。スーパーマーケットに並べられた食品の原産地を簡単にたどることはできないし、様々な種類のテレビが並ぶなかから、どれを選べばよいかわからない。そんなときは、安全や品質を何らかの形で監視してもらう必要がある。あるいは、テクノロジーの進歩を指摘する学者もいる。おかげで計測の精度が高まり、その結果としてさらに高い精度が求められるようになった。ただし最も重要な理由は、おそらく世界貿易の増加だろう。企業が複雑な仕組みやコストを減らそうとしたため、それが規格の普及につながったのである。

その最たる例が、規格化が徹底された輸送用コンテナだ。耐久性のある鋼鉄の箱は、通常は幅が八フィート、高さが八フィート六インチ、長さが二〇フィートまたは四〇フィートである。コンテナは二十世紀初めに最初に導入され、一九五〇年代から徐々に規格化が進んだ（いまではＩＳＯが仕様を管理している）。コンテナが導入される以前、商品は手作業で船に積み込まなければならなかった。これは骨の折れるプロセスで、港湾労働者の集団が何日も作業する必要があったため、費用がかさむだけでなく、貨物の移動が遅れた。しかし、どんな荷物にもひとつで対応できるコンテナは、そのまま船からクレーンで取り出し、トラックに積載するまでの所要時間が僅か数分なので、世界じゅうでモノを移動するためのコストが著しく低下して、船舶輸送の爆発的増加につながった。今日、コンテナはグローバル経済を構成する大事な要素だ。規格化されているので、ある国で生産された商品を別の国で包装し、さらに別の国で販売することが可能で、経済的採算性が高い。よし悪しはともかく、ファストファッションもアイフォンもコンテナのおかげで実現したものだ。さらに、史上最大の規模の世界的大企業が存在する条件が整った。そして、いまの私たちが暮らすフラットな世界の創造も、コンテナによって後押しされた。ただしこのフラットな世界は、ナポレオンの征服後にバンジャマン・コンスタンが思い描いた自由で平等な世界ではない。むしろ、新自由主義的な経済秩序が保たれた世界で、トーマス・フリードマンが二〇〇五年に発表した『The World Is Flat』（『フラット化する世界』）での記述が最も有名だ。フリードマンや彼の支持者によれば、この世界ではテクノロジーと企業によって、距離や言語や国籍の障壁が取り除かれた。いかなる障壁も許せない権力者の傲慢な見解が、新たな形で姿を現したのである。

ＮＩＳＴは、企業の需要に応える形で規格化に取り組み始めた。十九世紀末に鉄道産業が急速に発展すると、それに合わせて事故や死傷者も激増した。脱線事故で数十人の死者が出るのは日常茶飯事で、一八九六年には一〇億旅客マイルにつき二四人の死亡率を記録した[6]（今日では、主要な路線での死亡率は〇・四三人だ[7]）。事故の理由は規格化の欠如につきる。手順も設備も物質も、何も規格化されていなかった。そこでＮＩＳＴは一九〇一年、この状況の打開に乗り出した。鉄道技師と協力し、最初のＳＲＭを創造した。それは金属合金で、客車の鋳鉄製の車輪が適切に作られているか確認するために使われた。アメリカ政府が他にも規制に取り組んだおかげもあって、鉄道死亡事故はたちまち減少した。この誕生秘話は、今日ＮＩＳＴが新しい規格の創造に取り組む姿勢を反映しており、公共部門と産業部門のニーズのバランスに配慮していることがわかる。ＮＩＳＴは規制には関わらないので、新しい規格が必要な時期を判断しないが、これはあらゆる点で都合が良いようだ。なぜなら、ＮＩＳＴの活動が政治的に注目される心配がないからだ。「我々には下心がない。決断する能力を政策立案者に提供するだけだからね」とスティーブは語った。

もちろん、こうした中立性に関する主張は鵜呑みにできない。科学の研究にバイアスはつきものであり、ひとつの標準物質のパラメーターを正確に決定するだけでも、予想外の問題に直面する可能性がある。たとえばＮＩＳＴは現在、連邦政府が大麻とマリファナを区別するために利用する規格の開発に取り組んでいるが、このプロセスは多くの業界に重大な影響を与える。どちらもカンナビスという同じ植物から作られるが、その違いはＴＨＣ、すなわちテトラヒドロカンナビノールの含有量の違いのみである。この化学物質は、人体に入ると高揚感をもたらす。二〇一八年には、全重量に対するＴＨＣの含有量が〇・三パーセントのラインを境に区別することを明記した法案が制定された。しかしスティーブの説明によれば、それでも多くの問題が残り、ＮＩＳＴがその解決に取り組まなければならない。「乾燥した植物と生の植物のどちらの重量に基づいて調べるのか。花のどの部分を調べるのか。ＴＨＣは検査中に酸化する可能性があるが、これについてだけ調べれば十分なのか。それともカンナビノイドの成分をすべて計測するほうがよいのか」。こうした疑問への回答には文化や経済や政治が関わってくる。「麻薬戦争」に負けてから、アメリカ人の麻薬への姿勢は変化しているが、その点を考慮しなければならない。州のレベルでは、嗜好用のマリファナの合法化が要求され、農家は新しい作物から利益を得ることに関心を示している。「これは大きなビジネスだ」とスティーブは指摘する。「農家は大麻を栽培しても、麻薬取締局（DEA）の立ち入り検査で駄目にされないことを保証されたい。限界を超えれば、苦労は水の泡になってしまう」。

規格の世界を少し掘り下げるだけでも、規格が見えない場所で私たちの生活に実に大きな影響をおよぼしていることがわかる。いつの日付でもいいから、その日にどんなニュースが報道されたか調べてみよう。倉庫の労働条件、新しい薬品の認可、貿易交渉についての記事に計測の結果が埋もれているのを発見するだろう。ちなみに私が最近の出来事のなかで、規格の重要性を何よりも思い知らされたのは、イギリスによるEU離脱の決断だった。ブレグジット賛成派は、決定事項が多すぎるブリュッセルの官僚制度からようやく解放される点を強調し、残留派は、離脱するとイギリスはいい加減なルールに翻弄されると主張した。規格は重大な争点となり、規格を巡って両陣営は激しく争った。たとえば塩素処理された鶏肉の問題は、何カ月も議論の対象になった。塩素処理は最終段階で一定の条件のもとで行なわれるプロセスで、アメリカでは認められているが、EUでは許されない。塩素処理された鶏肉がブレグジット後のイギリスで基準になるか否かは、新聞の見出しで取り上げられ、クイズ番組でジョークの対象になり、国会で議論された。何年も前の帝国単位の度量衡と同様、塩素処理された鶏肉はブレグジットへの不安を代用する存在になった。EUを離脱すれば再び大切な文化が失われ、倫理の退行が進む可能性の象徴として位置付けられた。その点を明言するか否かはともかく、この特別の基準――鶏肉は抗菌剤で洗浄してから販売すべきか――が、経済や政治のスイッチが相互に接続された巨大なルーブ・ゴールドバーグ・マシン【訳注／簡単な結果を得るため、わざわざ手間をかけた複雑な装置】

の最終製品であることは、誰もが理解していた。こうした陰謀の結果は、国じゅうの食卓にのぼるように運命づけられている。

大量生産、戦死者数

米国立標準技術研究所（ＮＩＳＴ）や国際標準化機構（ＩＳＯ）によって義務付けられた国際規格はあふれ返っているが、私たちの生活のなかでほとんどは見えない存在である。計測は様々な種類の官僚機構を通して実際に関与してくるが、特に教育の現場と職場ではそれが目立つ。私たちは学校で、定量化の厳しい洗礼を最初に受ける。ランクや数字による選別を初めて経験し、これは私たちの未来の成功を測る尺度だと教えられる。アルフレッド・ビネが考案したＩＱテストからもわかるが、こうした手段を使えば都合が良い場面は多いが、どこにでも簡単に応用できると、本来は慎重に考えて導入すべきものなのに、その傾向が弱まってしまう。つぎに学校を離れて働き始めると、今度は同じテストが経営陣による監視という形で再現される。様々な点が評価され、それはＫＰＩ（重要業績評価指標）やＯＫＲ（目標と主要な結果）など、新しい不吉な頭字語に無理やりまとめられる。私がジャーナリストとしてのキャリアをスタートした頃には、ふたつの主要な統計によって勤務ぶりを評価された。一日に執筆する記事の数と、そのページビューの回数のふたつだ。私も同僚たちも大学を卒業したばかりで給料は低く、働きすぎるほどだったが、質よりも量のほうが優先することをこうした評価から教えられた。オンラインジャーナリズムの機構で求められるのは、クリックされやすい見出しをどんどん考え出すことだという現実を学んだ。そんな圧力への適応には業界全体が未だに苦労している。だが私は個人的に、細かい測定基準の数々の教訓を捨て去ることにした。

計測を支える原則——人間のいかなる活動も便利な形で統計にまとめられる——は、二十一世紀の支配的パラダイムのひとつになった。資本主義が専門の歴史家のジェリー・Z・ミュラーは、これを「計測への病的な執着」と呼んだ。いまや計測という概念は偏在し、民間部門だけでなく、医療や取り締まりなど、定量化がそれほど必要とされない国家の活動の分野にも浸透している。(8)「私たちの時代では説明責任が計測され、計測された成果によって報酬が決められる。計測の結果を公表して『透明性を』確保することが、美徳だと確信される」とミュラーは記している。そしてミュラーも強調するように、計測そのものは悪くないが、計測に何よりもこだわりすぎると、評価が歪められ、焦点が定まらず、すべてが台無しになってしまう。ミュラーによれば、「問題なのは計測ではない。計測の機会が多すぎて、不適切に行なわれることだ。悪いのは計測ではなく、計測への病的なこだわりだ(9)」。

計測に病的にこだわるイデオロギーのルーツは、十九世紀に始まった資本主義の変化にまで遡る。この時代には特にアメリカで、経営がひとつの職業として確立されつつあった。それまでは業界関係者が学ぶ技能だったが、その域を脱したのである。一八七〇年から一九九〇年にかけて、アメリカでは専門経営者の数が五倍に増え、一万二五〇一人から六万七七〇六人になったため、まったく新しいタイプのビジネス構造が創造された。歴史家のアルフレッド・チャンドラーは、これを「経営者資本主義」と呼んだ。「個人資本主義」では、企業に関する決断を下す人が直接経営に関わる。対照的に経営者資本主義では、こうした責任が専門経営者の「チーム」やヒエラルキーにアウトソーシングされる。「彼らは、会社の経営を任されても株式は持たず、持ったとしてもほんの僅かだ(10)」。

経営の仕事を合理化しようとする動きは、工業生産そのものの変容とうまくかみ合った。十九世紀を通じてアメリカは、「アメリカ型」生産方式として知られるようになったシステムの開拓に努めた。そしてこのアプローチでは、規格化と正確さと効率が重要な役割を果たすことになった。この方式の成功の秘訣は、工場で交換可能な部品を使ったことだ。かつて消費財の生産は職人の仕事で、注文を受けると最初から最後まで手作り

図14　生活や仕事に秩序を持たせるため、計測は基本原則になった。ディエゴ・リベラの有名な壁画には、フォードの組み立てラインの様子が描かれている。

だった。しかし部品の型抜きや切断や成形を高い精度で行なえる機械が登場すると、製造は決まりきった作業の繰り返しになり、未熟練労働者が部品をひとつずつ組み立てるようになった。一八五〇年代にアメリカの工場を見学したあるイギリス人技師は、つぎのように述べた。「機械の助け」を「肉体労働の代わりとして導入できる場所ではどこでも例外なく、機械に積極的に頼っている」[11]。

二十世紀に入ると、この方式はふたつの補完的な概念によってさらに強化された。それは科学的管理法と大量生産だ。大量生産を最もよく体現しているのは、自動車製造業者ヘンリー・フォードが導入した作業だ。そこから生産された低価格の自動車であるモデルTは、業界の慣習だけでなくアメリカ文化にも変化を引き起こし、裕福な中産階級の創造に貢献した。この中産階級は、大量消費を大きな特徴とした（大量消費の結果、製品の規格に対する消費者の要求は増えた）。フォードの組み立てラインでは、作業員は持ち場を離れず、コンベアベルトに載せられた材料が目の前を移動してくる。フォードによれば、これはシカゴの食肉処理場を訪れた側近が閃いたものだという。食肉処理場で側近は、逆のプロセスが進行するのを観察した。「解体ライン」では、作業員が待機している前を豚の胴体が移動してくる。そしてどの作業員も、自分が担当する部位を切り取る作業をひたすら繰り返した。

このような分業は、科学的管理法の発展につながった。そのパイオニアとなったのは、効率に強く執着する技師のフレデリック・ウィンスロー・テイラーで、テイラーイズムとして知られる労働慣行を提唱した。テイラーと彼の信奉者は、「時間と動作の研究」を通じて労働慣行を分析した。たとえば作業員を観察して作業工程を細分化し、各構成要素の作業を標準化した。フォードの側近がインスピレーションを受けた食肉処理場と同様、ここでは解体のプロセスが進行する。テイラーによればその目的は、「作業員が繰り返してきた古い経験則の代わりに、科学を発達させること」だった。[12]そして、そこからは重要な変化が見られた。作業をこなす労働者から、作業を管理する経営へと、知識と権力を移行させる必要が生じたのだ。

テイラーの弟子として最も成功を収めたフランク・ギルブレスと妻のリリアンは、自分たちの研究のために新しい測定単位まで考案した。それはふたりの名字のアルファベットを並び替えたサーブリッグで、手作業の一八種類の動作から成り、これによってあらゆる身体活動は定義されると考えた。「たとえばある男性が浴室に行ってひげを剃るとしよう」とギルブレス夫妻の子どもたちは、自伝的小説『Cheaper by the Dozen』(一ダースなら安くなる)の書き出しで綴っている。この小説には、効率に病的にこだわる専門家の家庭で育った経験が描写されている。「彼が顔を泡だらけにして、カミソリを手に持つと仮定する。彼はカミソリのありかを知っているが、最初に目で確認しなければならない。それが、サーブリッグの最初の動作『探す』だ。目はカミソリを見つけると、そこに視線を落ち着ける。それは二番目の動作『見つける』になる。三番目は『選ぶ』動作となり、カミソリをそっと動かしてから、四番目の動作『摑む』を始める。五番目の動作は『運ぶ』で、カミソリを顔まで持ってくる。六番目の動作では『位置を決め』、カミソリを顔に当てる。他にも一一のサーブリッグがあって、最後の動作では『考える！』」[13]

ここまで熱心に計測にこだわるのは、時間の十進法化と同じで滑稽な印象を受けるが、実はこの姿勢は社会に特有の傾向である。現実にはこうした手段によって、職場だけでなく、刑務所や軍隊や学校のような機関も統制される。そしてフランスの哲学者ミシェル・フーコーが語った「規律社会」も、このような形の計測を拠り所にしている。規律社会では、厳密に定義された規範で行動が抑制され、規範の遵守が強制される。フーコーが一九七五年に発表した『Discipline and Punish』（規律と処罰）では、この現象の具体例として刑罰の方式の変化を紹介している。それによれば十八世紀以前には、公開処刑や拷問など恐ろしい場面を見せつけることで服従が強制された。しかしこの慣習は後に変更され、今度は個人のアイデンティティや行動を統制することで、「従順な身体」が創造されるようになった。囚人は囚人服と番号を与えられ、いつどこで食べて寝るのか指示され、見えない看守から監視されているのか確信できない状態で暮らす。すると最後はこうした権力を自分の生活に内面化し、自らの行動を監視するようになるとフーコーは指摘する。露骨に残酷な手段に頼らなくても、従わせることはできる。「処罰を減らすのではなく、良い形で罰すればよいのだ」。

この簡単な歴史からは少々抽象的な印象を受けるかもしれないが、計測へのこうした病的な執着が特定の問題にもたらす影響については覚えておくべきだ。最もおぞましい具体例は、おそらくベトナム戦争での「戦死者数」だろう。ロバート・マクナマラ国防長官の指示によってアメリカ軍が採用したこの戦略では、戦いの勝利をひとつの測定基準だけで判断した。それは敵の死者数だ。

戦死者数に注目する決断を促したのは、この戦争の特殊な状況と、マクナマラのイデオロギー的傾向である。アメリカはベトコンのゲリラ戦術に対抗できなかったので、消耗戦に頼ることにした。共産主義の戦士たちに耐え難いほどの人的損害を与え、北に追い返す作戦を採用した。そして、目標の達成に向けた進展を最も確認しやすいのは、死体の数だとマクナマラは考えた。それまでに彼は軍隊で経験を積む一方で、実業界で経営効率を学んでいた。ハーバード・ビジネススクールで学ぶと、第二次世界大戦に従軍し、アメリカ軍の爆撃作戦の「効率」を改善する仕事を任せられた。そんな作戦のひとつが悪名高いミーティングハウス作戦で、このときの東京大空襲では、一晩のうちにおよそ一〇万人の市民が「業火に包まれ、熱さに苦しみながら焼け焦げて命を落とした」(後にマクナマラは深く後悔し、これは戦争犯罪だったと認めた)[14]。第二次世界大戦が終戦を迎えると、彼は実業界に転身し、フォードに十五年間在籍したあいだに経費削減に大なたを振るい、低迷していた事業を回復させた。やがて一九六一年に国防長官に指名されると、今度はアメリカ軍の全面的な見直しに取り組み、実業界で身につけた利益第一主義の情報収集に努めた。歴史家のエドワード・ルトワックによれば、マクナマラの指導のもとで「軍隊の専門知識は民間の数学的分析とすっかり置き換えられ」、「情報収集に新しい基準が導入され、簿記の手法は大きく改善したが、軍事力の最も重要な側面に関しては訓練不足が目立った。それは測定できない要素だった」[15]。その結果、数えることができるものばかりに注目が集まった。戦争に費やすドル、火力、そして殺した敵の数だ。

アメリカ軍の将校はベトナムで戦死者数を旗印に掲げて進軍し、ベトナムの住民を容赦なく苦しめる戦法を考案したが、それは作戦を実行する兵士たちにとっても過酷な経験だった。誰が最も多くの敵を殺すか、部隊同士で競わされたのだ。食堂には「殺害状況を記録したボード」が掲げられ、軍の新聞には各部隊の点数がプリントされた。そして幹部はチームの「生産割当」を決めて、ノルマを達成した兵士は昇進し、ビールをふるまわれ、海辺への旅行に招待された。さらに新しい戦術も考案され、たとえば「無差別発砲地帯」では、身元が確認できない人物は敵と見なして攻撃することが許された。こうして残忍な行為を戦略として売り込むため、様々な工夫が凝らされた。

それは悲惨な結果を招いた。穏やかに表現するなら、この戦死者数は捏造された。兵士は上官から命じられたノルマを達成するため、戦闘に巻き込まれて殺された農民の傍らにソ連製のＡＫ47を放り投げ、ベトコンの死体に見せかけた。むしろ、戦争犯罪を促したと表現するほうが正確だろう。アメリカ軍は何をしても罰せられないことがわかっていたので、民間人や子どもや赤ん坊を殺戮した。この戦争ではそれが許されると理解していたため、想像を絶する人的被害を統計に反映させた。軍のある内部報告書には、こう記された。「無差別殺人の重圧、あるいは少なくとも、すべてのベトナム人の死者を敵として報告しなければならない重圧には、ほとんど抵抗できなかったようだ」(16)。その結果として定着した死の文化の実態を、第一騎兵師団が作った歌は最も的確に表現しているので紹介しよう。「我々は病人にも若者にも動けない者にも銃を向ける／人を殺し、深い傷を負わせるためにベストを尽くす／だって、全員が同じように死者に数えられるのだから／ナパーム弾は子どもにも投下される」(17)。

植民地の拡大に伴う暴力や、優生学運動の残忍性と同様、人間の「計測結果への病的な執着」だけをこうした行動の原因として特定するのは公平ではない。むやみに数字を信用する傾向が果たした役割は否定できないが、説明の範囲を狭め、ひとつの原因だけを非難すべきではない。このような残虐性には、もっと根深い原因がある。人種差別や文化的例外主義、何世紀にもおよんだ植民地支配、異質な他者の人間性抹殺などが関わっている。こうした要因を無視して物語を簡潔にまとめると、数字だけにこだわる人たちと同じ罠にはまる。最終的には野蛮な言動に加担して、世界を過度に単純化してしまう。

自己の定量化

ニューヨーク・タイムズ紙に二〇一〇年に掲載された記事で、テクノロジー・ジャーナリストのゲイリー・ウルフは、これからの時代は定量化が進むと予測した。記事によれば、データを利用して決断することは、いまや生活のほぼすべての側面で標準になった。「数字への執着は、現代の経営者の明確な特徴になった。敵対的な株主と向き合う企業幹部は、あらかじめたくさんの数字を準備する。政治家の選挙活動も、医者が患者に行なうカウンセリングも、数字を頼りにする。そして地元のスポーツチームのファンは数字に注目し、ラジオトークで暴言を吐く」。ビジネスも政治も科学も、とにかく計測できれば頼りになると信じ込み、数字に行動を左右されるという。その理由は明白だ。数字は結果を示してくれる。だから「感情に左右されず、理性的に」問題解決に取り組める。いまでも定量化の誘惑に抵抗している領域がひとつだけある。しかしそんな社会の側面も、スプレッドシートの賢明な情報から恩恵を受ける可能性がある。「いまはまだ、個人の生活は居心地の良い場所に閉じこもっている」が、それもまもなく変化するだろうとウルフは予測した[18]。

いまや情報をデジタル化できるようになり、スマートフォンが普及し、低価格のセンサーが急増した。こうした新しいテクノロジーのおかげで、人間は未曽有の自己管理能力を手に入れた。十七世紀初めにサントーリオ・サントーリオは、ほんの僅かな個人データを生み出すため、巨大な秤を作り、そこに座って一日を過ごさなければならなかった。しかし今日では、あふれるほどのデータが最小限の労力で手に入る。少しのアプリとガジェットがあれば、睡眠、運動、食事、生産性を追跡することができる。スマートフォンを所有して、インターネットに接続し、現代の生活のネットワークに参加するだけで、私たちは目に見えない計測の対象となり、まるでウランが放射線を発するように、定量化されたデータをばらまく。

ウルフから見ると、こうした情報は巨大な潜在能力を秘めている。「車をチューンアップしたいとき、化学反応を分析したいとき、選挙の結果を予測したいときには数を利用する。ならば、自分自身に使ってもよいではないか」という。そんな彼の記事は、自己の定量化を掲げる運動（QS）にとって宣言書にほぼ等しい。「数によって己を知る」ことを目指す人々が緩やかに連携して運動を始めたのだから、計測の論理の内面化はずいぶん進んだものだ。この運動の起源は一九七〇年代にまで遡る。当時、熱心な愛好家は今日のウェアラブル技術の先祖となる未熟な技術の開発に熱中した。しかしこのアイデアは二〇〇七年にウルフが、ジャーナリスト仲間でありワイアード誌の創刊編集長のケヴィン・ケリーと一緒に「自己の定量化」という用語を作り、人々を改宗させるための非営利組織を創設すると、世間から大きく注目された。

自己の定量化についての説明は、風刺画での表現にぴったりだった。デジタル時代のグラドグラインド【訳注／チャールズ・ディケンズの小説の作中人物で、製粉所の冷酷な主人】が他には何も考えず、最適化された生活の追求に没頭している様子が描かれた。そして、いまやQSとして知られる自己の定量化を支持する人たちの多くは、実際のところこのイメージを払拭しようとしない。むしろ厳格な自己監視によって無駄な時間を分単位で取り除くだけでなく、高度な分析によって、何と、良い睡眠や定期的な運動が気分の改善に役立つことを発見し、誇らしさを感じている。明白な事実の難読化は、自己啓発を強調する指導者やカルトにとって常に都合が良い。そして自己の定量化の運動は、時としてこれらの領域と重なる部分があるようだ。その典型例を紹介する記事が、二〇一一年のフィナンシャルタイムズ紙に掲載された。そこで特集された「自己測定マニアでバイオエンジニア」のジョー・ベッツ＝ラクロワは、妻とふたりの子どもたちの体重を三年にわたって毎日測り続けている。妻のリサ・ベッツ＝ラクロワが同紙に語った話によれば、夫は分娩中も「手を握って私を励まし、抱きしめてくれる代わりに、分娩室の隅に座り、私の陣痛が訪れる間隔をスプレッドシートに入力していた」という。[19] こうした逸話はエフゲニー・モロゾフなどの批評家に対し、この運動がシリコンバレーの「解決主義」を支援するプログラムだと非難するための十分な証拠を提供した。解決主義では、データを集めて分析すれば、エラーや効率の悪さは最善の形で克服されると信じる。しかしモロゾフによれば、自己の定量化は「テイラーイズムを内面化し」、「独自性と例外主義を追求して自己陶酔にひたる現代の傾向」の具体例のひとつにすぎない。[20]

この運動の支持者も内省的な資質を否定しないが、これは「公の知識の普遍性」への対応だと弁護する。[21] 定量化によって世界に一般的な規則が導入されても、それが個人に適合しなければ、自分独自の数を創造するほうが真実を正確に把握できるのではないか。そして、自己測定マニアたちの以下のような事例を引用する。たとえば睡眠時無呼吸症候群、アレルギー、片頭痛などの慢性病を抱えていても、主流の医学による治療を拒み、パターンを発見する能力に注目する。何カ月も何年も根気強く自己測定を続けた結果、これまで隠されてきたメカニズムを生活のなかに発見し、何らかの食品や習慣が苦しみの引き金だったことがわかると、このあと幸せな人生を過ごすために必要な変化を実行する。そうなると自己の定量化は、計測を個人の次元に取り戻すための試みのような印象を受ける。統計による抽象化に抵抗し、自分の生活の輪郭を決定するために独自の計算を行なっている。中世の学者は、体の寸法を何度も測って痛みを治療したが、自己の定量化を支持する人たちは、自分自身にじっくり注目し、そこから救いがもたらされることを期待する。

ただし、常に集中的に取り組むわけではない。時として支持者は、深く考えず反射的に計測を行なっているようだ。自己の定量化(QS)のフォーラムをオンラインで覗いてみれば、自己測定マニアたちが実に些細な事柄を記録していることがわかる。たとえば、三年にわたって目標方位を数秒ごとに確認した記録、不安とげっぷの頻度の相関関係、友人や血縁者がいきなり心に浮かぶ頻度などがある(最後のケースでは、そんな瞬間を円グラフにして、両親について自発的に思い浮かぶ頻度が最も高いことがわかった)。このような行動は、まったく新しいわけではない。フランシス・ゴルトンの定量化に関する習慣を思い出してほしい。彼は一分ごとに落ち着きをなくす頻度を計算し、さらにはイギリスの美人の分布図を作製した。しかしいまではテクノロジーが進歩したおかげで、計測がずっと容易になった。状況によっては、こうした活動はパフォーマンスアートのようにも見える。計測の教義に対する反応のようにも、批判のようにも見える。しかしウルフは二〇一〇年の記事で、自己測定マニアは単に時代の支配的イデオロギーを認めているだけだと指摘した。数の世界で生きているので、それ以外の方法で自分を理解できないのだという。ウルフによれば、一世紀前には自己の謎を解き明かすため精神分析に頼り、「冗長で学者気取りの人間中心主義」の言語や文化が役に立った。しかしいまの世界は変わったのだから、時代遅れの方法論に頼る必要がなくなったのだとウルフは指摘する。
ただし数が正確になれば、自己分析の手段として言語の複雑さに匹敵する存在になるのだろうか。この疑問には、ウルフは答えていない。それでもこの点は、欠陥ではなく特徴として見なすべきかもしれない。計測できるものだけに自己探求の範囲を限定すれば、医者は答えを確実に見つけやすい。一方、セラピストに問題の解決を任せれば、言語の複雑さを理解するためのプロセスは効率が悪く、何週間も訪問を繰り返さなければならない。

それでもやはり、自己測定マニアは支配的な文化と変わらない。彼らの文化——それほど露骨ではないが、私たちの多くが自分の生活を測定していることを考えるなら私たちの文化——は、二十一世紀の生活の奇妙な側面を象徴する存在ではない。中世の穀物の計測や、植民地大国が行なった土地測量と同様、今日の計測からは、社会の上部構造が明らかにされる。いま取り上げている自己測定のケースも、現代の生活のデジタル制御系と深く関わり合っている。いまや国家の情報機関やフェイスブック【訳注／メタ・プラットフォームズ】、グーグルなどのテクノロジーの巨人は、大がかりな監視装置を動かしている。ウルフもケリーも、これらの企業を生み出したシリコンバレーの文化に染まっており、理念や手法のあいだには間違いなく重複する部分がある。グーグルは、「世界の情報を整理したうえで、誰もが利用して役立てること」を目標に掲げている。かつて会長だったエリック・シュミットによれば、テクノロジーは「実際のところ、もはやハードウェアとソフトウェアだけが関わっているわけではない」。「世界をもっと良い場所にするため、大量のデータから価値のあるものを見つけ出して利用する」ことも目指している[22]。こうした発言と自己の定量化の運動の発言のあいだには、達成したい目標のスケールしか違いが存在しない。

グーグルやフェイスブックの株主にとっては、世界をもっと良い場所にする目標は広告スペースを販売することで主に達成される。どちらの企業もバーチャル・リアリティヘッドセットや自動運転車など、大胆な野心的なプロジェクトに取り組んでいるが、大きな収入源はユートピア的でも魅惑的でもない。いずれの場合も、ターゲティング広告が収益の八〇ないし九〇パーセントを占める。あなたの購買傾向、趣味、健康上の問題、収入、友人、好きな映画、学位取得の有無など、数えきれないほどたくさんの些細な情報が記録される。そしてそのすべてが、あなたの目の前にどんな広告を持ってくるか決定するために使われる。学者のショシャナ・ズボフは、こうしたビジネスモデルを「監視資本主義」と名付けた。企業は役に立つ情報を場合によっては無料で提供し、その見返りに個人データを手に入れ、ユーザーの行動を予測して収益化するために利用する（あなたが広告をクリックするかどうかが、最も重要な予測になる）。あなたはグーグルを使って製品を検索するとグーグルはこのデータを利用して、あなたについての情報を手に入れ、あなたの画面にアクセスする権利を他の企業に販売するのだ。

このゲームを始めたのはグーグルとフェイスブックだが、他にも実に多くの企業がいまでは参加しており、その活動の範囲は、あなたが好む広告の予測に限定されない。ズボフによれば、あなたの行動のあらゆる側面を予測することを目指し、「保険、小売り、金融など、様々な商品やサービスの関連企業」がどんどん参加している。(23)こうした追跡と予測にはかなり風変わりな事例もある。たとえばあるベビーシッター会社は、応募者のソーシャルメディアをスキャンして、どんな言葉を使っているか確認したうえで、信頼性を評価する。(24)ある医療保険会社は、顧客がフィットネストラッカーを身に着け、毎週どれだけ階段を上り下りしたか記録してくれたら、保険料を引き下げる。(25)そしてある人材派遣会社は、応募者の「仕事への熱意」を評価するために顔スキャンのアルゴリズムを使っている。(26)こうしたアルゴリズムによる意思決定は、国も採用している。犯罪活動、医療の結果、さらには試験の結果など、現代の生活のきわめて重要な決断の一部に使われている。

こうした事例の一部は無害な印象を受けるし、少なくとも必要悪のように感じられる。そもそも、仕事を手に入れるために笑顔を作るのは、新しい作戦ではない。ならば応募者の選択は、間違いやすい人間よりも「客観的な」アルゴリズムに任せるほうが良いのではないか。しかしそれでは、こうしたシステムが下す判断の多くは好意的に見ても不可解で、明らかに間違っているケースも多いという事実が無視される。たとえば機械学習のデータは実際のデータに基づいて訓練されるので、社会のバイアスが反映されやすい。顔認証システムは白人以外の顔を正確に確認できないことが多い。そしてテキスト理解プログラムには、性差別的な言葉がコード化されている。アマゾン・ドット・コムが発表して有名になったあるエピソードでは、応募者の履歴書をレビューするためのアルゴリズムが創造された。開発に関わったエンジニアは、現在の従業員の名簿に基づいて候補者を選別するようにプログラムを訓練したが、その名簿は男性に大きく偏っていた。そのためソフトウェアは、女性は採用しても仕事ができないと判断し、女子大卒の応募者や、履歴書に「女性」という言葉が含まれる応募者をすべて排除してしまった。[27] このプログラムは実際に導入される前に廃棄されたが、アルゴリズムにも間違える可能性があることが、このエピソードからはわかる。

こうしたシステムが何よりも危険なのは、フィードバックループが繰り返され、それが私たちの行動を形成することだとズボフは考える。保険会社が私たちの健康を管理するガジェットを提供するのは、正しい行為だろうか。採用面接で応募者が人間ではなくアルゴリズムにアピールするように訓練するのは、正しい行為だろうか。なかにはもっと巧妙に影響をおよぼす方法もある。フェイスブックが二〇一四年に結果を発表して物議を醸した調査プロジェクトでは、およそ七〇万人のユーザーのニュースフィードを調べた。そして、「ポジティブな感情」について表示すると、ポジティブな投稿が増えることを発見した。逆に「ネガティブな感情」について表示すると、更新する投稿も悲観的になった。フェイスブックは当初この発見に勝ち誇り、「ソーシャルネットワークを介した大規模な情動感染に関する初めての実験的証拠が得られた」と宣言した。[28] しかし、それが何百万人もの人命におよぼす影響の可能性について市民から激しい抗議を受けて、すぐにトーンダウンした。

こうしたフィードバックループは、単に不都合なだけでなく、自由意志への脅威になるとズボフは論じる。この自由意志への脅威という概念は、「現在と未来の狭間《はざま》」に入り込むと、行動を決断する場面で影響をおよぼすという。今日は起きたらジムに行こう。タバコをあと一箱買うのはやめよう。そんなふうに決断する現在と未来の狭間で、見えないアルゴリズムが暴君のように権力をふるい、私たちに決断させまいと妨害していたら、私たちの自由は損なわれるのではないか。ズボフはこう語る。「私は唯一無二の人間だ。私のなかには決して取り除けない力があふれている。自分の顔がデータになるべきか、家や車や声がデータになるべきか、決めるのは私でなければならない。これは私の選択肢だ[29]」。デジタル企業の規模と権力を考えれば、こうした警告は正当化できるように思える。これは、十九世紀に台頭した統計論的運命論への不安と比較しないわけにはいかない。当時これはケトレーの平均人の登場が引き金となって始まったが、今日では悪夢で私たちを脅かす存在ではない。ではいまに時期が来れば、アルゴリズムによる統制にも同じことが当てはまるのだろうか。そしてそれは、危険が高く評価されすぎていたからだろうか。それとも、危険が課す制約を私たちが受け入れるからなのか。少なくとも、これが新しい不安でないことは間違いない。ドストエフスキーが一八六四年に発表した『地下生活者の手記』の主人公は「人間のあらゆる行動はまるで対数表のように、法律に従って数学的に計算されるようになる」日が近いと不安に怯えている[30]。

多くの人たちから見て、こうした力の最たる例は中国である。この国の「社会信用」システムは、デジタルによる監視を通じて個人の行動を形作ることを目論んでいる。プログラムには決まった形がなく、二〇〇九年から地域的に試されてきた。しかしこの国を支配する共産党は、最終的には部分的な取り組みを全国で統一させるつもりだ。すでに多くの行動が記録され、そのよし悪しが分類され、それに従って個人の賞罰が決められる。追跡の対象になる行動は様々だが、どれも社会的責任に焦点が当てられる。ユーザーはビデオゲームでごまかしたり、請求書の支払いを期日までに済ませなかったり、犬の糞を始末しなければ評価を下げられる。一方、慈善団体への寄付、献血、ボランティアは高く評価される。一部のプログラムでは集めたデータがひとつの数字にまとめられ、それが社会信用に関する各個人の点数となり、それに基づいて一定の特権や制約が決定される。点数が高い人は、自転車や車のシェアリングの利用料金が安くなり、健康診断を無料で受けられ、デートアプリの視認性が高くなる。一方、点数が低いと恥を公にされ、子どもは大学に進学できず、移動範囲が制約される。中華人民共和国国家発展改革委員会が二〇一九年に行なった報告によれば、社会信用制度のもとで「信頼できない人物」と判断された結果、一七五〇万人が飛行機での移動を、五五〇万人が鉄道での旅を禁じられた[31]。プログラムが公言する目的は、このような形で文字通り達成される。その目的とは、「信頼できる人物があらゆる場所を自由に歩き回り、信頼できない人物は行動をひとつとるのも難しくする」ことだ[32]。

この社会信用制度に対して西側諸国は、ディストピア的な要素に大きく注目する。政府による監視が露骨な形であちこちに存在し、行動のよし悪しが恣意的に判断される点が非難される。しかし、実態はもっと複雑だ。たとえば、プログラムの支持率は国内で高い。裕福で教育程度の高い年長者のあいだでは特に顕著だ[33]。中国は共産主義革命、さらには最近の資本主義社会への急速な移行によって従来の社会構造が破壊されたのだから、社会信用制度からは安心感を得られるとも考えられる。歴史家のセオドア・M・ポーターによれば、定量化と計測はコミュニケーションを共有する空間を創造し、主張の正しさを検証するために人脈を築く必要性が最小限に抑えられるので、長いあいだ不信感を克服するための手段だった[34]。社会信用制度は本質的に、政府の判断に基づいて信用度を点数化するので、その恩恵は従来の枠組みに当てはまる。しかしもっと重要なのは、中国の社会信用制度による信用度の点数化と、西側諸国の同様の制度のあいだに明らかな類似点があることだ。スーパーマーケットのポイントカード、金融機関が信用度を数値化したクレジットスコア、そしてズボフが指摘した監視資本主義と同じだ。いずれも私たちの行動に基づいて特権や罰則を与えるものばかりで、回避するのは難しい。中国との大きな違いは、西側ではこうした制度が政府ではなく民間機関によって管理されていることで、コミュニティよりも市場での活動のほうに重点が置かれる。中国の社会信用制度に警戒感を抱くのは、尋常ではなくディストピア的で異質だからではない。おそらく、私たち自身の社会ですでに機能しているメカニズムを、初めて見せつけられたからだろう。

科学的根拠のない一万歩

今日の社会で計測がどんな意味を持つのか、どのように使われたり悪用されたりしているか、その論理がどのように内面化されているか考えるとき、私はしばしばひとつの数字が思い浮かぶ。それは一日一万歩だ。おそらくこの測定基準を見たことはあるだろう。日々の活動の理想的な目標として引用される機会が多く、実にたくさんの追跡アプリやガジェットやフィットネスプログラムに組み込まれている。一日に一万歩を達成すれば、そのご褒美として、健康や幸せが手に入ると言われる。このように堂々と宣言され、しかもこの習慣は広く普及しているので、これは科学的調査の結果だと考えたとしても仕方がない。様々な調査や実験から得られた賢明な教えだと思うかもしれないが、そうではない。実は、山佐《やまさ》時計計器という日本の企業のマーケティングキャンペーンから生まれたものだ。同社は一九六五年、当時はめずらしかったデジタル歩数計を開発し、この新製品のガジェットにピッタリの名前を必要とした。その結果、万歩計という名前に落ち着き、こうした測定基準が初めて健康増進のために使われることになった。でも、なぜこの名前が選ばれたのか。なぜなら万歩計という漢字からは、胸を張って大きな一歩を踏み出す姿が連想されるからだ[35]。一万歩には科学的根拠がなく、単に視覚的なジョークだったようだ。

ただし一万歩が幻想だったとしても、確かに役には立つ。一日に何歩を達成すべきか、調査した結果からは、もっと細かくグレード分けされた目標が提供される。たとえば、一万歩は若い人には目標として低すぎるが、高齢者にはハードルが高く、すっかり諦めてしまうときもある[36]。研究によれば、高齢の女性が一日に四四〇〇歩を達成すれば死亡率がかなり下がるが、一日に七五〇〇歩を達成してもおまけは発生しない[37]。それでも、とにかく活動する時間を増やすことが体に良いのは確かだ。たとえ一日に一万歩という目標を実際に達成しなくても、気分の落ち込みやストレスや不安の徴候は少なくなる[38]。この点では、自己の定量化の支持者たちの主張にも一理ある。人々に語りかけるためには、理解できる言語で話す必要があるという主張は正しい。そのため、数字はしばしば根拠のない特権を与えられる。さらに、いたってシンプルで信頼性があるので、一万歩という概念は実体から離れ、おそらく良い方向に進んだのである。

ただし、話はこれで終わりではない。こうした具体例から距離を置き、定量化や計測のシステム全体を眺めてみると、問題が浮かび上がってくる。そもそも、自己の数値化という教えに従う必要があるのはなぜか。数字は幸せな生活に至る道だと信じるのはなぜか。たとえば自己の数値化は、脱線行為のように感じられるときも多い。慢性疾患を患っていない人たちにとって、自己の定量化の運動から得られる教訓はわかりきっている内容ばかりだ。「あらゆるもの（活動、仕事、睡眠）に関して自己の数値化に私は何年も取り組んできたが、これは無意味だという結論に至った」と、かつては熱心な信奉者だったクリス・アンダーソン（ワイアード誌の元編集長）はツイートした。「他では得られない教訓もインセンティブも、まったく存在しない」[39]。そして、誰がこうした行動に没頭するのかという疑問への回答も芳しい内容ではない。人口統計データは限られているが、自己の定量化（QS）が開催した会議の報告によれば、参加者のほとんどは中流階級か上流階級に所属する白人だった[40]。自己の数値化からは自由が提供されるというが、その特権を与えられる人は限られている。一方、地球上で最も厳しく監視されている人たちの一部は、大変な目に遭っている。アマゾン社の倉庫の作業員や配送ドライバーは、一日の労働時間を秒単位で計算しなければならない。しかもこの情報は搾取をさらに徹底させるために使われ、健康も幸福も犠牲にされる。ジェフ・ベゾスは宇宙旅行に出かけ、帰ってくるとアマゾン社の社員や顧客に感謝してこう言った。「皆さんがこの費用を払ってくれました」[41]。しかしその彼の旅行中、アマゾン社の倉庫で働いていた妊娠中の女性は、生産割当の達成目標に抗議して体を押された結果、流産してしまった[42]。

二十一世紀に生きる私たちの人生経験は、世界の支配欲によって形作られる傾向を強めていると、ドイツの社会学者ハルトムット・ローザは指摘する。経験的観察を通じて世界は体系化され、その結果は克服すべき課題として見なされる。「私たちの前に現れるものはすべて、理解され、習得され、征服され、役に立てなければならない」と、ローザは記している。そして、その最も顕著な例が、自分の体の数値化へのこだわりだという。しかも同じ枠組みは、自分自身の外で遭遇する世界の体系化に使われる機会も増えている。「山に登頂し、テストに合格し、キャリアの梯子を上り、愛を克服し、旅行に出かけて写真を撮り（『実際に見なければならない！』）、本を読み、映画を観るなど、様々な行動が求められる」という。「西側の『先進国』で暮らす近世後期の平均的な人民にとって、毎日の生活はどんどん膨らむやるべきリストへの取り組みを中心に回り、他のものが入り込む余地はなく、その傾向はどんどん強くなっている」[43]。

ローザによればこうしたマインドセットは、文化や経済や科学の三世紀におよぶ発達の結果として生まれたものだが、デジタル化が進行すると同時に、資本主義の見境のない競争が激化したため、最近では従来の傾向が「新たに過激化した」という[44]。そして計測の歴史には、こうした発達の多くが記録されている。というのも計測は、現実への理解を深め、管理するための手段として重宝されてきたからだ。しかもいまでは、世界のなかでの経験、さらには自分自身の経験の多くを理解するための手段にもなっている。しかし計測すればするほど計測の限界に突き当たり、それが生活にもたらす不安と格闘しなければならない。ローザも指摘しているが、こうした問題は過去数世紀にわたり、多くの思想家によって様々な形で説明されてきた。たとえばカール・マルクスにとって計測は、職場での疎外感につながった。労働の生産物が数字で表現されると、結びつきが断ち切られてしまうからだ。あるいはマックス・ヴェーバーは、世界に対する幻滅だと解釈した。自然が合理化されると、魔法や重要な意味が取り除かれるからだ。そしてハンナ・アーレントにとって計測は、科学技術が創造する距離に他ならなかった。おかげで人間同士の親密な間主観性も、かつては地域社会の仲間と一緒に経験した世界も、失われてしまった。ローザ自身は、こうした不安を「攻撃ポイント」と呼んでいる。この地点に達すると、「物事や出来事の予測や管理や制御に向けた努力や願望」が妨げられ、「直感が優先され、あるがままの『人生』を素直に受け入れたくなる」[45]。計測に関して学んで身につけた習慣が、自分自身のなかのもっと深遠で数値化できない要素と衝突する瞬間でもある。

私は本書の冒頭で、計測という主題に興味を持ったのは、一部の測定単位の起源についての純粋な好奇心からだと説明した。キログラムはなぜキログラムなのか。インチはなぜインチになったのか、知りたい気持ちを抑えられなかった。いまではこうした疑問の大切さを十分に理解できるようになった。私たちが計測という方法を通じて世界と関わり合っているなら、計測系の起源は何か、そこには何らかの論理が存在するのか、尋ねるのは理にかなっている。論理の存在についての答えはノーで、実際のところ論理は存在しない。いや、正確を期するなら論理は存在するが、万歩計と同様、慎重に組み立てられたわけではなく、偶然の積み重ねから存在するようになった。メートルがメートルとなったのは、数百年前のフランス革命の時代に一部の知識人が、私たちが暮らす地球を測量して長さの単位を定義することは、何よりも合理的な行動だと考えたからだ。さらにメートルがメートルになったのは、測量のあいだに犯した間違いがそのまま修正されず、計測系のひとつとして正式に認められたからでもある。要するに、これこそがメートルだと宣言するから、そのままメートルとして採用されたのである。

そう思うと私は気持ちが楽になり、元気づけられる。世界の様々なシステムや秩序の枠組みは、伝統や権威に深く根差し、犯すべからざる存在のように見えるが、実は人生のあらゆるものと同様に変化する可能性があることを、メートルの歴史は思い出させてくれる。人類が夢見るあらゆる壮大な計画や、管理と組織化を目指すあらゆる計画や手段と同様、疑問を抱いて変更することが可能なのだ。複雑な世界や予測不可能な人間の生活を土台にして形作られたのだから、私たち人間と同じように、間違える可能性がある。もしも機能せず、正確に計測できなければ、作り替えればよいのだ。

頭のなかの測定器

私が今回のような本を書いたという事実から推測できると思うが、私自身、いっぱしの計測マニアだ。ただし、風刺画の対象になるような存在だとは考えていない。宗教上の理由から歩数やカロリー数を数えないし、体のサイズに細かくこだわらない。子どものときは、おもちゃを大きさの順に並べることに取りつかれていると言われたが、この習慣からはすでに卒業した。自分が目立つ形で何かを計測するとは思わないが、それでも計測は私の生活の重要な部分を占める。多くの人たちと同様、世界を理解するための構造を提供してくれる心強い存在だと考える。

私の個人的な習慣は、仕事や健康状態や生産性に関する平凡な計測を中心に展開している。リストを作成し、メモを取り、様々なアプリやノートに願望とかやるべきリストを書き込む。毎日チェックリストを確認し、行動が改善されて確認する必要がなくなったものは、数カ月ごとの見直し作業でリストから外す。そしてエクササイズでは数字にこだわる。ジムで動作を繰り返す回数やウェイトの重さを量り、ランニングの回数や距離を測定する。目標をクリアしたときの達成感は、生半可ではない（少なくとも、常に生半可というわけではない）。チェックリストの行と列は時間の管理に役に立つ。迷った羊の群れを追い立てて囲い込むように、無駄な時間がきれいに整理される。一方、ジムで計算を行なえば、数値化された進歩を確認してほっとする。こうした習慣は自分を見失ったときには構造を、停滞しているときには目的を与えてくれる。そんなときは、自分の生活を統計にまとめて表すのは気分が良い。達成した成果が書面に表示される。脂肪も筋肉も数値を確認すれば、汗をかいて努力して変えることができる。こうした戦略は、いまではノーマルだろう。現在の状況に関するハルトムット・ローザの診断は正しい。今日の世界では、計測は反射的に心のなかで行なわれる。パリの国立公文書館の学芸員の話では、小学生はメートル原器を見て困惑する。「メートルはすでに頭のなかに入っているのに、なぜ物体が必要なのか理解できない」のだ。

ただし、何を計測の対象にすべきかという問題は、答えるのが難しい。たとえば私は自分を鞭打ちながらも、社会的に許容される形で自らの生産性を監視する一方、それほど体系化されない形で、もう少し個人的な計測も行なっている。それは自制心に関するちょっとしたテストで、子どものときに考えたものだが、大人になっても続けている。たとえば、知らない単語が出てきて意味を調べなかったら、私は世界に関心がないものと見なす。もしもリンゴを食べて芯を残せば、私は決断力に欠けると判断する。こうしたテストは、いたってノーマルではないだろうか。どんな人の心のなかにもこうした測定基準が存在し、隠れたままのものもあれば、外に表れるものもあり、いずれにしても自分自身の行動を反映する鏡になっている。このように、心のなかで行なわれる計測の結果が行動を制約するので、私たちのエゴが妥当な範囲を超えるほど強くなることはない。しかし、結果にこだわりすぎると問題が発生する。

私が心のなかで行なったテストで最も馬鹿げたものは、最も極端なものでもあった。それは、ベートーベンの交響曲第九番に関するちょっとした儀式だ。私はこの曲を十五歳のときに初めて聴いて、たちまち夢中になった。特に第四楽章の「歓喜の歌」は格別で、その力強さには圧倒された。そしてこのテーマが近づくと、まるでサーカスの行進のようにトライアングルを鳴らし、ファゴットを吹いたものだ。この音楽で体じゅうの神経は張りつめ、私は感動のあまり立ちすくみ、恍惚感に浸った。そして、この感情を何とかうまく表現して増幅させようと決心し、人生でとても幸せなときや何かポジティブなことが起きたとき、あるいは自分が何か顕著な成果を上げたときには、「歓喜の歌」だけを聴くことにした。これはテストであると同時に、報酬を伴った。私の人生のクライマックスが確認される一方、良い感情とだけ結びついた音楽を心から楽しむことができた。あとから友人には、これは本質的にルドヴィコ療法の逆バージョンだと指摘された。これはアンソニー・バージェスの小説『A Clockwork Orange』(『時計じかけのオレンジ』)で行なわれる嫌悪療法で、得られた教訓を強調するため「歓喜の歌」に頼っているところは同じだった。私はバージェスを真似た記憶はないが、当時は十五歳だったから、ティーンエージャーの心は似たようなメロドラマを勝手に作り出したのだろう。

そんな私の実験の結果は、当初はポジティブだった。テストの結果が発表されたり、大学への入学を許されたり、人生の節目となる出来事のあとに「歓喜の歌」を聴きながら、いつもこの音楽を心から楽しんだ。しかし齢を重ね、高校や大学など厳密な構造を持つ組織を離れると、節目となる出来事は頻繁に訪れなくなった。自分の幸せへの期待は希薄になり、ついに幸せは遠くに離れてしまった。二十代の初めには長いあいだ鬱状態に苦しんだ。ティーンエージャーのときも悪い感情にとらわれるときはあったが、いまや永久に鬱状態が続くように感じられた。自分の人生には賞賛に値するものは何もない。幸せに値するような良いことを、自分は何もしていないと考えた。その結果、「歓喜の歌」を聴かない時期が五年間続いた。

私は自分が始めたテストの方針に苦しめられた。あの馴染み深い前奏が聞こえ、音が大胆に高低を繰り返して迫ってくると、直ちにそこから遠ざかった。ビデオの音を消し、テレビのチャンネルを変え、映画の場面に登場すると映画館から出て行った。ジョギングをしている最中に路上で「歓喜の歌」を演奏するバンドと鉢合わせ、走り去ったときもあった。「歓喜の歌」を聴いてはいけないと、私は自分に言い聞かせた。その喜びに自分は値しないのだ。この音楽はあまりにも素晴らしいが、自分はあまりにもひどい。冒頭でソリストが「おお友よ、このような調べではない!」と歌い始めると、自分のことのように感じられた。

やがて鬱状態は緩和された。私は若い頃に考えた小さなテストについてほとんど忘れ、もっと寛大で頻繁に繰り返せるルーティンを考案した。そんなある日、とびきり良いニュースが飛び込んできた。ティーンエージャーの頃によくあこがれていた目標が、不思議なことに予想外の時期に達成されたのだ。私は有頂天になり、この節目となる出来事をささやかに祝おうと決めた。昼休みになると近くの公園に行き、日だまりでベンチに座ると、ヘッドフォンを装着し、何年かぶりに「歓喜の歌」の頭出しをした。ところが、お馴染みの「歓喜よ、美しき神々の御光よ、楽園の乙女よ」というコーラスが始まっても、私は……何も感じなかった。体を電流が走るわけでも、感情が高ぶるわけでもなく、太陽の下で軽快に走り回るリスを見ながら、頭のなかは空っぽだった。あのテストの何かが、私から音楽を楽しむ能力を奪ったのだ。私はテストに意味をつけすぎた。どの音符にも期待をかけすぎたため、全体が崩れ去ってしまい、それと一緒に私の喜びも失われた。私はヘッドフォンを外して立ち去った。

私たちの多くが人生で経験する計測との関係は、これと同じではないだろうか。特に自己測定に関してはそれが当てはまると思う。私たちはやるべきリストや締めきりで足場を組み、それは義務でもあり願望でもある。そしてその枠組みのなかで、自分の理想の人物像を組み立て、それを永久に追求するように駆り立てられる。もっと生産的な人間になるためのヒントやアドバイスを集め、もっと多くを達成し、文化を普及させようと考える。手がかりは雑誌のページやソーシャルメディアのフィードで簡単に見つかる。生産性を高め、個人的な充足感を得るための秘訣を色々と教えてくれる。これは確かに新しい現象ではないが、現在は猛烈に勢いづいている。そうなると、自分の時間を生産的に管理する能力は長所どころか美徳と見なされるようになり、私たちの道徳的価値を判断する基準になってしまう。魂の重さを量ることができると最初に考えたのは古代エジプト人だったかもしれないが、何千年も経過した現在では、魂の計算があちこちにあふれ返っている。

計測の境界は固定されていないことが歴史からはわかる。科学者が観察の成果を学ぶと拡大し、民間伝承や神秘主義が取り入れられると縮小する。そして、キリストの背丈や中世の聖人の物語のように、計測を奇跡と結びつけることはもはや一般的ではないが、今日でも計測への対処法には、同じ魔術的思考の残骸が残っている。私たちは数の客観性を崇拝し、人生の問題はすべて統計で解決されると信じる傾向がある。しかも時として、何かが世界で占める位置を計測すると、その結果のほうが存在感を強め、本来なら注目すべきものが目立たなくなる。計画が目標を呑み込んでしまうと、そもそも何を望んでいたのかわからなくなるのだ。計測があふれ返り、計測に基づいて構築される世界のなかで生きる私たちは、計測はどんな目的にかなうのか、最終的に誰が恩恵をこうむるのか、常に思い出す必要がある。

ところで私は、いまこの最後の言葉を書きながら「歓喜の歌」を再び聴き、心は喜びで満ちあふれている。

謝辞

多くの本は確かにひとりの努力の結晶で、誰にも頼らず険しい地形の踏破に挑む。でも私はこの謝辞を書きながら、自分は大勢の人たちに助けられて本書を完成させたのだと思い出さずにはいられなかった。本書は最初から最後まで、間違いなく共同作業となった。取り上げたテーマは範囲が広く、しかも手ごわいので、私ひとりでは手に負えず、他の人たちの研究や洞察を参考にした。しかし同時にこの本は、別の共同作業の成果でもある。私の愛する人たちの忍耐と知恵と思いやりから生み出されたものだ。みんな、本当にありがとう。

まず、素晴らしいエージェントのソフィー・スカードとカット・エイトケンの名前を紹介しなければならない。特にソフィーの賢明なアドバイスは役に立ち、企画書は最初の段階でブラッシュアップされた。思いきって挑戦して、本当によかった。そのあとの本づくりのプロセスでは、ファーバー社の編集者のローラ・ハッサンとエミー・フランシスが頑張ってくれた。大胆な手直しから細かい修正まで、あらゆる作業に取り組んでくれた。これほど気配りが行き届き、てきぱきと働き、しかも思いやりのある読み手と仕事ができたのは、信じられないほど充実した経験だった。私は常にくよくよ思い悩み、無駄話が多かったが、それを寛容に受け止めてくれた。原稿の整理を担当したジェニ・デイヴィスと、原稿を活字組みして校正を担当したイアン・バハラミにも心から感謝したい。どちらも必要な場面で何度も介入してくれたおかげで、手に余るほど厄介な問題に直面する事態が回避された。様々な許可を得るために奔走してくれたベス・デュフォー、素敵な表紙（原書）のデザインを作ってくれたジョニー・ペルハムも忘れてはいけない（表紙に掲載されるのがあなたの名前ではなく私の名前なのは、不公平としか思えない）。そして、ファーバー社の素晴らしいチームは、本書が校正、印刷、出版のプロセスを経て未知の世界に送り出されるまで、一部始終の舵取りをしてくれた。ジョアンナ・

ハーウッド、ハンナ・ターナー、ジョン・グリンドロッド、モー・ハフィーズ、ジョシュ・スミス、本当にありがとう。

つぎに、ザ・ヴァージ（IT系ニュースサイト）の同僚に感謝を捧げたい。直接的にも間接的にも今回の取り組みを支えてくれたおかげで、私は調査と執筆に時間をかけることができた。キログラムの定義の見直しを記事で取り上げるための最初の取材旅行に私を送り出してくれた結果、私はこの定義変更についてそもそも学ぶきっかけを提供された。ニレイ・パテルとディーター・ボーンは、素晴らしいクルーを集めてくれた。トーマス・リッカーは長年にわたり、あちこちでサポートと助言を惜しまなかった。T・C・ソテックは、プライベートでも仕事でも様々な場面で手を差し伸べてくれた。そしてリズ・ロパットは、ジャーナリストになる方法を教えてくれた（かならずしもすべてが身につかなかったのは、申し訳ない）。

本書は多くの情報源を利用しており、調査や執筆や編集の各段階で専門家や学者の話を聞かせてもらった。なかには、自分の専門分野に関わる章の初校に目を通し、意見を述べるだけでなく、修正箇所を指摘してくれる方々もいた。本当にありがたかった。本書で目を惹く鋭い洞察は、優れた知性の持ち主から提供されたものだ。そして間違いはすべて私の責任である。以下に、（本書でテーマとして取り上げた順番にしたがって）お世話になった方々を紹介する。サリマ・イクラムは、カイロの市街とローダ島の壮大なナイロメーターを紹介してくれた。デニス・シュマント＝ベッセラは、クレイトークンに刻まれたしるしの起源についてわかりやすく説明してくれた。ニコラ・イアロンゴは、青銅器時代の重量単位が各地で驚くほど一致していることに関する見解を述べてくれた。エレノア・ジャネガは、中世のあらゆる事柄に関する知識を提供してくれた。ちなみに彼女は、「暗黒時代」という間違った名称への反対運動を精力的に展開している。マーク・サッカーは、オックスフォードの計算者たちへの関心が強く、しかも造詣が深く、土砂降りの日の午後、大英博物館の前で貴重な知識を伝えてくれた。エディス・シラも、同じオックスフォードの賢者について話し合う時間を設けてくれた。トム・アインスワースは、古代ギリシャ人に対する私の誤解をソクラテス式問答で修正してくれた（そしてハリエット・アインスワースは、私をトムに引き合わせてくれた）。エマニュエル・ルグリは、試金石に関する素晴らしい研究の中身だけでなく、まったく同じものを作り出す技術の発明に関する鋭い見解を教えてくれた。アンナ＝ザラ・リンドボムは、グスタビアムヌ博物館で私のために時間を設け、スウェーデンの計測学の一部始終に関する知識を伝えてくれた。エリザベス・ネスワルドは、熱力学の歴史に関する慎重な見解と、当時の文化的反応への洞察を聞かせてくれた。ハソク・チャンは温度の誕生に関する研究を紹介してくれた。しかも私が本書のために行なうインタビューの最初の相手として、計測学の世界に私を誘ってくれた。マイケル・トロットは、メートル革命について話し合う時間を作ってくれたが、このテーマに関する研究は素晴らしい内容で役に立った。フランス国立公文書館のサビーヌ・メローとステファニー・マルク＝マイェは、保管庫の鍵を開けて、キログラム原器とメートル原器を見せてくれた。ジュリア・レヴァンドフスキが貴重な後押しをしてくれたおかげで、アメリカ大陸の植民地化に関する私の理解は深まった（そして、まだ五十年が経過していない情報源についても指摘してくれた）。ニール・ローレンスは、統計の問題に関して教えてくれた。それを私がうまくまとめ、正確に伝えていることを願う。トニー・ベネットは、メートル法への積極的な抵抗（ARM）がどのように仕事をやり遂げるのか、目の前で見せてくれた。魅力的な人物で、パイントグラスを重ねながら意気投合した。マーティン・ミルトンとリチャード・デイヴィスは、私をパリの国際度量衡局（BIPM）の本部で歓迎し、人工物や公文書を色々と見せてくれた。スティーブン・シュラミンガーは、現代の計測学について詳しく説明してくれただけでなく、私の仕事の内容を細部に至るまでチェックしてくれた。米国立標準技術研究所（NIST）のスティーブ・コケットは、奇妙で面白いものを集めた標準物質（SRM）のカタログについて教えてくれた。私が保管場所を訪れ、ピーナッツバターを試食できなかったのは残念だ。

つぎに、今回のテーマに関する補足説明をしたい。私が読んで参考にした本の著者にひとりひとり感謝するのが大変なのはわかっているが、それでも少なくとも心のなかでは、感謝せずにはいられない。ここでは具体的に、数人の作家を特に選んで紹介したい。本にまとめられた計測学に関する彼らの研究は、この学問分野の可能性を私に教えてくれた。まず、ロバート・P・クリースの著書『World in the Balance』(『世界でもっとも正確な長さと重さの物語』)は、私を計測の素晴らしい世界に誘ってくれた。つぎにケン・オールダーは、学問的な厳密さと物語の面白さが特徴の『The Measure of All Things』(『万物の尺度を求めて』)で、メートル法の発明は世界の歴史のなかでも重要な出来事なのに、見過ごされていることを指摘した。そしてサイモン・シャファーは、歴史、文化、科学、哲学を統合した著書をいくつも発表している(その多くには計測学が関わっている)。私は知的好奇心が衰えたときに彼の著書を読むと、インスピレーションが湧いてくる。私の経験では、本の執筆で話を進めるために必要な内容を集めるには、一ページにつき数十もの資料に目を通さなければならない。自分がこうした積み重ねに成功したことを願うばかりだ。この点に関しては、大英図書館のスタッフに感謝しなければならない。コロナ禍にあっても建物の安全の維持に努め、膨大なマイクロフィルムやぼろぼろのジャーナル誌から必要な資料を見つけるのを手伝ってくれた。

そして最後に、古くからの私の読者と友人や家族に心の底から感謝したい。その励ましとサポートはかけがえのないものだ。知的インスピレーションが湧く瞬間は素晴らしい。しかし、あなたの著書は努力に値すると実際に褒められることは格別だ。そんなサポーターの名前を以下に紹介する。ロバート・マクファーレンは、本書の最初の数章を読んだうえで、まさに必要な部分でアドバイスを惜しまず、激励してくれた。最初は一貫性に欠けた多くの章に一本筋が通ったのは、ガヴィン・ジャクソンのおかげだ。いつでもビールとタバコを準備して励ましてくれた。レイチェル・ドブスは、異常なつらい経験について取り上げた「おわりに」の原稿をじっくり読んだあとも正気を保ち、言葉に関しても感情に関しても賢明なアドバイスをくれた。そして母のブリジットは、何事にも隅から隅まで目を通し、知恵を働かせて丁寧に言葉を紡ぐ能力が優れているが、それはティーンエージャーの私が学校のエッセイと格闘していたときから変わらない。他にも、すべての友人に感謝する。私が抽象性と特殊性についてとりとめなく話しても、執筆に行き詰まって文句を言っても、じっと耳を傾け、泣き言をこぼすための肩を（文字通りにも比喩的にも）差し出してくれた。これは本当に嬉しかった。なかでもトム・クルークには、特別に感謝している。人生の浮き沈みを通じて、彼との固い友情は揺らぐことがなかった。アリー・ダニエルとオリバー・イロットとジョン・レジャーは、いつもやさしく支えてくれた。ヨークの若者たち、マシュー・スマースワイト、フラン・ロイド＝ジョーンズの名前も紹介しておく。さらに、あるディナーパーティーの出席者全員にも感謝したい（執筆中にたびたび、このときのことを考えた）。ルーシー・エルブンには大変お世話になった。実際、あなたの愛情と励ましがなければ、本書は存在しなかっただろう。そして最後に、素晴らしい家族にもみんなに対するのと同様に感謝する。この数年間、私を惜しみなく支えてくれた。愛情やサポートだけでなく、他にも測ることができない多くのものを与えてくれた。ウィル、ベス、アルフ。ローズ、クラウディア、ジョージ。そして素晴らしい両親のブリジットとジョン。本当にありがとう。

訳者あとがき

いまの私たちの生活には、数字の存在が欠かせない。たとえば時間。一日のスケジュールはおおよそ決められており、朝は寝坊しないよう、前の晩に目覚ましをセットする。職場や学校に出かけるなら、定刻通りにやってくる電車に乗り遅れないように身支度をすませる。職場での仕事も学校での勉強も、時間が細かく配分されている。帰宅すればだいたい同じ時間に食事をして、だいたい決められた時間に就寝する。もしも時計がなかったら、大混乱に陥る。時間の概念がない時代には、日の出と共に一日が始まり、明るいうちは戸外での作業に精を出し、日が沈めば一日が終わったことだろう。私たちにとって数字はごく当たり前の存在なので、人間の発明品だという事実をつい忘れてしまうほどだ。大昔、数字がどのように発明されたのか記録が残されているわけではないが、数字の発明によって集団生活に秩序がもたらされた結果、人間の社会は高度に発達して今日に至ったと考えられる。

数字は本当にありがたい存在だ。たとえばスポーツ競技など、数字がなければ成り立たない。競泳や陸上競技では、タイムが厳密に測定される。タイムにこだわらずに野原を走ったり、川を泳いだりするだけでは、世界記録は確認できず、トレーニングにも熱が入らないだろう。そして、数字は貴重な情報を伝えてくれる。コロナ禍もだいぶ落ち着いたように見えるが、しばらくのあいだは一日の感染者数が発表され、それに基づいて行動を判断したものだ。どれだけ増えたか、あるいは減ったか、報道で確認しては、一喜一憂した。何も知らなければ、それですんだのかもしれないが、感染のリスクを避けるために確実に役に立った。

本書は、私たちの生活とは切っても切れない関係にある計測が、大昔に発明され、都市の発達と共に洗練され、度量衡の統一が社会に秩序を生みだし、科学の進歩やグローバリゼーションが促され、いまのように生活の多くの側面が数字に管理され、ネットの膨大な情報に振り回されるようになるまでの経過を、時系列で解説している。ただし、単なる科学書ではなく、計測の発達にまつわるエピソードが満載だ。特に、度量衡が統一され、それが世界を大きく変えていくプロセスは面白い。私たちが何気なく使っているメートルやキログラムが、多くの人たちの努力の結晶であることがわかる。そして、著者のジェームズ・ヴィンセントの取材旅行は紀行文のように面白い。エジプトではナイロメーターを見学し、パリではメートルやキログラムの原器を、スウェーデンでは最初の温度計を見せてもらった。この温度計は、いまとは目盛りの付け方が反対になっている。愉快なところでは、イギリスでメートル法に反対する活動家と一緒に、他愛のない違法行為に手を染めている。詳しくは、本文を読んでいただきたい。

統一された度量衡で社会が管理されると、それまでの自由が奪われることに人々の不満が募ることは、いつの時代も変わらない。実際、少々いい加減な表現のほうが、状況を理解しやすいこともある。たとえば、この畑の面積は何エーカーというよりは、牛一頭が一日に耕せる面積と説明するほうが、あるいはあそこまでの距離は何メートルというよりは、犬の鳴き声が届く距離と説明するほうが、イメージがわいてくる。そもそも、数で表せば正確というわけでもない。たとえばフランス革命の時代には、メートルの基準として子午線が採用されたが、子午線の長さは緯度によって異なる。そして、世界共通の単位の基準となるキログラム原器は、これなら完璧だと思われてきたが、実は時間と共に僅かだが劣化が進み、軽くなっていることがわかった。そのため、いまでは物質に頼らず、物理定数が採用されるようになった。

いまや計測はどんどん細かくなっていくが、ならば数字は正しいと全面的に信じてはいけない。キログラム原器のエピソードは、その大切さを教えてくれる。ところが私たちは、数字で表現されるものは正しいと、ついい考えてしまう。たとえば本書には平均が誕生するまでの歩みについての記述がある。いまは平均というと、平凡なイメージがあるが、当初の平均は、理想を意味した。そして平均値から外れるのは劣っている証拠と見なされ、差別につながる可能性もあった。いまでもテストの偏差値や平均点は、学力を判断する目安として重宝されるが、あくまでもひとつの目安として考えなければいけない。

そうはいっても、現代社会の数字へのこだわりは強くなる一方のようだ。たとえば、本書では万歩計について取り上げている。私は持っていないが、万歩計を利用している人は身近に多い。「今日は一万歩を達成した」から健康を維持できると安心するようだが、これには科学的根拠がない。実際には、高齢者が健康を維持するために一万歩は不要だという。スマートウォッチも、使う人は増えているようだ。あるいは、健康診断の結果は数値によって細かく評価されるが、正常値から少しでも外れたら病気というわけではない。こだわりすぎるほうが、健康には良くないのではないか。むしろ、自分の体の声を聞き取る感性を磨き、それを数字から得られる情報と組み合わせれば、より良い判断ができるだろう。昔の人のように、状況を的確に判断する能力は大切だ。ちなみにゴルフでは、いまは距離を時計で測る人が増えた。確かに、残り何ヤードと正確に表示されれば便利だが、頼りすぎると感性が鈍ってしまうような気もする。なかにはパターにまで使っている人もいるが、やはりほどほどがよい。何事も「良い塩梅」を心がけたい。

数字には良い点も悪い点もあるが、私たち人間と一緒に歴史を歩んできた。本書を読んで新しい知識を増やし、理解を深めていただければ幸いだ。最後に、本書は築地書館の土井二郎さんから翻訳のお話をいただき、編集作業では北村緑さんに大変お世話になった。どうもありがとうございました。

二〇二三年十月

小坂　恵理

本文図版

P16 *Uraniborg* Wikimedia Commons

p22 *Newton* Wikimedia Commons

p33 *Nilometer, Cairo* Prof. Mortel / Wikimedia Commons

p46 *The Singer of Amun Nany's Funerary Papyrus* Wikimedia Commons

p59 *Girsu Gudea the Constructor* Wikimedia Commons

p98 *Draughtsman Drawing a Recumbent Woman* Wikimedia Commons

p120 *Commentaria in primam Fen primi libri...* https://wellcomeimages.org/indexplus/obf_images/85/93/d1e1b3a840734ead76fe7771e9a8.jpg / Wikimedia Commons

p164 *Calendrier-republicain-debucourt* Wikimedia Commons

p192 *Great Trigonometrical Survey of India* (1922). Wikimedia Commons

p241 *Campiglia marittima, targa pesi e misure* I, Sailko / Wikimedia Commons

p247 *Piazzi-plate* Wikimedia Commons

p269 *Charles Sanders Peirce in 1859* Wikimedia Commons

p295 *Standard reference material peanut butter* Wikimedia Commons

p303 *Detroit Industry, South Wall* Wikimedia Commons

Bezos to Space', *The Verge*, 20 July 2021. https://www.theverge.com/2021/7/20/22585470/jeff-bezos-blue-origin-space-amazon-customers.

42 Lauren Kaori Gurley, 'Amazon Denied a Worker Pregnancy Accommodations. Then She Miscarried', *Motherboard for Vice*, 20 July 2021. https://www.vice.com/en/article/g5g8eq/amazon-denied-a-worker-pregnancy-accommodations-then-she-miscarried.

43 Rosa, pp. 6–7.

44 Rosa, p. 7.

45 Rosa, p. 60.

Social Networks', *Proceedings of the National Academy of Sciences*, 111(24), June 2014.
29 Joanna Kavenna, 'Shoshana Zuboff: "Surveillance Capitalism Is an Assault on Human Autonomy"', *The Guardian*, 4 October 2019. https://www.theguardian.com/books/2019/oct/04/shoshana-zuboff-surveillance-capitalism-assault-human-automomy-digital-privacy.
30 Fyodor Dostoevsky, *Notes from Underground*, （『地下室の手記』以下によって、ロシア語から翻訳） Richard Pevear and Larissa Volokhonsky (New York: Alfred A. Knopf, 2004), p. 23.
31 Lily Kuo, 'China Bans 23m from Buying Travel Tickets as Part of "Social Credit" System', *The Guardian*, 1 March 2019. https://www.theguardian.com/world/2019/mar/01/china-bans-23m-discredited-citizens-from-buying-travel-tickets-social-credit-system.
32 以下から引用 Simina Mistreanu, 'Life Inside China's Social Credit Laboratory', *Foreign Policy*, 3 April 2018. https://foreignpolicy.com/2018/04/03/life-inside-chinas-social-credit-laboratory/.
33 Genia Kostka, 'China's Social Credit Systems and Public Opinion: Explaining High Levels of Approval' (23 July 2018). Available at SSRN: https://ssrn.com/abstract=3215138 or http://dx.doi.org/10.2139/ssrn.3215138.
34 Porter, *Trust in Numbers*, 1995, p. ix.
35 Amanda Mull, 'What 10,000 Steps Will Really Get You', *The Atlantic*, 31 May 2019. https://www.theatlantic.com/health/archive/2019/05/10000-steps-rule/590785/. See also I-Min Lee, Eric J. Shiroma, Masamitsu Kamada, et al., 'Association of Step Volume and Intensity with All-Cause Mortality in Older Women', https://jamanetwork.com/journals/jamainternalmedicine/fullarticle/2734709.
36 Catrine Tudor-Locke and David R. Bassett Jr., 'How Many Steps/Day Are Enough? Preliminary Pedometer Indices for Public Health', *Sports Medicine*, 34(1), 2004, pp. 1–8.
37 I-Min Lee et al., 'Association of Step Volume and Intensity with All-Cause Mortality in Older Women', *JAMA Internal Medicine*, 179(8), 2019, pp. 1,105–12.
38 K. T. Hallam, S. Bilsborough, and M. de Courten, '"Happy Feet": Evaluating the Benefits of a 100-Day 10,000 Step Challenge on Mental Health and Wellbeing', *BMC Psychiatry*, 18(1), 24 January 2018. doi: 10.1186/s12888-018-1609-y. PMID: 29361921; PMCID: PMC5781328.
39 https://twitter.com/chr1sa/status/721198400150966274?lang=en-gb.
40 Dembosky, 'Invasion of the Body Hackers', *The Financial Times*.
41 Elizabeth Lopatto, 'Jeff Bezos Appreciates Your Efforts to Get Jeff

theguardian.com/commentisfree/michaeltomasky/2009/jul/06/robert-mcnamara-vietnam.
15 Edward N. Luttwak, *The Pentagon and the Art of War; The Question of Military Reform* (New York: Simon & Schuster, 1985 (1986)), p. 268.
16 以下から引用。 Nick Turse, *Kill Anything That Moves: The Real American War in Vietnam* (New York: Metropolitan Books, 2013), pp. 47–8.
17 Turse, p. 49.
18 Gary Wolf, 'The Data-Driven Life', *The New York Times*, 28 April 2010. https://www.nytimes.com/2010/05/02/magazine/02self-measurement-t.html.
19 April Dembosky, 'Invasion of the Body Hackers', *The Financial Times*, 10 June 2011. https://www.ft.com/content/3ccb11a0-923b-11e0-9e00-00144feab49a.
20 Evgeny Morozov, *To Save Everything Click Here: Technology, Solutionism, and the Urge to Fix Problems That Don't Exist* (New York: Penguin, 2013), p. 223.
21 Wolf, 'The Data-Driven Life'.
22 Zach Church, 'Google's Schmidt: "Global Mind" Offers New Opportunities', *MIT News*, 15 November 2011. https://news.mit.edu/2011/schmidt-event-1115.
23 Shoshana Zuboff, *The Age of Surveillance Capitalism* (New York: Public Affairs, 2019), pp. 7–8.
24 Drew Harwell, 'Wanted: The "Perfect Babysitter" Must Pass AI Scan for Respect and Attitude', *The Washington Post*, 23 November 2018. https://www.washingtonpost.com/technology/2018/11/16/wanted-perfect-babysitter-must-pass-ai-scan-respect-attitude/.
25 Christopher Ingraham, 'An Insurance Company Wants You to Hand Over Your Fitbit Data So It Can Make More Money. Should You?' *The Washington Post*, 25 September 2018. https://www.washingtonpost.com/business/2018/09/25/an-insurance-company-wants-you-hand-over-your-fitbit-data-so-they-can-make-more-money-should-you/.
26 Drew Harwell, 'A Face-Scanning Algorithm Increasingly Decides Whether You Deserve the Job', *The Washington Post*, 6 November 2019. https://www.washingtonpost.com/technology/2019/10/22/ai-hiring-face-scanning-algorithm-increasingly-decides-whether-you-deserve-job/.
27 Jeffrey Dastin, 'Amazon Scraps Secret AI Recruiting Tool That Showed Bias Against Women', Reuters, 11 October 2018. https://www.reuters.com/article/us-amazon-com-jobs-automation-insight-idUSKCN1MK08G.
28 Adam D. I. Kramer, Jamie E. Guillory and Jeffrey T. Hancock, 'Experimental Evidence of Massive-Scale Emotional Contagion Through

Consequences of Performance Measurements', *Administrative Science Quarterly*, 1(2), September 1956, pp. 240–7. Or Peter Drucker's 1954 book *The Practice of Management*, from where comes the adage 'what gets measured gets managed'. 同様の批判は、以下にも見られる。W. Edwards Deming, Henry Mintzberg, etc. 以下を参照。 https://www.theguardian.com/business/2008/feb/10/businesscomment1. And Goodhart's law – 'Any observed statistical regularity will tend to collapse once pressure is placed upon it for control purposes' – そして、「計測が目標になると、良い計測ではなくなる」と、人類学者のマリリン・ストラザーンは1997年に発表した論文で指摘している。

9 Jerry Z. Muller, *The Tyranny of Metrics* (Princeton: Princeton University Press, 2018), pp. 3–4.（『測りすぎ』みすず書房、2019年、松本裕訳）

10 Alfred D. Chandler, Jr., 'The Emergence of Managerial Capitalism', *The Business History Review*, 58(4), Winter 1984, p. 473. 以下も参照。 Chandler, *The Visible Hand: The Managerial Revolution in American Business.*

11 Nathan Rosenberg (ed.), 'Special Report of Joseph Whitworth', from *The American System of Manufactures*, p. 387; quoted in David A. Hounshell, *From the American System to Mass Production, 1800–1932* (Baltimore and London: Johns Hopkins University Press, 1984), p. 61.

12 Frederick W. Taylor, 'Testimony to the House of Representatives Committee', 以下から引用 Rakesh Khurana, *From Higher Aims to Hired Hands: The Social Transformation of American Business Schools and the Unfulfilled Promise of Management as a Profession* (Princeton: Princeton University Press, 2007), p. 93.

13 Frank B. Gilbreth, Jr. and Ernestine Gilbreth Carey, *Cheaper by the Dozen* (New York: Thomas Y. Cromwell Co., 1948), p. 127.

14 「私は、トルーマンが原爆を投下したことを非難しない。日米間の戦争は、人類史のなかでも稀に見るほど残虐だった。神風特攻隊や玉砕は、信じられない行為だ。ここで非難しなければならないのは、それ以前には、いや今日でも、いわゆる「戦争のルール」について人類が把握していないことだ。爆弾を投下するな、殺すな、10万人の民間人を一夜で焼死させるな、といったルールが当時あっただろうか。

「『もしも我々が戦争に負けていたら、戦争犯罪人として起訴されていただろう』とルメイは語る」。私もその通りだと思う。彼も、そして私も、戦争犯罪人のように行動していた。所属する陣営が負けたら、自分の行動は道徳に反すると見なされることをルメイは認識していた。負ければ道徳に反すると見なされ、勝てばそう見なされない背景には、何があるのだろうか。

以下のドキュメンタリーより。 *The Fog of War*. 以下から引用: 'Robert McNamara', Michael Tomasky, 6 July 2009. https://www.

43 この説明の多くは以下を参考にしている。 https://www.nist.gov/si-redefinition/kilogram/kilogram-mass-and-plancks-constant and https://www.nist.gov/si-redefinition/kilogram/kilogram-kibble-balance.
（ジュール秒すなわちJsは、エネルギーと時間を掛け算した単位で、1ジュール秒はリンゴを空中に1メートル放り投げるために必要なエネルギー量にほぼ匹敵する）

44 Bruno Latour, *Science in Action* (Cambridge, MA: Harvard University Press, 1987), pp. 2–4.（『科学が作られているとき』産業図書、1999年、川崎勝ほか訳）

45 Matthew 7:16 (KJV).

【第10章】

1 Hartmut Rosa, *The Uncontrollability of the World*, James C. Wagner (trans.) (Cambridge: Polity Press, 2020), p. 2. Originally published in German as *Unverfügbarkeit* © 2018 Residenz Verlag GmbH, Salzburg-Wein.

2 Kenneth G. W. Inn, 'Making Radioactive Lung and Liver Samples for Better Human Health', National Institute of Standards and Technology, 29 October 2019. https://www.nist.gov/blogs/taking-measure/making-radioactive-lung-and-liver-samples-better-human-health.

3 Marty Ahrens, 'Home Fires Started by Smoking', National Fire Protection Association, January 2019. https://www.nfpa.org/News-and-Research/Data-research-and-tools/US-Fire-Problem/Smoking-Materials.

4 Henry Fountain, 'You Get What You Pay for: Peanut Butter with a Pedigree', *The New York Times*, 8 June 2003. 註：この引用は、印刷版の電子版でしか手に入らない。ウェブでは閲覧できない。これを見つけられたのは、ジョン・ファリアーのおかげだ。

5 Allison Loconto and Lawrence Busch, 'Standards, Techno-Economic Networks, and Playing Fields: Performing the Global Market Economy', *Review of International Political Economy*, 17 (3), 2010, pp. 507–36.

6 Mark Aldrich, 'Public Relations and Technology: The "Standard Railroad of the World" and the Crisis in Railroad Safety, 1897–1916', *Pennsylvania History: A Journal of Mid-Atlantic Studies*, 74(1), Winter 2007, p. 78.

7「旅客鉄道の主要路線の死亡率はかなり高く、10億旅客マイル当たり0.43だった。これは旅客バスの約4倍、民間航空の6倍のリスクになる」
Ian Savage, 'Comparing the Fatality Risks in United States Transportation Across Modes and Over Time', *Research in Transportation Economics*, 43 (1), July 2013, pp. 9 –22.

8 ミュラーの観察には、多くの先例があることを指摘しておきたい。たとえば以下を参照。V. F. Ridgway, 'Dysfunctional

26 Ralph Barton Perry, *The Thought and Character of William James* (Boston: Atlantic/Little, Brown, 1935), I, p. 536.
27 Crease, *World in the Balance*, p. 198.
28 'Annual Report of the Director, United States Coast and Geodetic Survey, to the Secretary of Commerce', U.S. Coast and Geodetic Survey, 1881, p. 28.
29 Charles Sanders Peirce, 'The Fixation of Belief', *Popular Science Monthly*, 12 (November 1877).
30 Peirce, 'The Fixation of Belief'.
31 Charles Sanders Peirce, 'Philosophy and the Sciences: A Classification', from Justus Buchler (ed.), *Philosophical Writings of Peirce* (New York: Dover Publications, 1955), p. 73.
32 1903年のローウェル・レクチャーから。以下から引用。 Cornelis de Waal, *Peirce: A Guide for the Perplexed* (London and New York: Bloomsbury, 2013), p. 113.
33 1897 [*c.*]; Notes on Religious and Scientific Infallibilism [R]; CP 1.13–14; from the Robin Catalogue: A. MS., G-c.1897-2, 4 pp. and 7 pp. http://www.commens.org/dictionary/term/fallibilism/page.
34 1893 [*c.*]; Fallibilism, Continuity, and Evolution [R]; CP 1.147-149. Manuscript; from the Robin Catalogue: A. MS., G-c.1897-5, 57 pp. http://www.commens.org/dictionary/term/fallibilism/page.
35 E.g. Newton's mechanics; Huygen's optics; Maxwell's electrodynamics.
36 From Michelson's dedication of the Ryerson Physical Laboratory at the University of Chicago. Quoted in *The University of Chicago Annual Register, 1 July 1894 to 1 July 1895* (Chicago: University of Chicago Press, 1895), p. 81.
37 Malcolm W. Browne, 'In Centennial of One of Its Biggest Failures, Science Rejoices', *The New York Times*, 28 April 1987. https://www.nytimes.com/1987/04/28/science/in-centennial-of-one-of-its-biggest-failures-science-rejoices.html, accessed 25 January 2021.
38 Albert A. Michelson and Edward W. Morley, 'On a Method of Making the Wave-length of Sodium Light the Actual and Practical Standard of Length', *Philosophical Magazine*, series 5 (1876–1900), 24(151), 1887.
39 Harvey T. Dearden, 'How Long Is a Metre?' *Measurement and Control*, vol. 47(1), 2014, pp. 26–7. © The Institute of Measurement and Control 2014.
40 Albrecht Fölsing, *Albert Einstein: A Biography* (London: Penguin Group, 1998), p. 219.
41 Quinn, 2012, p. XXVI.
42 From here: https://www.youtube.com/watch?v=bjVfL8uNkUk&ab_channel=ArvinAsh.

18087002/kilogram-new-definition-kg-metric-unit-ipk-measurement.

7 'American Aristotle' and 'without precedent in the history of the Earth': https://aeon.co/essays/charles-sanders-peirce-was-americas-greatest-thinker. 'Most original and most versatile intellect': Max H. Fisch, 'Introductory Note', in Sebeok, *The Play of Musement*, p. 17, quoted in Joseph Brent, *Charles Sanders Peirce: A Life, Revised and Enlarged Edition* (Bloomington: Indiana University Press, 1998), p. 2.

8 Brent, p. 41

9 William James, *Essays in Philosophy, 1876–1910* (Cambridge, MA: Harvard University Press; 1978); 'The Pragmatic Method', p. 124.

10 Joseph Brent, 'Studies in Meaning', Charles S. Peirce Papers, p. 15; quoted in Louis Menand's *The Metaphysical Club* (London: Flamingo, HarperCollins Publishers imprint, 2001), p. 160.

11 Brent, *Charles Sanders Peirce: A Life*, pp. 48–9.

12 Brent, *Charles Sanders Peirce: A Life*, p. 49.

13 Charles Sanders Peirce, 'A Guess at the Riddle', 1887; quoted in Brent, *Charles Sanders Peirce: A Life*, p. 1.

14 Schaffer, p. 440.

15 F. K. Richtmyer, 'The Romance of the Next Decimal Place', *Science*, 1 January 1932, 75 (1931), pp. 1–5.

16 Ronald Robinson and John Gallagher with Alice Denny, *Africa and the Victorians: The Official Mind of Imperialism*, second edn (London: Macmillan, 1961 (1981)), p. 12.

17 どちらも以下から引用。 Daniel Headrick, 'A Double-Edged Sword: Communications and Imperial Control in British India', *Historical Social Research*, 35(1), 2010, p. 53.

18 Zupko, p. 208 (archive.org copy).

19 Caroline Shenton, *The Day Parliament Burned Down* (Oxford: Oxford University Press, 2012), p. 212.

20 以下から引用。 Quinn, 2012, p. xxviii.

21 以下から引用。 Schaffer, p. 444.

22 以下から引用。 Schaffer, p. 445.

23 Schaffer, p. 448.

24 Victor F. Lenzen, 'The Contributions of Charles S. Peirce to Metrology', *Proceedings of the American Philosophical Society*, 109(1), 18 February 1965, pp. 29–46. Quoth Peirce: 'The ratio of the meter to the yard is still a matter of considerable uncertainty', *Report of the Superintendent*, 30 June 1884, p. 81.

25 以下から引用。 Robert P. Crease, 'Charles Sanders Peirce and the First Absolute Measurement Standard', *Physics Today*, vol. 62, no. 12, 2009, p. 39.

independent.co.uk/news/uk/politics/brexit-poll-leave-voters-death-penalty-yougov-results-light-bulbs-a7656791.html.

48 National Academies of Sciences, Engineering, and Medicine; Division on Earth and Life Studies; Nuclear and Radiation Studies Board, *Adopting the International System of Units for Radiation Measurements in the United States: Proceedings of a Workshop* (Washington, DC: National Academies Press, 2017), 1, Introduction and Context. Available from https://www.ncbi.nlm.nih.gov/books/NBK425560/.

49 どちらも以下から引用 John Bemelmans Marciano, *Whatever Happened to the Metric System? How America Kept Its Feet* (New York: Bloomsbury USA, 2014 (2015)), p. 244.

50 Stewart Brand, 'Stopping Metric Madness!' *New Scientist*, 88, 30 October 1980, p. 315.

51 Paul L. Montgomery, '800, Putting Best Foot Forward, Attend a Gala Against Metrics', *The New York Times*, 1 June 1981.

52 A. V. Astin and H. Arnold Karo, National Bureau of Standards, 'Refinement of Values for the Yard and the Pound', 30 June 1959. https://www.ngs.noaa.gov/PUBS_LIB/FedRegister/FRdoc59-5442.pdf.

53 Shane Croucher, 'Video: Fox Host Tucker Carlson Attacks "Inelegant, Creepy" Metric System that the U.S. Alone Has Resisted', *Newsweek*, 6 June 2019.

【第9章】

1 Laurence Stern, *The Life and Opinions of Tristram Shandy, Gentleman and a Sentimental Journey Through France and Italy (Volume 1)* (London: Macmillan and Co. Ltd, 1900 (1759)), book II, chapter XIX, p. 131.
以下が原文。'The laws of nature will defend themselves – but error – (he would add, looking earnestly at my mother) – error, Sir, creeps in thro' the minute holes and small crevices which human nature leaves unguarded.'

2 以下の報告書から Borda, Lagrange, Laplace, Monge, and Condorcet, 'On the Choice of a Unit of Measurement', presented to the Académie Royale des Sciences, 19 March 1791.

3 G. Girard, 'The Washing and Cleaning of Kilogram Prototypes at the BIPM', Bureau International des Poids et Mesures (BIPM), 1990.

4 Terry Quinn, *From Artefacts to Atoms: The BIPM and the Search for Ultimate Measurement Standards* (New York: Oxford University Press, 2012), pp. 341–6.

5 Quinn, p. 365.

6 James Vincent, 'The Kilogram Is Dead; Long Live the Kilogram', *The Verge*, 13 November 2018. https://www.theverge.com/2018/11/13/

Policy and International Standard-Setting at the 1863 Paris Postal Conference', *Journal of Policy History*, 27(3), 2015, p. 430.

26 Zupko, p. 238.

27 Charles Sumner, 'The Metric System of Weights and Measures', speech in the Senate of the United States, 27 July 1866.

28 Cox, p. 377.

29 Simon Schaffer, 'Metrology, Metrication, and Values', in Bernard Lightman (ed.), *Victorian Science in Context* (Chicago and London: University of Chicago Press, 1997), p. 442.

30 Crease, p. 156.

31 以下を参照 Tessa Morrison, 'The Body, the Temple, and the Newtonian Man Conundrum', *Nexus Network Journal*, 12 (2), 2010, pp. 343–52; and original Newton source: http://www.newtonproject.ox.ac.uk/view/texts/normalized/THEM00276.

32 Charles Piazzi Smyth, *Our Inheritance in the Great Pyramid* (New York: Cambridge University Press, 1864 (2012)), p. 372.

33 Charles Piazzi Smyth, *Our Inheritance in the Great Pyramid* (fourth edn, 1880); published as *The Great Pyramid: Its Secrets and Mysteries Revealed* (New York: Gramercy Books, 1978), pp. 546–8.

34 Piazzi Smyth, *Our Inheritance in the Great Pyramid*, p. 10.

35 以下から引用。 Schaffer, p. 451.

36 Charles Piazzi Smyth, *Life and Work at the Great Pyramid*, vol. 1 (Edinburgh: Thomas Constable, 1867), p. 299.

37 Charles A. L. Totten, *An Important Question in Metrology Based Upon Recent and Original Discoveries: A Challenge to "The Metric System," and an Earnest Word with the English-Speaking Peoples on Their Ancient Weights and Measures* (New York: John Wiley & Sons, 1884), pp. xi–xii.

38 Totten, p. xiv.

39 Totten, p. 2.

40 Totten, p. 45.

41 以下から引用。 De Simone and Treat, NIST, p. 75.

42 Piazzi Smyth, *Our Inheritance in the Great Pyramid*, p. 182.

43 De Simone and Treat, NIST, pp. 75–8.

44 George Orwell, *1984* (1949, copyright renewed 1977) (New York: Houghton Mifflin Harcourt Publishing Co., 1983), p. 83.

45 '"Imperial Vigilante" Wins Legal Appeal', BBC News, 31 October 2002. http://news.bbc.co.uk/1/hi/england/2384065.stm.

46 Totten, p. x.

47 Benjamin Kentish, 'Half of Leave Voters Want to Bring Back the Death Penalty After Brexit', *The Independent*, 30 March 2017. https://www.

Trade: The Gallon and the Pound and Their International Equivalents', *The William and Mary Quarterly*, 30(4), October 1973.

11 'Thomas Jefferson, Itinerary, Monticello to Washington, D.C., with Distances', 30 September 1807. Manuscript/mixed material. Retrieved from the Library of Congress. www.loc.gov/item/mtjbib017726/.

12 'Thomas Jefferson, Autobiography Draft Fragment, January 6 through July 27'. 27 July 1821. Manuscript/mixed material. Retrieved from the Library of Congress. www.loc.gov/item/mtjbib024000/.

13 'Thomas Jefferson to James Clarke, 5 September 1820'. Manuscript/mixed material. Retrieved from the Library of Congress. www.loc.gov/item/mtjbib023884/.

14 Keith Martin, 'Pirates of the Caribbean (Metric Edition)', National Institute of Standards and Technology, 19 September 2017. https://www.nist.gov/blogs/taking-measure/pirates-caribbean-metric-edition.

15 Jefferson to William Short, 28 July 1791, 以下で引用。 C. Doris Hellmann, 'Jefferson's Efforts Towards Decimalization of United States Weights and Measures', *Isis*, 16 (1931), p. 286.

16 Daniel V. De Simone and Charles F. Treat, 'A History of the Metric System Controversy in the United States', NIST, Special Publication 345-10. United States Department of Commerce, August 1971, p. 18.

17 Charles Davies, *The Metric System, Considered with Reference to Its Introduction into the United States; Embracing the Reports of the Hon. John Quincy Adams, and the Lecture of Sir John Herschel* (New York and Chicago: A. S. Barnes and Co., 1871), pp. 267–8.

18 Kula, p. 267.

19 Alder, pp. 330–1.

20 Maria Teresa Borgato, 'The First Applications of the Metric System in Italy', *The Global and the Local: The History of Science and the Cultural Integration of Europe*, M. Kokowski (ed.), Proceedings of the 2nd ICESHS (Cracow, Poland, 6–9 September 2006).

21 Edward Franklin Cox, 'The Metric System: A Quarter- Century of Acceptance (1851–1876)', *Osiris*, 13, 1958, p. 363.

22 Charles L. Killinger, *The History of Italy* (Connecticut and London: Greenwood Press, 2002), p. 1.

23 Vanessa Lincoln Lambert, 'The Dynamics of Transnational Activism: The International Peace Congresses, 1843–51', *The International History Review*, 38(1), 2016, pp. 126–47.

24 Report of the Proceedings of the . . . General Peace Congress (London: Charles Gilpin, 1849), p. 12.

25 以下から引用。 Richard R. John, 'Projecting Power Overseas: U.S. Postal

80 Alfred Binet, *Modern Ideas About Children* (Menlo Park, CA: Susan Heisler, 1909 (1975)), pp. 106–7. 以下から引用。Robert J. Sternberg (ed.), *The Cambridge Handbook of Intelligence*, second edn (Cambridge: Cambridge University Press, 2020), p. 1,062.
81 Shilpa Jindia, 'Belly of the Beast: California's Dark History of Forced Sterilizations', *The Guardian*, 30 June 2020. https://www.theguardian.com/us-news/2020/jun/30/california-prisons-forced-sterilizations-belly-beast.
82 Associated Press, 'China Cuts Uighur Births with IUDs, Abortion, Sterilization', 29 June 2020. https://apnews.com/article/ap-top-news-international-news-weekend-reads-china-health-269b3de1af34e17c1941a5 14f78d764c.
83 David J. Smith, 'Biological Determinism and the Concept of Mental Retardation: The Lesson of Carrie Buck', paper presented at the Annual Convention of the Council for Exceptional Children, April 1993.

【第８章】

1 De Simone and Treat, NIST, p. 90.
2 '"MetricMartyr" Convicted', *The Guardian*, 9 April 2001. https://www.theguardian.com/uk/2001/apr/09/2.
3 British Weights and Measures Association, 'Metric Culprits'. http://bwma.org.uk/wp-content/uploads/2019/03/Metric-Culprits-.pdf.
4 Richard Savill, 'Protest as the Metric "Martyrs" Face Court', *The Telegraph*, 14 June 2001. https://www.telegraph.co.uk/news/uknews/1309043/Protest-as-the-metric-martyrs-face-court.html.
5 Fergus Hewison, 'General Election 2019: Did a Bunch of Bananas Lead to Brexit?' BBC News, 20 November 2019. https://www.bbc.co.uk/news/election-2019-50473654.
6 Joshua Rozenberg, 'Metric Martyrs Lose Their Fight', *The Telegraph*, 19 February 2002. https://www.telegraph.co.uk/news/uknews/1385303/Metric-martyrs-lose-their-fight.html.
7 Hewison, BBC News, 20 November 2019.
8 'EU Gives Up on "Metric Britain"', BBC News, 11 September 2007. http://news.bbc.co.uk/1/hi/uk/6988521.stm.
9 'From George Washington to the United States Senate and House of Representatives, 8 January 1790', Founders Online, National Archives. https://founders.archives.gov/documents/Washington/05-04-02-0361. 一次資料: Dorothy Twohig (ed.), *The Papers of George Washington, Presidential Series*, vol. 4, 8 September 1789–15 January 1790 (Charlottesville: University Press of Virginia, 1993), pp. 543–9.
10 以下を参照。 e.g., John J. McCusker, ' Weights and Measures in the Colonial Sug

59 以下から引用 Martin Brookes, *Extreme Measures: The Dark Visions and Bright Ideas of Francis Galton* (London: Bloomsbury, 2004), p. 238.
60 Stephen M. Stigler, *Statistics on the Table: The History of Statistical Concepts and Methods* (Cambridge, MA: Harvard University Press, 1999), p. 6.
61 Pearson, p. 57.
62 Galton, *Natural Inheritance*, p. 62.
63 以下を参照。 Adam Cohen, *Imbeciles: The Supreme Court, American Eugenics, and the Sterilization of Carrie Buck* (New York: Penguin, 2016).
64 Buck *vs* Bell, 274 US 200 (1927).
65 William E. Leuchtenburg, *The Supreme Court Reborn: The Constitutional Revolution in the Age of Roosevelt* (New York: Oxford University Press, 1995), p. 15.
66 Alexandra Minna Stern, 'Sterilized in the Name of Public Health: Race, Immigration, and Reproductive Control in Modern California', *American Journal of Public Health*, 95(7), 2005, pp. 1128–38.
67 E. B. Boudreau, '"Yea, I have a Goodly Heritage": Health Versus Heredity in the Fitter Family Contests, 1920–1928', *Journal of Family History*, 30(4), 2005, pp. 366–87.
68 C. B. Davenport, 'Report of Committee on Eugenics', *Journal of Heredity*, 1(2), 1910, pp. 126–9.
69 Kevles, p. 79.
70 以下から引用。 Stephen Jay Gould, *The Mismeasure of Man* (New York and London: W. W. Norton & Co., revised and expanded edn, 1996 (1981)), p. 181.
71 以下から引用。 Gould, p. 184.
72 以下から引用。 Leila Zenderland, *Measuring Minds: Henry Herbert Goddard and the Origins of American Intelligence Testing* (Cambridge: Cambridge University Press, 1998 (2001)), p. 301.
73 Zenderland, p. 175.
74 Henry H. Goddard, 'Mental Tests and the Immigrant', *The Journal of Delinquency*, vol. II, no. 5, September 1917, p. 251.
75 Edward A. Steiner, 'The Fellowship of the Steerage', in *On the Trail of the Immigrant* (New York: Fleming H. Revell Company, 1906), p. 35.
76 以下から引用。 Gould, p. 226.
77 以下から引用。 Gould, p. 253.
78 以下を参照。 Desrosières, p. 326.
79 P. Lazarsfeld, 'Notes sur l'histoire de la quantification en sociologie: les sources, les tendances, les grands problèmes', in *Philosophie des sciences sociales* (Paris: Gallimard, 1970), pp. 317–53. 以下から引用。 Desrosières, p. 20.

38 Charles Dickens, *Hard Times and Reprinted Pieces* (London: Chapman & Hall, 1854 (1905)). Project Gutenberg eBook.（『ハード・タイムズ』英宝社、2000年、山村元彦ら訳）
39 Laura Vaughan, 'Charles Booth and the Mapping of Poverty', in *Mapping Society: The Spatial Dimensions of Social Cartography* (London: UCL Press, 2018), pp. 61–92.
40 *Manchester Guardian*, 17 April 1889, 以下で引用。 A. Kershen, 'Henry Mayhew and Charles Booth: Men of Their Time', in G. Alderman and C. Holmes (eds), *Outsiders & Outcasts: Essays in Honour of William J. Fishman* (London: Duckworth, 1993), p. 113.
41 Charles Booth, 'The Inhabitants of Tower Hamlets (School Board Division), Their Condition and Occupations', *Journal of the Royal Statistical Society*, 50(2), June 1887, p. 376.
42 Francis Galton, 'The Charms of Statistics', in *Natural Inheritance* (New York: Macmillan, 1889), p. 62.
43 以下から引用。 Daniel J. Kevles, *In the Name of Eugenics: Genetics and the Uses of Human Heredity* (Berkeley: University of California Press, 1985), p. 7.
44 Ruth Schwartz Cowan, 'Francis Galton's Statistical Ideas: The Influence of Eugenics', *Isis*, 63(4), December 1972, p. 510.
45 Cowan, p. 510.
46 Francis Galton, *Memories of My Life* (London: Methuen & Co., 1908), pp. 315–16.
47 Francis Galton, *Narrative of an Explorer in Tropical South Africa* (Minerva Library of Famous Books, 1853 (1889)), pp. 53–4.
48 Francis Galton, 'Statistical Inquiries into the Efficacy of Prayer', *Fortnightly Review*, 12, 1872, pp. 125–35.
49 以下から引用。 Porter, *The Rise of Statistical Thinking*, p. 133.
50 Francis Galton, *Hereditary Genius: An Inquiry into Its Laws and Consequences*, 第1版 1869年、第2版 1892年、第3版 2000年（以下の最初の電子版の校正済み） p. 1. http://galton.org.
51 Galton, *Hereditary Genius*, p. 1.
52 Francis Galton, 'Hereditary Character and Talent', *Macmillan's Magazine*, 12, 1865, pp. 157–66. http://galton.org.
53 Galton, *Hereditary Genius*, p. 341.
54 Galton, *Hereditary Genius*, pp. 338–9.
55 以下を参照。 Stigler, pp. 267–8; ゴルトンの引用は以下より *Hereditary Genius*, p. 29
56 Galton, *Hereditary Genius*, p. 14.
57 以下から引用。 Karl Pearson, *The Life, Letters and Labours of Francis Galton, Vol. 3, Part A: Correlation, Personal Identification and Eugenics* (Cambridge: Cambridge University Press, 1930 (2011)), p. 30.
58 以下から引用。 Kevles, p. 14.

15 Paul F. Lazarsfeld, 'Notes on the History of Quantification in Sociology – Trends, Sources and Problems', *Isis*, 52(2), 1961, pp. 277–333.
16 Saul Stahl, 'The Evolution of the Normal Distribution', *Mathematics Magazine*, 79(2), 2006, pp. 96–113.
17 以下から引用。Jed Z. Buchwald, 'Discrepant Measurements and Experimental Knowledge in the Early Modern Era', *Archive for History of Exact Sciences*, 60(6), November 2006, p. 32.
18 Stephen M. Stigler, *The History of Statistics: The Measurement of Uncertainty Before 1900* (Cambridge, MA, and London: Belknap Press of Harvard University Press, 1986), p. 21.（『統計学の７原則』パンローリング、2016年、森谷博之ら訳）
19 以下から引用。Stigler, *The History of Statistics*, p. 27.（『統計学の７原則』）
20 Stigler, p. 11.
21 以下から引用 Theodore M. Porter, *The Rise of Statistical Thinking: 1820–1900* (Princeton: Princeton University Press, 1986), p. 44.
22 Ian Hacking, *The Taming of Chance* (Cambridge: Cambridge University Press, 1990), p. 2.（『偶然を飼いならす』木鐸社、1999年、石原英樹ら訳）
23 Hacking, p. 2.
24 以下から引用。Porter, *The Rise of Statistical Thinking*, p. 103.
25 Desrosières, pp. 77–81.
26 *Athenaeum*, 29 August 1835, p. 661. 以下から引用。Stigler, p. 170.
27 Gerd Gigerenzer, Zeno Swijtink, Theodore Porter, Lorraine Daston, John Beatty, and Lorenz Krüger, *The Empire of Chance* (Cambridge: Cambridge University Press, 1989 (1997)), p. 129.
28 以下から引用。Hacking, p. 105.
29 A. Quetelet, 'Sur la possibilité de mesurer l'influence des causes qui modifient les elements sociaux, Lettre à M. Villermé', *Correspondances mathématiques et physiques*, 7 (1832), p. 346. 以下から引用。Hacking, p. 114.
30 Hacking, p. 126.
31 Marion Diamond and Mervyn Stone, 'Nightingale on Quetelet', *Journal of the Royal Statistical Society*, Series A (General), 144(1), 1981, pp. 66–79.
32 Julian Wells, 'Marx Reads Quetelet: A Preliminary Report', September 2017. Online at https://mpra.ub.uni-muenchen.de/98255/. MPRA Paper No. 98255, posted 27 January 2020.
33 Henry Thomas Buckle, *The History of Civilization in England*, vol. I (Toronto: Rose-Belford Publishing Company, 1878), p. 121.
34 Buckle, p. 272.
35 以下から引用。Hacking, pp. 13–14.
36 以下から引用。Desrosières, p. 35.
37 Porter, *The Rise of Statistical Thinking*, p. 159.

of British India, 1765–1843 (Chicago: University of Chicago Press, 1990 (1997)), p. 2.

52 Hannah Arendt, *The Human Condition* (Chicago: University of Chicago Press, 1958 (1998)), pp. 250–1.（『人間の条件』筑摩書房、1994年、志水速雄訳）

53 'Edgar Mitchell's Strange Voyage', *People*, 8 April 1974, #6, p. 20. https://people.com/archive/edgar-mitchells-strange-voyage-vol-1-no-6/.

54 Scott, p. 83.

55 Scott, p. 83.

【第７章】

1 Louis-Sébastien Mercier, *Le nouveau Paris* (Brunswick: n.p., 1800), 3:44; quoted in Alder, p. 69.

2 Thomas Sprat, *The History of the Royal-Society of London, for the Improving of Human Knowledge* (London: printed by T. R. for J. Martyn and J. Allestry, 1667); 以下から引用。 Ian Sutherland, 'John Graunt: A Tercentenary Tribute', *Journal of the Royal Statistical Society*, Series A (General), 126(4), 1963, p. 539.

3 以下から引用。 Sutherland, p. 552.

4 以下から引用。 Sutherland, p. 542.

5 K. J. Rothman, 'Lessons from John Graunt', *The Lancet*, 347 (8993), 6 January 1996, pp. 37–9. doi: 10.1016/s0140-6736(96)91562-7. PMID: 8531550.

6 以下から引用。 Sutherland, p. 541.

7 以下から引用。 Sutherland, p. 542.

8 Charles Henry Hull (ed.), *The Economic Writings of Sir William Petty, Together with the Observations upon the Bills of Mortality More Probably by Captain John Graunt*, vol. II (Cambridge: At the University Press, 1899), p. 554.

9 Hull, vol. I, p. 129.

10 Sutherland, p. 542.

11 Lorraine Daston, 'Why Statistics Tend Not Only to Describe the World but to Change It', *London Review of Books*, 22(8), April 2000.

12 Dirk Philipsen, *The Little Big Number: How GDP Came to Rule the World and What to Do about It* (Princeton: Princeton University Press, 2015).

13 Remarks at the University of Kansas, 18 March 1968. https://www.jfklibrary.org/learn/about-jfk/the-kennedy-family/robert-f-kennedy/robert-f-kennedy-speeches/remarks-at-the-university-of-kansas-march-18-1968.

14 Alain Desrosières, *The Politics of Large Numbers: A History of Statistical Reasoning* (Cambridge, MA: Harvard University Press, 1998), p. 9.

35 Trollope, p. 39.

36 Harriet Martineau, *Society in America: Vol. 1* (Paris: Baudry's European Library, 1837), p. 203.

37 以下から引用。 Stuart Banner, *How the Indians Lost Their Land: Law and Power on the Frontier* (Cambridge, MA, and London: Belknap Press of Harvard University Press, 2005), p. 21.

38 以下から引用。 Ostler, pp. 201–2.

39 E.g. the Treaty of Fort Laramie in 1851; Billington and Ridge, p. 301.

40 John Heckewelder, *History, Manners, and Customs of the Indian Nations Who Once Inhabited Pennsylvania and the Neighbouring States* (Philadelphia: Abraham Small, 1819 (1881)), p. 336.

41 Walter Johnson, *River of Dark Dreams: Slavery and Empire in the Cotton Kingdom* (Cambridge, MA, and London: Belknap Press of Harvard University Press, 2013), p. 36.

42 Johnson, p. 41.

43 Keith H. Basso, *Wisdom Sits in Places* (Albuquerque: University of New Mexico Press, 1996 (1999)), p. 34.

44 Vine Deloria Jr., *God Is Red: A Native View of Religion* (Golden, CO: Fulcrum Publishing, 1973 (2003)), p. 61.

45 Alexis de Tocqueville, *Democracy in America*, J. P. Mayer (ed.) (New York: Perennial, 2000), p. 324.

46 たとえばアメリカでは、南北戦争後に解放された奴隷は、「40エーカーの土地と１頭のラバ」を提供されることを約束された。40エーカーは、グリッド測量で割り当てられる最も小さな土地だ。ただし、この約束は守られなかった。白人の土地所有者が、土地を手放すことを拒んだからだ（さらに、労働力を手放すことも拒んだので、解放奴隷には働く選択肢しかなかった）。

47 Micheál Ó Siochrú and David Brown, 'The Down Survey and the Cromwellian Land Settlement', in Jane Ohlmeyer (ed.), *The Cambridge History of Ireland, Volume II, 1550–1730* (Cambridge: Cambridge University Press, 2018), pp. 584–607.

48 Adam Fox, 'Sir William Petty, Ireland, and the Making of a Political Economist, 1653–87', *The Economic History Review*, New Series, 62(2), May 2009, pp. 388–404.

49 J. G. Simms, 'The Restoration, 1660–85', in T. W. Moody, F. X. Martin, and F. J. Byrne (eds), *A New History of Ireland, III: Early Modern Ireland 1534–1691* (Oxford: Oxford University Press, 2009), p. 428.

50 W. J. Smyth, *Map-Making, Landscapes and Memory: A Geography of Colonial and Early Modern Ireland,* c.1530–1750 (Cork: Cork University Press, 2006), p. 196.

51 Matthew H. Edney, *Mapping an Empire: The Geographical Construction*

21 Alexis de Tocqueville, *Democracy in America*, Henry Reeve (trans.) (New York: Barnes & Noble, 2003), p. 268.
22 Paul Frymer, *Building an American Empire: The Era of Territorial and Political Expansion* (Princeton and Oxford: Princeton University Press, 2017), pp. 8–9.
23 ここで採用されている独特のナンバリングシステムには、厳密な規則性はない。右上から始まり、そこから左右に水平に移動したり、上下に移動したりする。これは「牛耕式」として知られるパターンで、土地を耕す「牛が行ったり来たりする動き」に由来している。
24 Andro Linklater, *Measuring America: How an Untamed Wilderness Shaped the United States and Fulfilled the Promise of Democracy* (New York: HarperCollins, 2002), p. 75.
25 以下から引用。 Frederick J. Turner, 'The Problem of the West', *The Atlantic*, September 1896. https://www.theatlantic.com/magazine/archive/1896/09/the-problem-of-the-west/525699/.
26 C. Albert White, *A History of the Rectangular Survey System* (US Department of the Interior Bureau of Land Management, 1983), p. 29.
27 Linklater, pp. 184–5.
28 Ray Allen Billington and Martin Ridge, *Westward Expansion, A History of the American Frontier*, sixth edn (Albuquerque: University of New Mexico Press, 2001), p. 29.
29 Henry Clay, 'On Distributing the Proceeds of the Sales of the Public Lands Among the Several States' (16 April 1832), 22nd Congress, 1st Session, No. 1053.
30 Manasseh Cutler, *An Explanation of the Map Which Delineates That Part of the Federal Lands, Comprehended between Pennsylvania West Line, the Rivers Ohio and Sioto, and Lake Erie; Confirmed to the United States by Sundry Tribes of Indians, in the Treaties of 1784 and 1786, and Now Ready for Settlement* (Salem, MA: Dabney and Cushing, 1787), p. 21; 以下から引用。 Frymer, p. 55.
31 Charles Piazzi Smyth, *Our Inheritance in the Great Pyramid* (London: Alexander Strahan and Co., 1864), p. 372.
32 US Department of the Interior, Bureau of Land Management, *Public Land Statistics 2019*, vol. 204, June 2020, p. 1.
33 モンティチェロのジョン・カートライト少佐に送られた書簡、1824年6月5日。In *Memoirs, Correspondence and Private Papers of Thomas Jefferson, Late President of the United States, Volume IV* (London: Henry Colburn and Richard Bentley, 1829), p. 405.
34 Frances Trollope, *Domestic Manners of the Americans* (London: Richard Bentley, 1832 (1839)), p. 94.

6 以下から引用。 Alder, p. 317.
7 欽定訳聖書。
8 Ovid, *Metamorphoses*, Loeb Classical Library, pp. 11–12.
9 Andrew McRae, 'To Know One's Own: Estate Surveying and the Representation of the Land in Early Modern England', *The Huntington Library Quarterly*, 56(4), Autumn 1993, pp. 333–57.
10 E. G. R. Taylor, 'The Surveyor', *The Economic History Review*, 17(2), 1947, pp. 121–33.
11 以下から引用 Henry S. Turner, 'Plotting Early Modernity', in Henry Turner (ed.), *The Culture of Capital: Property, Cities, and Knowledge in Early Modern England* (London: Routledge, 2002), pp. 101–2. 註: *The Surveiors Dialogve* の第1版、2版、3版はそれぞれ、1607年、1608年、1618年に出版された。
12 以下から引用。 Michael Houseman, 'Painful Places: Ritual Encounters with One's Homelands', *The Journal of the Royal Anthropological Institute*, 4(3) (September 1998), p. 450. 一次資料: J. S. Udal, *Dorsetshire Folklore* (St Peter Port, Guernsey, 1922; Toucan Press, 1970).
13 出典: https://www.parliament.uk/about/living-heritage/evolutionofparliament/originsofparliament/birthofparliament/overview/magnacarta/magnacartaclauses.
14 Sir Thomas Smith, *De Republica Anglorum* (written 1565, pub. 1583); 以下から引用。 Robert Bucholz and Newton Key, *Early Modern England 1485–1714: A Narrative History* (New Jersey: Wiley-Blackwell, 2003), p. 7.
15 Jeffrey Ostler, *Surviving Genocide: Native Nations and the United States from the American Revolution to Bleeding Kansas* (New Haven and London: Yale University Press, 2019), p. 85.
16 Thomas Jefferson, *Notes on the State of Virginia 1743–1826* (Philadelphia: Prichard and Hall, 1788), p. 175.
17 Jefferson, p. 175.
18 'From George Washington to Lafayette, 25 July 1785', Founders Online, National Archives. https://founders.archives.gov/documents/Washington/04-03-02-0143. (Original source: *The Papers of George Washington*, Confederation Series, vol. 3, 19 May 1785–31 March 1786, W. W. Abbot (ed.) (Charlottesville: University Press of Virginia, 1994), pp. 151–5.)
19 パーシヴァル博士からベンジャミン・フランクリンに送られた書簡、1769年4月4日。 *The Works of Benjamin Franklin, Volume IV* (Philadelphia: William Duane, 1809), p. 206.
20 Richard White, *The Middle Ground: Indians, Empires, and Republics in the Great Lakes Region, 1650–1815* (New York: Cambridge University Press, 1991 (2011)), p. XXVI.

52 David Andress, *The Terror: Civil War in the French Revolution* (London: Abacus, New Edition, 2005 (2006)), p. 291.
53 Matthew Shaw, *Time and the French Revolution: The Republican Calendar, 1789–Year XIV* (Rochester, NY: Boydell Press/The Royal Historical Society, 2011), p. 61.
54 P. F. Fabre d'Églantine, *Rapport fait à la Convention nationale au nom de la Commission chargée de la confection du Calendrier* (Paris, Imprimerie nationale, 1793). 以下から引用。 Brendan Dooley, 'The Experience of Time', in Alessandro Arcangeli, Jörg Rogge, and Hannu Salmi (eds), *The Routledge Companion to Cultural History in the Western World* (London and New York: Routledge, 2020).
55 John Brady, *Clavis Calendaria: Or, A Compendious Analysis of the Calendar; Illustrated with Ecclesiastical, Historical, and Classical Anecdotes*, vol. 1 (London: Rogerson and Tuxford, 1812), p. 39.
56 Shaw, pp. 17–28.
57 Mona Ozouf, *Festivals and the French Revolution*, Alan Sheridan (trans.) (Cambridge, MA: Harvard University Press, 1988), p. 2.
58 Ozouf, p. 13.
59 Shaw, p. 83.
60 Shaw, p. 145. 以下も参照。 Sanja Perovic, *The Calendar in Revolutionary France: Perceptions of Time in Literature, Culture, and Politics* (Cambridge: Cambridge University Press, 2012).
61 Shaw, p. 52.
62 Alder, p. 260.
63 Alder, p. 257.
64 以下から引用。 Heilbron, 'The Measure of Enlightenment', p. 238.
65 Napoleon, *Mémoires*, 4:211–15. 以下から引用。 Alder, p. 318.

【第６章】

1 Edward W. Said, *Culture and Imperialism* (New York: Vintage Books, 1993 (1994)), p. 78.
2 James C. Scott, *Seeing Like a State: How Certain Schemes to Improve the Human Condition Have Failed* (New Haven and London: Yale University Press, 1999), p. 3.
3 Scott, pp. 64–76.
4 William Camden,*Remains Concerning Britain*, R. D. Dunn (ed.) (1605; Toronto: University of Toronto Press, 1984, p. 122); 以下に引用。 Scott, p. 372.
5 以下から引用。 Guy H. Dodge, *Benjamin Constant's Philosophy of Liberalism: A Study in Politics and Religion*, via Google Books (it's a different translation to Alder).

出されるだけでなく、物理学と同様の正確な分析に基づいた論理が提供されると考えた」 Baker, p. 277.

39 Condorcet, *Note 1er Epoque X. Exemple des méthodes techniques*, quoted (and translated) in Baker, 1975, p. 123.

40 Antoine Laurent Lavoisier, *Elements of Chemistry in a New Systematic Order* (Edinburgh: William Creech, 1790), pp. 295–6. 以下から引用。Frängsmyr et al., p. 212.

41 以下で引用 Alder, 'A Revolution to Measure', in *The Values of Precision*, p. 41.

42 Karl Marx, *Capital*, vol. 1 (1867), Ben Fowkes (trans.) (London: Penguin, 1976 (1982)), p. 644.（『資本論』岩波書店、1969年、向坂逸郎訳）

43 Maurice Crosland, '"Nature" and Measurement in Eighteenth-Century France', in *Studies on Voltaire and the Eighteenth Century, LXXXVII* (Geneva: The Voltaire Foundation, 1972), p. 285.

44 Alder, 2002, p. 135.

45 *Cahiers de doléances du bailliage d'Orléans pour les États généraux de 1789*, 2 vols, vol. 1, *Collection de documents inédits sur l'histoire économique de la Révolution française* (Orléans, 1906), p. 615, 'sont les sangsues de la Nation et boivent dans des coupes d'or les pleurs des malheureux'.

46 以下から引用。 William F. McComas (ed.), *Nature of Science in Science Instruction: Rationales and Strategies* (Cham: Springer Nature, 2020), p. 567.

47 Alder, 2002, p. 137.

48 これは、イギリスの下院議員ジョン・リッグス・ミラーの発言。彼はメートル法導入プロジェクトに関してタレーランと書簡を交わし、イギリスでの導入に尽力したが、結局は成功しなかった。以下から引用。 Sally Riordan, 'Le Grave: The First Determination of the Kilogram, 1789–1799', これは、哲学博士号を取得するための一環として、スタンフォード大学の哲学科と大学院研究委員会に提出された学位論文。(May 2012), pp. 129–30. それが著者に送られてきた。

49 Maximilien Robespierre, in Lewis Copeland, Lawrence W. Lamm, and Stephen J. McKenna (eds), *The World's Great Speeches*, fourth edn (New York: Dover Publications, 1999), p. 84.

50 Jonathan Smyth, *Robespierre and the Festival of the Supreme Being* (Manchester: Manchester University Press, 2016), p. 58.

51 引用: 太陽が天に現れ、惑星がその周りを回るようになって以来、頭を使う人類がいたことは知られていない。アイデアに基づいて世界を構築する人類は、いまだかつて存在しなかった。

20 John L. Greenberg, 'Isaac Newton and the Problem of the Earth's Shape', *Archive for History of Exact Sciences,* 49(4), 1996, pp. 371–91.
21 Alder, p. 3.
22 Alder, p. 31.
23 Alder, p. 34.
24 Alder, p. 251.
25 メシャンからローランドに送られた書簡。 22 florèal VII (11 May 1799), in Dougados, 'Lettres de l'astronome Méchain à M. Rolland', *Mémoires de la Société des arts et des sciences de Carcassonne* 2 (1856), 101, 以下から引用。 Alder, p. 250.
26 Alder, p. 252.
27 Alder, p. 303.
28 Ken Alder, 'A Revolution to Measure: The Political Economy of the Metric System in France', in M. Norton Wise (ed.), *The Values of Precision* (Princeton: Princeton University Press, 1995), pp. 39–71, p. 52.
29 以下から引用。Quoted in Alder, p. 90.
30 Alexander Pope, 'Epitaph: Intended for Sir Isaac Newton' (1730), from Ratcliffe *Oxford Essential Quotations.*
31 以下から引用。 Alexandre Koyré, 'Condorcet', *Journal of the History of Ideas* 9(2), April 1948, p. 135; p. 139 for the 'indefinite perfectibility' (all from *Esquisse d'un tableau historique des progrès de l'esprit humain* – 'Sketch for a Historical Picture of the Progress of the Human Mind'). コイレのエッセイは、コンドルセの思想とその歴史的背景を的確にまとめている。
32 以下から引用。 Steven Lukes and Nadia Urbinati (eds), *Condorcet: Political Writings* (Cambridge: Cambridge University Press, 2012), p. xviii.
33 Condorcet, 'Sketch for a Historical Picture of the Progress of the Human Mind: Tenth Epoch', Keith Michael Baker (翻訳), *Dædalus,* 133(3), Summer 2004, p. 69.
34 Condorcet, 'Sketch', p. 78.
35 Condorcet, 'Sketch', p. 72.
36 以下から引用 Keith Michael Baker, *Condorcet: From Natural Philosophy to Social Mathematics* (Chicago and London: University of Chicago Press, 1975), p. 367. ベイカーによれば、これは「10番目の時代に関する記述の一部」だという。 (p. 366).
37 こうした分類は、著者がリンネに倣って考案したものだ。
道徳的規準の高いコンドルセは、人口統計表のようなものを考案し、そこから「人類の正真正銘の自然史」が生み出されると考えた。 (以下からも引用。 Baker, 1975, p. 123.)
38 「さらに彼がこれによって、自らの方法論的プログラムの実現が後押しされると考えたのは間違いない。科学に普遍的な言語を創造すれば、道徳や政治と関わりのある科学が生み

9 John Markoff, 'Peasants Protest: The Claims of Lord, Church, and State in the *Cahiers de Doléances* of 1789', *Comparative Studies in Society and History*, 32(3), July 1990, pp. 413–54.

10 Kula, p. 192.

11 Kula, pp. 203–5. 以下を参照。 e.g., the *cahier* for Pas-de-Calais, そこには、以下のフレーズが含まれている。「ここで我々は王に対し、正義を行なうことを求める。ひとりの王、ひとつの法律、ひとつの重量、ひとつの計測単位の実現だけを心から願う」

12 以下より Sir John Riggs Miller, 'A Proposition Offered to the National Assembly on Weights and Measures by the Bishop of Autun', *Speeches in the House of commons upon the equalization of the weights and measures of Great Britain; with notes, &c. Together with two letters from the bishop of Autun* (London: J. Debrett, 1790), p. 77.

13 Talleyrand, *Archives parlementaires de 1787 à 1860; recueil complet des débats législatifs et politiques des chambres françaises* (Paris: Dupont, 9 March 1790), p. 106. 以下から引用。 Alder, p. 85, そこには、「同じような表現がコンドルセの提言にも見られる」と記されている。

14 John Riggs Miller, 'Speeches in the House of Commons upon the equalization of the weights and measures of Great Britain . . . Together with two letters from the Bishop of Autun to the author upon the uniformity of weights and measures; that prelate's proposition respecting the same to the National Assembly; and the decree of that body . . . With English translations', London, 1790; General Reference Collection of the British Library E.2159.(3).

15 Louis Jourdan, *La Grande Métrication* (Nice: France Europe Éditions, 2002). 以下のフランス語のオリジナルからの引用。 '*Parfois en trahissant les rois ou les empereurs, mais jamais la France.*'

16 David Lawday, *Napoleon's Master: A Life of Prince Talleyrand* (London: Jonathan Cape, 2006), p. 2.

17 Auguste-SavinienLeblond, *Sur la fixation d'une mesure et d'un poid – lu à l'Académie des Sciences le 12 mai 1790* (Paris: Demonville, 1791), 10; 以下から引用。 Alder, p. 87.

18 Mohammed Abattouy, 'The Mathematics of Isochronism in Galileo: From His Manuscript Notes on Motion to the Discorsi', *Societate si Politica*, 11(2), January 2017, pp. 23–54.

19 J. Donald Fernie, 'Marginalia: The Shape of the Earth', *American Scientist*, 79(2), March–April 1991, pp. 108–10. リーニュの長さに関しては、以下を参照。 John Henry Poynting and Joseph John Thompson, *A Textbook of Physics: Properties of Matter*, fourth edn (London: Charles Griffin & Co., 1907), p. 20.

Knowledge in the Victorian Age (Ann Arbor, MI: University of Michigan Press, 2017), p. 255.

52 Algernon Charles Swinburne, 'The Garden of Proserpine', in *Poems and Ballads* (London: James Camden Hotten, 1886), pp. 196–9.

53 以下から引用 Suzy Anger, 'Evolution and Entropy: Scientific Contexts in the Nineteenth Century', in Robert DeMaria Jr., Heesok Chang, and Samantha Zacher (eds), *A Companion to British Literature: Part IV: Victorian and Twentieth-Century Literature 1837–2000* (Hoboken, NJ: John Wiley & Sons, 2014), p. 62.

54 H. G. Wells, *The Time Machine* (1895). （『タイムマシン』邦訳多数）

【第５章】

1 'Outlines of an Historical View of the Progress of the Human Mind, being a posthumous work of the late M. de Condorcet'. Translated from the French (Philadelphia: M. Carey, 1796), p. 259.

2 Michael Trott (trans.), 'As of Today, the Fundamental Constants of Physics (c, h, e, k, N_A) Are Finally . . . Constant!' Wolfram blog: https://blog.wolfram.com/2018/11/16/as-of-today-the-fundamental-constants-of-physics-c-h-e-k-na-are-finally-constant/.オリジナルは、ラプラスが五百人評議会で行なった演説。以下が出典。 Jean-Baptiste Delambre and Pierre Méchain, 'Base du système métrique décimal, ou Mesure de l'arc du méridien compris entre les parallèles de Dunkerque et Barcelone', 1806–10, Bibliothèque nationale de France, département Réserve des livres rares, V-7586. https://gallica.bnf.fr/ark:/12148/bpt6k1106055.

3 以下から引用。 Lugli, p. 37.

4 K. M. Delambre, *Base du système du métrique décimal*, 1: title page (Paris: Baudouin, 1806, 1807, 1810). 以下から引用。 Ken Alder's *The Measure of All Things: The Seven-Year Odyssey and Hidden Error That Transformed the World* (New York: Free Press, 2002 (2003)), p. 3.

5 Alder, p. 7.

6 Arthur Young, *Travels During the Years 1787, 1788, and 1789: Undertaken More Particularly with a View of Ascertaining the Cultivation, Wealth, Resources, and National Prosperity of the Kingdom of France*, vol. 1 (London: printed by J. Rackham for W. Richardson, 1792), p. 302.

7 J. L. Heilbron, 'The Measure of Enlightenment', in Frängsmyr et al., p. 207.

8 Roland Edward Zupko, *Revolution in Measurement: Western European Weights and Measures Since the Age of Science* (Memoirs of the American Philosophical Society), vol. 186 (American Philosophical Society, 1990), p. 113.

34 William Thomson, 'An Account of Carnot's Theory of the Motive Power of Heat; With Numerical Results Deduced from Regnault's Experiments on Steam', in *Mathematical and Physical Papers*, Cambridge Library Collection – Physical Sciences (Cambridge: Cambridge University Press, 2011), pp. 100–6.
35 David Lindley, *Degrees Kelvin: A Tale of Genius, Invention, and Tragedy* (Washington, DC: Joseph Henry Press, 2004), p. 69.
36 P. W. Atkins, *The Second Law* (New York: Scientific American Books, 1984), p. 1.
37 Lindley, p. 75.
38 以下から引用。 Lindley, p. 75.
39 以下から引用。 Wayne M. Saslow, 'A History of Thermodynamics: The Missing Manual', *Entropy*, 22(1), 77, 2020, p. 21.
40 Rudolf Clausius, *The Mechanical Theory of Heat, with Its Applications to the Steam-Engine and to the Physical Properties of Bodies*, Thomas Archer Hirst (ed.), John Tyndall (翻訳) (London: John van Voorst, 1867), p. 386.
41 Porter, *Trust in Numbers*, p. 18.
42 以下から引用。 Frängsmyr et al., 1990, p. 1.
43 John Smith, 'The Best Rules for the Ordering and Use Both of the Quick-Silver and Spirit Weather-Glasses', fl. 1673–80. https://quod.lib.umich.edu/e/eebo/A60473.0001.001.
44 'The Female Thermometer', in Terry Castle, *The Female Thermometer: Eighteenth-Century Culture and the Invention of the Uncanny* (Oxford: Oxford University Press, 1995), p. 27.
45 Clausius, p. 357.
46 William Thomson, 'On the Age of the Sun's Heat', *Macmillan's Magazine*, vol. 5 (5 March 1862), pp. 388–93.
47 以下を参照 Crosbie Smith, 'Natural Philosophy and Thermodynamics: William Thomson and "The Dynamical Theory of Heat"', *The British Journal for the History of Science*, 9(3), 1976, pp. 293–319.
48 Crosbie Smith and M. Norton Wise, *Energy and Empire: A Biographical Study of Lord Kelvin* (New York: Cambridge University Press, 1989), pp. 331, 535.
49 Barri J. Gold, 'The Consolation of Physics: Tennyson's Thermodynamic Solution', *PLMA*, 117(3), May 2002, pp. 449–64 (p. 452).
50 このように解釈したのは、ブロック大学のエリザベス・ネスワルド博士と啓発的な議論を交わしたおかげだ。
51 Tamara Ketabgian, 'The Energy of Belief: The Unseen Universe and the Spirit of Thermodynamics', in *Strange Science: Investigating the Limits of*

18 以下から Jean Leurechon's *Récréations mathématiques* (1624), 以下から引用 Henry Carrington Bolton, *Evolution of the Thermometer 1592–1743* (Easton, PA: The Chemical Publishing Co., 1900), pp. 11–12.
19 オリジナル: Cornelis van der Woude and Pieter Jansz Schaghen, *Kronyck van Alckmaar* (Amsterdam: Steven van Esveldt, 1742), p. 102. 翻訳: Hubert van Onna, Drebbologist and Chairman of the Second Drebbel Foundation, 'Cornelis Jacobszoon Drebbel, "a Bold mind, a show-off to the World"'. www.drebbel.net.
20 Gerrit Tierie, *Cornelis Drebbel (1572–1633)* (Amsterdam: H. J Paris, 1932). http://www.drebbel.net/Tierie.pdf.
21 Dr James Bradburne, 'Afbeeldingen van Cornelis Drebbel's Perpetuum Mobile', January 2015. http://www.drebbel.net/Drebbels%20Perpetuum%20Mobile.pdf
22 Michael John Gorman, *Mysterious Masterpiece: The World of the Linder Gallery* (Firenze, Italy: Mandragora Srl/Alias, 2009).
23 Edmond Halley, 'An Account of Several Experiments Made to Examine the Nature of the Expansion and Contraction of Fluids by Heat and Cold, in Order to Ascertain the Divisions of the Thermometer, and to Make That Instrument, in All Places, Without Adjusting by a Standard', *Philosophical Transactions*, 17(197), 1693 (The Royal Society), p. 655.
24 以下で示唆 the Accademia del Cimento in the mid-1600s and by Joachim Dalencé in 1688 respectively. See Chang, p. 10.
25 I. Bernard Cohen (ed.), *Isaac Newton's Papers and Letters on Natural Philosophy* (Cambridge, MA: Harvard University Press, 1958), pp. 265–8.
26 Pieter van der Star (ed.), *Daniel Gabriel Fahrenheit's Letters to Leibniz and Boerhaave* (Museum Boerhaave, 1983), p. 3.
27 以下から *Elementa Chemiae*, ヘルマン・ブールハーフェが1732年に発表した最初の化学教本。以下に引用。 Chang, p. 58.
28 Chang, p. 12.
29 Chang, p. 11.
30 Chang, p. 45.
31 William Thomson, 'On an Absolute Thermometric Scale', *Philosophical Magazine*, 1848, from Sir William Thomson, *Mathematical and Physical Papers*, vol. 1 (Cambridge: Cambridge University Press, 1882); 以下から引用 Chang, p. 159.
32 以下から引用 Gaston Bachelard, *The Psychoanalysis of Fire* (London: Routledge & Kegan Paul, 1964), p. 60.
33 Antoine Laurent Lavoisier, *Elements of Chemistry*, Robert Kerr (翻訳) (New York: Dover Publications, 1965. オリジナル: Edinburgh: William Creech, 1790), pp. 3–7.

【第4章】

1 Robert Frost, '"Fire and Ice", A Group of Poems by Robert Frost', *Harper's Magazine*, vol. 142, December 1920, p. 67.
2 Tore Frängsmyr, J. L. Heilbron, and Robin E. Rider (eds), *The Quantifying Spirit in the 18th Century* (Berkeley: University of California Press, 1990).
3 Francis Bacon, *New Atlantis* (1627), from Susan Ratcliffe (ed.), *Oxford Essential Quotations* (Oxford: Oxford University Press, 2016 (online version), fourth edn).（『ニュー・アトランティス』岩波書店、2003年、川西進訳）
4 Robert I. Frost, *The Northern Wars: War, State and Society in Northeastern Europe 1558–1721* (London: Longman, 2000), pp. 133–4.
5 Robert I. Frost, *After the Deluge: Poland–Lithuania and the Second Northern War, 1655–1660* (Cambridge: Cambridge University Press, 1993).
6 Martin Ekman, *The Man Behind 'Degrees Celsius': A Pioneer in Investigating the Earth and Its Changes* (Summer Institute for Historical Geophysics, Åland Islands, 2016).
7 以下を参照。Hasok Chang, *Inventing Temperature: Measurement and Scientific* Progress (Oxford: Oxford University Press, 2004). そして、著者とのインタビュー。
8 以下から引用。Constantine J. Vamvacas, *The Founders of Western Thought –The Presocratics*, Robert Crist (trans.), *Boston Studies in the Philosophy and History of Science*, vol. 257 (Dordrecht: Springer, 2009), p. 119.
9 Richard J. Durling, 'The Innate Heat in Galen', *Medizinhistorisches Journal*, bd. 23, h. 3/4, 1988, pp. 210–12.
10 W. E. Knowles Middleton, *A History of the Thermometer and Its Use in Meteorology* (Baltimore: Johns Hopkins University Press, 1966), pp. 3–5.
11 以下から引用。W. E. Knowles Middleton, *Catalog of Meteorological Instruments in the Museum of History and Technology* (Washington, DC: Smithsonian Institution Press, 1969), p. 37.
12 Fabrizio Bigotti and David Taylor, 'The Pulsilogium of Santorio: New Light on Technology and Measurement in Early Modern Medicine', *Soc. Politica*, 11(2), 2017, pp. 53–113.
13 以下から引用。Teresa Hollerbach, 'The Weighing Chair of Sanctorius Sanctorius: A Replica', *NTM*, 26(2) 2018, pp. 121–49.
14 以下から引用。Middleton, 1966, p. 7.
15 Martin K. Barnett, 'The Development of Thermometry and the Temperature Concept', *Osiris*, 12, 1956, p. 277.
16 Francis Bacon, *Advancement of Learning and Novum Organum* (London and New York: Colonial Press, 1900), p. 387.
17 Middleton, 1966, p. 20.

42 Strunk's *Source Readings in Music History*, 1 (New York: Norton, 1989), pp. 184–5, 189, 190; Craig Wright, *Music and Ceremony at Notre Dame of Paris, 500–1550* (Cambridge: Cambridge University Press, 1989), p. 345. 以下から引用。 Crosby, p. 158.

43 以下から引用。 Henry Raynor, *A Social History of Music from the Middle Ages to Beethoven* (London: Barrie & Jenkins, 1972), pp. 36–7.

44 Landes, pp. 6–11.

45 たとえばロジャー・ストークは、ノーリッジ大聖堂の天文時計を制作した（1321－5）。ウォリングフォードのリチャードの天文時計は、セント・オールバンズに設置された。これは30年の歳月をかけて1364年に完成された。そして、ジョバンンイ・デ・ドンディの天文時計は1380年頃に完成し、当時は世俗的な作品の傑作として評価された。

46 この仮説の支持者に関しては、ルイス・マンフォードを参照。
彼は、ベネディクト会の修道士が近代資本主義の創設者だったと考えている。なぜなら、「人間の営みに機械の規則的なビートとリズムを持ち込み、集団を統率したからだ」。そしてH.E.ハラムによれば、「時計の精神」は「ベネディクト会の修道士が起源だ」という。この解釈への批判に関しては、以下を参照。 Gerhard Dohrn-van Rossum's *History of the Hour*.

47 以下から引用。 Landes, p. 65.

48 Gerhard Dohrn-van Rossum, p. 38. 註：ロッサムは、アルノ・ボルストの主張を言い換えている。

49 Lynn White, *Medieval Technology and Social Change* (Oxford: Clarendon Press, 1962), p. 124.

50 以下から引用。 Carlo M. Cipolla, *Clocks and Culture 1300–1700* (London: Collins, 1967), p. 42.

51 Landes, p. 81.

52 Lewis Mumford, *Technics and Civilization* (London: Routledge, 1923 (1955)), pp. 13–14.

53 以下から引用。 Shapin, p. 32.

54 以下より Galileo's *Sidereus Nuncius*; quoted in Koyré, p. 89.

55 以下から引用。 Shapin, p. 18.

56 以下から引用。 Shapin, p. 33.

57 Shapin, p. 62.

58 Max Weber, *The Vocation Lectures*, David Owen and Tracy B. Strong (eds), Rodney Livingstone (trans.) (Indianapolis and Cambridge: Hackett Publishing Company, 2004).

59 以下から引用。 Shapin, p. 63.

60 John Maynard Keynes, *Essays in Biography, Vol. 10: The Collected Writings of John Maynard Keynes* (Palgrave Macmillan/Royal Economic Society, 1972), p. 363.
（『ケインズ全集〈第10巻〉人物評伝』東洋経済新報社、1980年、大野忠男訳）

pp. 540–63. 重要な著書には、以下も含まれる。 Thomas Bradwardine's *De proportionibus velocitatum in motibus* (1328); William Heytesbury's *Regulae solvendi sophismata* (1335); and Richard Swineshead's *Liber calculationum* (c.1350).

29 Thomas Bradwardine, *Tractatus de continuo*, 以下から引用。 J. A. Weisheipl, 'Ockham and the Mertonians', in T. H. Aston (ed.), *The History of the University of Oxford* (Oxford: Clarendon Press, 1984), pp. 607–58, p. 627.

30 Mark Thakkar, 'The Oxford Calculators', in *Oxford Today: The University Magazine*, Trinity Issue 2007, pp. 24–6.

31 Weisheipl, pp. 607–58.

32 Edgar Zilsel, *The Social Origins of Modern Science*, Diederick Raven, Wolfgang Krohn, and Robert S. Cohen (eds), *Boston Studies in the Philosophy and History of Science*, vol. 200 (Dordrecht, Boston and London: Kluwer Academic Publishers, 2000), p. 4.

33 ボナゲントゥーラ・ベルリンギエーリが13世紀に描いた祭壇画は、アッシジのフランチェスコの生涯をテーマにしている。そこには、教会の内側と外側の出来事が同時に描かれている。

34 以下から引用。 Frank Prager and Gustina Scaglia, *Mariano Taccola and His Book 'De Ingeneis'* (Cambridge, MA, and London: MIT Press, 1972), p. 11.

35 アルベルティは複数の版を執筆した。トスカナの土地言葉（イタリア語でDella Pitturaというタイトルで出版）、ラテン語（De pictura）などがあり、30年かけてこれらを改訂したうえで編集した。最初に書かれたのはトスカナの土地言葉だと思われるが、広く普及したのはラテン語版だった。

36 Leon Battista Alberti, *On Painting and On Sculpture: The Latin Texts of 'De Pittura' and 'De Statua'*, Cecil Grayson (trans.) (London: Phaidon, 1972) 55, pp. 67–9.

37 A. Mark Smith, 'The Alhacenian Account of Spatial Perception and Its Epistemological Implications', *Arabic Sciences and Philosophy*, 15(2) (Cambridge: Cambridge University Press, 2005), p. 223.

38 以下から引用。 Samuel Y. Edgerton, *The Mirror, the Window, and the Telescope* (New York: Cornell University Press, 2009), p. 89.

39 *The Etymologies*, III.xiv.4–xvii.3 p. 95.

40 Hugo Riemann, *History of Music Theory: Books I and II, Polyphonic Theory to the Sixteenth Century* (Lincoln, NE: University of Nebraska Press, 1962), pp. 131–57 ('Mensural Theory to the Beginning of the 14th Century').

41 以下を参照。Max Weber, in Don Martindale, Johannes Riedel, and Gertrude Neuwirth (eds), *The Rational and Social Foundations of Music* (Carbondale: Southern Illinois University Press, 1958), pp. 82–8.

Publications, 1995)（省略されていない改訂増補版は、1952年に最初に出版された）, p. 33.

16 Carl B. Boyer, *A History of Mathematics* (Princeton: Princeton University Press, 1985), p. 96.
プラトンも『国家』のなかで、優れた王は暴君よりも729倍（9の3乗倍）充実した人生を送ると主張している。オックスフォード大学のレディ・マーガレットホールとトリニティ・カレッジで哲学講師を務めるトーマス・アインスワースからはこう言われた。「私の見解では、これはプラトンにしてはめずらしいジョークだ」

17 A. C. Crombie, *Styles of Scientific Thinking in the European Tradition*, vol. 1 (London: Gerald Duckworth & Co. Ltd, 1994), p. 99. Crombie: 数字に象徴としての重要性が備わった結果、「数学は計算の道具だけでなく、物事の本質を科学的に研究するための手段にもなった」

18 Faith Wallis, '"Number Mystique" in Early Medieval Computus Texts', in T. Koetsier and L. Bergmans (eds), *Mathematics and the Divine: A Historical Study* (Amsterdam: Elsevier B.V., 2005), p. 182.

19 Vincent Foster Hopper, *Medieval Number Symbolism: Its Sources, Meaning, and Influence on Thought and Expression* (New York: Columbia University Press, 1938), pp. 94–5.

20 Kings 20:30, KJV.

21 Crosby, p. 27.

22 Edward Gibbons, *The History of the Decline and Fall of the Roman Empire* (New York: Harper & Brothers Publishers, 1879. Originally published 1776), p. 418.（『ローマ帝国衰亡史』新訳、PHP研究所、2020年、中倉玄喜訳編）

23 Stephen A. Barney, W. J. Lewis, J. A. Beach, Oliver Berghof, 同時に以下も参照。 Muriel Hall, *The Etymologies of Isidore of Seville* (Cambridge: Cambridge University Press, 2006), XII.iii.10–iv.11, p. 255.

24 Barney et al., II.iv.1–v.8, p. 90.

25 すべて以下からの引用。 Edward Grant, *The Foundations of Modern Science in the Middle Ages* (Cambridge: Cambridge University Press, 1996 (1998)), pp. 68–9.

26 Aristotle, *Posterior Analytics*, I.2, 71b9–11; II.11, 94a20, in Jonathan Barnes (ed.), *Complete Works of Aristotle, Volume 1: The Revised Oxford Translation* (Princeton: Princeton University Press, 1984), book I, chapter 18, p. 132.

27 Steven Shapin, *The Scientific Revolution* (Chicago and London: University of Chicago Press, 1996 (1998)), p. 29.

28 Edith Dudley Sylla, 'The Oxford Calculators', in Norman Kretzmann, Anthony Kenny, and Jan Pinborg (eds), *The Cambridge History of Later Medieval Philosophy* (Cambridge: Cambridge University Press, 1982),

以下から引用 Charles Gross, 'The Court of Piepowder', *The Quarterly Journal of Economics*, 20(2), February 1906, pp. 231–49.

59 Herbert Arthur Klein, *The Science of Measurement: A Historical Survey* (New York: Dover Publications, 1974), pp. 65–7.

【第3章】

1 James Spedding, Robert Leslie Ellis, and Douglas Denon Heath (eds), *The Works of Francis Bacon*, vol. 4, book I, aphorism 6 (Boston: Houghton, Mifflin & Co., 1858).

2 Edward Mendelson (ed.), *The English Auden: Poems, Essays and Dramatic Writings, 1927–1939* (London: Faber & Faber, 1986), p. 292. Quoted in Crosby, p. 12.

3 Alexandre Koyré, *From the Closed World to the Infinite Universe* (Baltimore: Johns Hopkins Press, 1957), p. 1.（『閉じた世界から無限宇宙へ』みすず書房、1973年、横山雅彦訳）

4 John Donne, 'An Anatomy of the World' (1611), in Roy Booth (ed.), *The Collected Poems of John Donne* (Wordsworth Poetry Library, 1994), p. 177.

5 Aristotle, *Physics*, Book II.3, 194 b 16 – 194 b 23; Jonathan Barnes (ed.), *The Complete Works of Aristotle: The Revised Oxford Translation* (Princeton: Princeton University Press, 1984 (1991)).

6 Saint Augustine, *Confessions*, XIII.9, F. J. Sheed (trans.) (1942–3), introduction by Peter Brown (Indianapolis: Hackett Publishing, 2006), p. 294.

7 Nicholas of Cusa, *De docta ignorantia* II.13, Jasper Hopkins (trans.) (Minneapolis: Arthur J. Banning Press, 1985 (1990)), copyright 1981, p. 99.

8 以下から引用され *Idiota de sapientia*, 以下に翻訳。 Charles Trinkaus, *The Scope of Renaissance Humanism* (Michigan: University of Michigan Press, 1983); from the essay 'Humanism and Greek Sophism: Protagoras in the Renaissance', p. 176.

9 Trinkaus, p. 176.

10 Crosby, p. 12.

11 Anne Carson, *Autobiography of Red* (London: Jonathan Cape, 1999 (2010)), p. 4.

12 R. C. Cross and A. D. Woozley, *Republic*, vii.522C; from *Plato's Republic: A Philosophical Commentary* (New Y14ork: Macmillan, 1964), p. 155.

13 Gregory Vlastos, *Plato's Universe* (Oxford: Clarendon Press, 1975), p. 97.

14 Plato, *Plato's Examination of Pleasure: A Translation of the Philebus*, 以下で紹介され、コメントされている。 R. Hackforth (Cambridge: Cambridge University Press, 1945), 56B, p. 117.

15 *De libero arbitrio*, book 2, chapter 8, section 21; 以下から引用。 A. C. Crombie, *The History of Science from Augustine to Galileo* (New York: Dover

and Transfer of Disease', *Bulletin of the History of Medicine*, 48(2), Summer 1974, pp. 221–33. Harry Gray, W. I. Feagans, and Ernest W. Baughman, 'Measuring for Short Growth', *Hoosier Folklore*, 7(1), March 1948, pp. 15–19. Ellen Powell Thompson, 'Folk-Lore from Ireland', *The Journal of American Folklore*, 7(26), July–September 1894, pp. 224–7. Tom Peete Cross, 'Witchcraft in North Carolina', *Studies in Philology*, 16 (3), July 1919, pp. 217–87.

42 Lugli, p. 146.

43 Harry A. Miskimin, 'Two Reforms of Charlemagne? Weights and Measures in the Middle Ages', *The Economic History Review*, New Series, 20(1), April 1967, pp. 35–52.

44 Alexis Jean Pierre Paucton, *Métrologie ou Traité des Mesures, Poids et Monnoies des anciens Peuples & des Modernes* (La Veuve Desaint, 1780); via Kula, p. 163.

45 Lugli, pp. 88–90.

46 Patrick Boucheron, '"Turn Your Eyes to Behold Her, You Who Are Governing, Who Is Portrayed Here", Ambrogio Lorenzetti's Fresco of Good Government', *Annales. Histoire, Sciences Sociales*, 60(6), 2005, pp. 1,137–99.

47 Lugli, p. 196.

48 Lugli, p. 203.

49 Diana Wood, *Medieval Economic Thought* (Cambridge: Cambridge University Press, 2002), p. 91.

50 Brian A. Sparkes, 'Measures, Weights, and Money', in Edward Bispham, Thomas Harrison, and Brian A. Sparkes (eds), *The Edinburgh Companion to Ancient Greece and Rome*, pp. 471–6.

51 Alison E. Cooley, *Pompeii: A Sourcebook* (Abingdon: Routledge, 2004), p. 179.

52 Mabel Lang and Margaret Crosby, 'Weights, Measures and Tokens', *The Athenian Agora*, 10, 1964 (The American School of Classical Studies at Athens), pp. 1–146.

53 Dennis Romano, *Markets and Marketplaces in Medieval Italy, c.1100 to c.1400* (New Haven, CT: Yale University Press, 2015), pp. 217–19. 以下より Lugli, p. 67.

54 Lugli, p. 67.

55 Lugli, p. 70.

56 Edward Nicholson, *Men and Measures: A History of Weights and Measures, Ancient and Modern* (London: Smith, Elder & Co., 1912), p. 60.

57 Lugli, p. 95.

58 以下より William Blackstone's 'Commentaries on the Laws of England',

Possible Means and the Motives of the Observations', *Open Astronomy*, 27, 2018, pp. 232–64.

27 Edoardo Detoma, 'On Two Star Tables on the Lids of Two Coffins in the Egyptian Museum of Turin', *Archeologia, Epigrafia e Numismatica*, 2014, pp. 117–69.

28 Jean Gimpel, *The Medieval Machine: The Industrial Revolution of the Middle Ages* (Harmondsworth: Penguin Books, 1976 (1983)), p. 168.

29 以下から引用。 Alfred W. Crosby, *The Measure of Reality: Quantification and Western Society*, 1250–1600 (Cambridge: Cambridge University Press, 1997 (1998)), p. 32.（『数量化革命』紀伊國屋書店、2003年、小沢千重子訳）

30 「日に七たび、わたしはあなたを賛美します。あなたの正しい裁きのゆえに」 Psalms 119:164.

31 David S. Landes, *Revolution in Time: Clocks and the Making of the Modern World* (Cambridge, MA, and London: Belknap Press of Harvard University Press, 1983), pp. 404–5.

32 Crosby, p. 33.

33 Kelly Wetherille, 'Japanese Watchmaker Adapts Traditional Timepiece', *The New York Times*, 12 November 2015. https://www.nytimes.com/2015/11/12/fashion/japanese-watchmaker-adapts-traditional-timepiece.html.

34 'The World of Japanese Traditional Clock', Japan Clock & Watch Association. https://www.jcwa.or.jp/en/etc/wadokei.html.

35 Llewellyn Howes, '"Who Will Put My Soul on the Scale?" Psychostasia in Second Temple Judaism', *Old Testament Essays*, 27(1), 2014, pp. 100–22. Retrieved 14 August 2020 from http://www.scielo.org.za/scielo.php?script=sci_arttext&pid=S1010-99192014000100007&lng=en&tlng=en.

36 Samuel G. F. Brandon, 'The Weighing of the Soul', in Joseph M. Kitagawa and Charles H. Long (eds), *Myths and Symbols: Studies in Honor of Mircea Eliade* (Chicago: Chicago University Press, 1969), pp. 98–9.

37 B. C. Dietrich, 'The Judgement of Zeus', *Rheinisches Museum für Philologie*, Neue Folge, 107. Bd., 2. H. (1964), pp. 97–125.

38 この事実を明らかにできたのは、エマニュエル・ルギのおかげだ。（Lugli, p. 111), 彼はこれを、アラン・ゲローの 'Mensura et Metiri dans la Vulgate'. で発見した。私も自分で確認作業を行ない、欽定訳聖書には「慈善行為」（charity）が名詞として28回登場し、どこでもそれを読者に勧めていることがわかった。

39 以下から引用 Lugli, p. 155.

40 以下から引用 Lugli, p. 147.

41 Wayland D. Hand, 'Measuring and Plugging: The Magical Containment

5 Emanuele Lugli, *The Making of Measure and the Promise of Sameness* (Chicago: University of Chicago Press, 2019), p. 91.
6 L. W. King (trans.), Yale Law School, *The Avalon Project, Documents in Law, History and Diplomacy: The Code of Hammurabi*. Laws 108 and 155.
7 Lugli, p. 142.
8 'Magna Carta 1215', 6.13, *Medieval Worlds: A Sourcebook*, Roberta Anderson and Dominic Aidan Bellenger (eds) (London: Routledge, 2003), 35, p. 156.
9 Mishneh Torah, Laws of Theft 7:12. Maimonides.
10 Howard L. Goodman, *Xun Xu and the Politics of Precision in Third-Century AD China* (Leiden, Netherlands: Brill, 2010), p. 197.
11 Goodman, p. 209. 絶対音感は古代中国だけでなく、帝国時代の全般にわたり、宇宙と結びつく重要な要素として見なされた。宮廷の宗教制度の一環として、竹笛の音程は調節され[……]それに基づいて演奏が行なわれた。
12 Goodman, p. 159.
13 以下から引用 Goodman, p. 205.
14 Witold Kula, *Measures and Men*, R. Szreter (trans.) (Princeton, NJ: Princeton University Press, 1986), p. 127.
15 Kula, p. 33.
16 Kula, p. 30.
17 M. Luzzati, 'Note di metrologia Pisana', in *Bollettino Storico Pisano*, XXXI–XXXII, 1962–3, pp. 191–220: pp. 208–9, 219–20.
18 Kula, pp. 43–70.
19 Kula, p. 12.
20 Luke 6:38.
21 Kula, p. 49.
22 James C. Scott, *The Moral Economy of the Peasant: Rebellion and Subsistence in Southeast Asia* (New Haven and London: Yale University Press, 1977), p. 71.
23 Kula, p. 189.
24 Gilbert Shapiro and John Markoff, *Revolutionary Demands: A Content Analysis of the Cahiers de Doléances of 1789* (Stanford, CA: Stanford University Press, 1998), p. 381.
25 Gerhard Dohrn-van Rossum, *History of the Hour: Clocks and Modern Temporal Order*, Thomas Dunlap (trans.) (Chicago and London: University of Chicago Press, 1996), p. 19.
26 夜には全部で26の星座が現れるが、真っ暗闇では12までしか数えられない。そこで12分割し、それぞれが40分とされた。
Sebastian Porceddu et al., 'Algol as Horus in the Cairo Calendar: The

40 David N. Keightley, 'A Measure of Man in Early China: In Search of the Neolithic Inch', *Chinese Science*, 12 (1995), pp. 18–40; 26頁では、男女で異なる単位について以下のように述べている。「男性の手から10フェン（fen）離れる」「平均的な女性の手の長さは８クン（cun）インチ。これは１ジー（zhi）フィートと呼ばれる」。クリースも37頁で同様に述べている。

41 R. Pankhurst, 'A Preliminary History of Ethiopian Measures, Weights, and Values', *Journal of Ethiopian Studies*, 7(1), January 1969, p. 36. 以下のような、様々な逸話が引用されている。「ペトロス・ウォンタモの話によると、カンバタのミスギダ地区では『どの村にも布を購入するときに頼りにする男性がいる……実際、こうした人物は計測の基準である。みんなを助けて感謝の言葉をかけられるが、報酬を支払われるわけではない』」

42 Herbert Arthur Klein, *The Science of Measurement: A Historical Survey* (New York: Dover Publications, 1974), p. 44. 実際には「親指の付け根の部分の幅」を測るといっても、計測する前にはおそらく平らに押して（少し表面をつぶした）と考えられる。

43 Mark Lehner, 'Labor and the Pyramids: The Heit el-Ghurab "Workers Town" at Giza', in Piotr Steinkeller and Michael Hudson (eds), *Labor in the Ancient World*, vol. V (ISLET-Verlag, 2015), pp. 397–522.

44 Lewis Mumford, *The Myth of the Machine: Technics and Human Development* (New York: Harcourt Brace Jovanovich Inc., 1967), p. 11.

45 Mumford, p. 12.

46 Mumford, p. 168.

47 Raffaella Bianucci et al., 'Shedding New Light on the 18th Dynasty Mummies of the Royal Architect Kha and His Spouse Merit', *PLoS One*, 10 (7), 2015.

48 Naoko Nishimoto, 'The Folding Cubit Rod of Kha in Museo Egizio di Torino, S.8391', in Gloria Rosati and Maria Cristina Guidotti (eds), *Proceedings of the Eleventh International Congress of Egyptologists, Florence, Italy, 23–30 August 2015* (Oxford: Archaeopress Publishing Ltd, 2017), pp. 450–6.

【第２章】

1 詳しくは、以下を参照。 Guitty Azarpay, 'A Photogrammetric Study of Three Gudea Statues', *Journal of the American Oriental Society*, 110(4), October- December 1990, pp. 660–5.

2 Arvid S. Kapelrud, 'Temple Building, a Task for Gods and Kings', *Orientalia*, Nova Series, 32(1), 1963, pp. 56–62.

3 John M. Lundquist, 'The Legitimizing Role of the Temple in the Origin of the State', Society of Biblical Literature Seminar Papers 21, 1982, pp. 271–97.

4 Nicola Ialongo, Raphael Hermann, and Lorenz Rahmstorf, 'Bronze Age Weight Systems as a Measure of Market Integration in Western Eurasia', *PNAS*, 6 July 2021.

26 Mark Edward Lewis, 'Evolution of the Calendar in Shang China', in Morley and Renfrew, *The Archaeology of Measurement*, pp. 195–202.

27 E. C. Krupp, *Echoes of the Ancient Skies: The Astronomy of Lost Civilizations* (New York: Dover Publications, 2003 (1983)), p. 205.

28 'What Did Mayans Think Would Happen in 2012?' マーク・ヴァン・ストーン博士とのオンラインインタビュー、2010年9月6日。 https://www.kpbs.org/news/2010/sep/06/what-did-mayans-think-would-happen-2012/.

29 この暦でのうるう年の欠落は、太陽年と徐々に同期がずれていくことを意味する。そこからannus vagusすなわち放浪の年と呼ばれるようになった。

30 Alan B. Lloyd, *Ancient Egypt: State and Society* (Oxford: Oxford University Press, 2014), p. 322.

31 Heidi Jauhiainen, 'Do Not Celebrate Your Feast Without Your Neighbors: A Study of References to Feasts and Festivals in Non-Literary Documents from Ramesside Period Deir el-Medina' (PDF), *Publications of the Institute for Asian and African Studies*, No. 10 (Helsinki: University of Helsinki, 2009); 魔除けについては198頁に記されている。

32 Lynn V. Foster, *Handbook to Life in the Ancient Maya World* (New York: Facts on File, 2002), p. 253.

33 この事例は、以下を脚色して引用した。
David Brown, 'The Measurement of Time and Distance in the Heavens Above Mesopotamia, with Brief Reference Made to Other Ancient Astral Sciences', in Morley and Renfrew, *The Archaeology of Measurement*.

34 *The Epic of Gilgamesh*, 『ギルガメシュ叙事詩』英語版。N.K.サンダースが序文を執筆。
(Harmondsworth and New York: Penguin, 1977), pp. 209–10.

35 Crease, pp. 18–25.

36 William Rossi, *Professional Shoe Fitting*. (『プロフェッショナル シューフィッティング』日本製靴、1987年、熊谷温生訳) Though, contra to some myths, Edward II did not introduce this standardisation, and the first recording of the third-of-an-inch increment Rossi finds is from 1856.

37 金の純度も由来が共通しているので、混同しないように。こちらはアメリカではkarat、イギリスではcaratと綴られる。

38 Diamond Jenness, *The Ojibwa Indians of Parry Island, Their Social and Religious Life* (Ottowa: National Museum of Canada, 1935; Bulletin no. 78, Anthropological Series, no. 17), pp. 11–12.

39 Theodore M. Porter, *Trust in Numbers: The Pursuit of Objectivity in Science and Public Life* (Princeton, NJ: Princeton University Press, 1995), p. ix.

12 Samuel Noah Kramer, *From the Tablets of Sumer: Twenty-Five Firsts in Man's Recorded History* (Indian Hills, CO: Falcon's Wing Press, 1956), p. xix.
13 Christopher J. Lucas, 'The Scribal Tablet-House in Ancient Mesopotamia', *History of Education Quarterly*, 19(3), Autumn 1979, p. 305.
14 Jack Goody, *The Domestication of the Savage Mind* (Cambridge: Cambridge University Press, 1977), p. 81.
15 Goody, p. 94.
16 Alan H. Gardiner, *Ancient Egyptian Onomastica*, vol. 1 (Oxford: Oxford University Press, 1947).
17 Gardiner, pp. 24–5.
18 Goody, p. 102.
19 Jorge Luis Borges, 'John Wilkins' Analytical Language', in Eliot Weinberger (ed.), *Selected Non-Fictions*, Esther Allen, Suzanne Jill Levine, and Eliot Weinberger (trans.) (New York: Penguin, Viking, 1999), pp. 229–32. エッセイは当初、以下として出版された。'El idioma analítico de John Wilkins', *La Nación*, Argentina, 8 February 1942, and republished in *Otras inquisiciones*.
20 Michel Foucault, *The Order of Things* (London and New York: Routledge, 2005 (1966)), p. xxi.
21 ただし、概日リズムは偏在していたわけではなかった。以下を参照。Guy Bloch, Brian M. Barnes, Menno P. Gerkema, and Barbara Helm, 'Animal Activity Around the Clock with No Overt Circadian Rhythms: Patterns, Mechanisms and Adaptive Value', *Proceedings of the Royal Society*, 280(1765), 22 August 2013.
22 ちなみにISSでは、協定世界時（UTC）が使われている。ヒューストンとモスクワにあるミッションコントロールセンターの中間点として、便利に使えるからだ。Ally, '20 Questions for 20 Years: Happy Birthday International Space Station', European Space Agency, 21 November 2018. https://blogs.esa.int/alexander-gerst/2018/11/21/spacestationfaqs/
23 Iain Morley, 'Conceptualising Quantification Before Settlement: Activities and Issues Underlying the Conception and Use of Measurement', *The Archaeology of Measurement*, p. 17.
24 Munya Andrews, *The Seven Sisters of the Pleiades: Stories from Around the World* (Australia: Spinifex, 2004). Clare Oxby, 'A Review of African Ethno-Astronomy: With Particular Reference to Saharan Livestock-Keepers', *La Ricerca Folklorica*, 40, October 1999, pp. 55–64. doi:10.2307/1479763
25 Hesiod, *Theogony; Works and Days; Shield*, Apostolos N. Athanassakis (trans.) (Baltimore and London: Johns Hopkins University Press, 1983 (2004)). *Works and Days*, 615, p. 80.

ほかに「私はイシス神に誓います。先祖が定めた聖なるキュビットを変更していません」Found in Charles A. L. Totten, *An Important Question in Metrology Based upon Recent and Original Discoveries: A Challenge to 'The Metric System,' and an Earnest Word with the English- Speaking Peoples on their Ancient Weights and Measures* (London: John Wiley & Sons, 1884).

ほかに「私はキュビットを短くしていません」 Charles Piazzi Smyth, *Life and Work at the Great Pyramid During the Months of January, February, March, and April, A.D. 1865*, vol. III (Edinburgh: Edmonston & Douglas, 1867), p. 430.

ほかに「私は計量器を小さくしていません。計測用の紐を短くしていません／他人の畑を不当に奪っていません。秤皿の重りを増やしていません」 *Book of the Dead*, chapter 125A. https://www.ucl. ac.uk/museums-static/digitalegypt/literature/religious/bd125a.html.

2 Manfred Lurker, *An Illustrated Dictionary of the Gods and Symbols of Ancient Egypt* (London: Thames & Hudson, 1974), p. 57.

3 Rosa Lyster, 'Along the Water', *London Review of Books*, 43(9), 6 May 2021.

4 Sources: Helaine Selin (ed.), *Encyclopaedia of the History of Science, Technology, and Medicine in Non-Western Cultures*, second edn (Berlin, New York: Springer, 2008), pp. 1,751–60; Horst Jaritz, 'The Nilometers of Ancient Egypt – Two Different Types of Nile Gauges', *16th International Congress on Irrigation and Drainage, Cairo, Egypt, 1996*, pp. 1–20; William Popper, *The Cairo Nilometer, Studies in Ibn Taghrî Birdî's Chronicles of Egypt: 1* (Berkeley and Los Angeles: University of California Press, 1951).

5 Zaraza Friedman, 'Nilometer', in Helaine Selin (ed.), *Encyclopaedia of the History of Science, Technology, and Medicine in Non-Western Cultures*, third edn (Dordrecht: Springer Science+Business Media, 2014), p. 4.

6 John Bostock and H. T. Riley, *The Natural History of Pliny* (London: Taylor and Francis, 1855), Chapter 10 – The River Nile.

7 Friedman, 'Nilometer', p. 5.

8 Denise Schmandt-Besserat, 'The Earliest Precursor of Writing', in William S. Y. Wang (ed.), *The Emergence of Language: Development and Evolution* (New York: W. H. Freeman and Company, 1991), pp. 31–45.

9 Denise Schmandt-Besserat, 'The Token System of the Ancient Near East: Its Role in Counting, Writing, the Economy and Cognition', in Morley and Renfrew, *The Archaeology of Measurement*, p. 29.

10 著者とのインタビュー、2019年8月27日。

11 Denise Schmandt-Besserat, *How Writing Came About* (Austin, TX: University of Texas Press, 1996).

11 John E. Clark, 'Aztec Dimensions of Holiness', in Iain Morley and Colin Renfrew (eds), *The Archaeology of Measurement* (Cambridge: Cambridge University Press, 2010), pp. 150–69.
12 Cooperrider and Genter, p. 3.
13 Jan Gyllenbok, *Encyclopaedia of Historical Metrology, Weights, and Measures*, vol. 2 (Basel: Birkhäuser, 2018), p. 1,076. About 5 km in distance, though the term *peninkulma* now means a 'mil', or 10 km. Variously spelled *peninkuorma*, *peninkuulema* or *peninkuuluma*.
14 Eric Cross, *The Tailor and Ansty* (Cork: Mercier Press, 1942 (1999)), p. 115.
15 歴史家でありサイエンスライターでもあるロバート・P・クリースが計算したものを、ここでは事例として取り上げた。
Rober P. Crease, *World in the Balance: The Historic Quest for an Absolute System of Measurement* (New York and London: W. W. Norton & Company, 2011), p. 24.
（『世界でもっとも正確な長さと重さの物語』日経BP社、2014年、吉田三知世訳）
16 同上。 p. 115.
17 Eric Hobsbawm, *The Age of Extremes: 1914–1991* (London: Michael Joseph, 1994 (Abacus, 1995)), p. 57.
18 John Thomas Smith, 'Biographical Sketch of Blake', in Arthur Symons, *William Blake* (New York: E. P. Dutton and Company, 1907), p. 379.
19 Anthony Blunt, 'Blake's "Ancient of Days": The Symbolism of the Compasses', *Journal of the Warburg Institute*, 2(1), July 1938, p. 57.
20 Max Horkheimer and Theodor W. Adorno, *Dialectic of Enlightenment* (Stanford: Stanford University Press, 2002), p. 182.
21 Horkheimer and Adorno, pp. 4–5.
22 Jonathan Swift, 'Cadenus and Vanessa' (1726), in *Miscellanies*, vol. 4 (London: printed for Benjamin Motte and Charles Bathurst, 1736), p. 121.

【第１章】

1 Charles Dudley Warner et al. (comp.), 'Book of the Dead', spell 125 ('The Negative Confession'), *The Library of the World's Best Literature, An Anthology in Thirty Volumes*, Francis Llewellyn Griffith (trans.) (New York: Warner Library, 1917), p. 5,320. https://www.bartleby.com/library/.

ほかに「主よ、偉大なる神よ、マアト神よ、私をあなたの恩恵にあずからせてください［……］私はあなたのもとに［真実を］もたらしました［……］ブッシェルを減らしていません。エーカーの単位を減らしても増やしてもいません。秤の重さをごまかしていません。物差しの目盛りを読み間違えていません」

E. A. Wallis Budge and A. M. Epiphanius Wilson, *The Ancient Egyptian Book of the Dead* (New York: Wellfleet Press, 2016), pp. 21–6.

注 釈

【はじめに】

1 A. S. Brooks and C. C. Smith, 'Ishango Revisited: New Age Determinations and Cultural Interpretations', *The African Archaeological Review*, 5(1), 1987, pp. 65–78. Caleb Everett, *Numbers and the Making of Us: Counting and the Course of Human Cultures* (Cambridge, MA, and London: Harvard University Press, 2017), p. 36.
（『数の発明』みすず書房、2021年、屋代通子訳）

2 Prentice Starkey and Robert G. Cooper Jr., 'The Development of Subitizing in Young Children', *British Journal of Developmental Psychology*, 13(4), November 1995, pp. 399–420.

3 K. Cooperrider and D. Genter, 'The Career of Measurement', *Cognition*, 191, 2019.

4 Jean Piaget, Bärbel Inhelder, and Alina Szeminska, *The Child's Conception of Geometry* (London: Routledge, 1960, digital edn, 2013), pp. 88–215.

5 Sana Inoue and Tetsuro Matsuzawa, 'Working Memory of Numerals in Chimpanzees', *Current Biology*, 17(23), 2007, pp. R1004–5.

6 D. Biro and T. Matsuzawa, 'Chimpanzee Numerical Competence: Cardinal and Ordinal Skills', in *Primate Origins of Human Cognition and Behavior* (Japan: Springer, 2001, 2008), pp. 199–225.

7 Sir William Thomson, *Popular Lectures and Addresses*, vol. 1 (New York: Macmillan & Co., 1889); 'Electrical Units of Measurement', a lecture delivered at the Institution of Civil Engineers, 3 May 1883 (London and Bungay: Richard Clay & Sons Limited), p. 73.

8 Francesca Rochberg, *The Heavenly Writing: Divination, Horoscopy, and Astronomy in Mesopotamian Culture* (Cambridge: University of Cambridge Press, 2004), p. 260.

9 David C. Lindberg, *The Beginnings of Western Science*, second edn (Chicago: University of Chicago Press, 2008), pp. 12–20.

10 Victor E. Thoren, *The Lord of Uraniborg: A Biography of Tycho Brahe* (Cambridge: Cambridge University Press, 1990), p. 23 (the duel), p. 39 (wealth), p. 345 (the elk).

【わ】

【ま】

【や】

【ら】

【は】

【た】

【な】

【さ】

【か】

索　引

【著者紹介】

ジェームズ・ヴィンセント（James Vincent）

ロンドン出身のジャーナリスト兼ライター。『インディペンデント』、『フィナンシャル・タイムズ』、『ロンドン・レビュー・オブ・ブックス』、『ワイアード』、『ニュー・ステーツマン』など数多くの出版物に寄稿している。現在は『The Verge』のシニアライター。本書が初の著書。

【訳者紹介】

小坂恵理（こさか　えり）

翻訳家。訳書に、ホープ・ヤーレン『地球を滅ぼす炭酸飲料』、ウィリアム・グラスリー『極限大地』（以上、築地書館）、ジャレド・ダイアモンド＋ジェイムズ・A・ロビンソン編著『歴史は実験できるのか』（慶應義塾大学出版会）、デヴィッド・ウォルシュ『ポール・ローマーと経済成長の謎』（日経BP）、ウィリアム・ダルリンプル『略奪の帝国』、ガイア・ヴィンス『気候崩壊後の人類大移動』（以上、河出書房新社）など多数。

計測の科学

人類が生み出した福音と災厄

2024年1月10日　初版発行

著者　ジェームズ・ヴィンセント
訳者　小坂恵理
発行者　土井二郎
発行所　築地書館株式会社
〒104-0045　東京都中央区築地7-4-4-201
☎03-3542-3731　FAX03-3541-5799
http://www.tsukiji-shokan.co.jp/
振替 00110-5-19057
印刷製本　シナノ印刷株式会社
装丁　吉野 愛
表紙・本扉写真　iStock.com/Prostock-Studio

ISBN 978-4-8067-1661-7

岩石と文明　上・下

25の岩石に秘められた地球の歴史

ドナルド・R・プロセロ［著］　佐野弘好［訳］

各二四〇〇円＋税

富裕層の趣味から出発し、サイエンスとしての地球科学を築いた発見の数々や、その発見をもたらした岩石や地質現象の発見について25章にわたり描く。（書影は上巻）

宝石　欲望と錯覚の世界史

エイジャー・レイデン［著］　和田佐規子［訳］

三二〇〇円＋税

宝石をめぐる歴史、ミステリー、人々の熱狂と欲望。なぜ人はこれほどまでに宝石に惹き付けられるのか、そもそも宝石の価値とは一体なにで決まるのか。宝石を愛してやまない著者が、時間と空間を越えて、縦横無尽に語る。

雨もキノコも鼻クソも大気微生物の世界

気候・健康・発酵とバイオエアロゾル

牧輝弥［著］

一八〇〇円＋税

独自の微生物採取手法を開発した著者が、大気中の微生物の移動の軌跡と、彼らがもたらす気候や健康、食べ物、環境への影響を探る、異色サイエンスノンフィクション。

藻類　生命進化と地球環境を支えてきた奇妙な生き物

ルース・カッシンガー［著］　井上勲［訳］

三〇〇〇円＋税

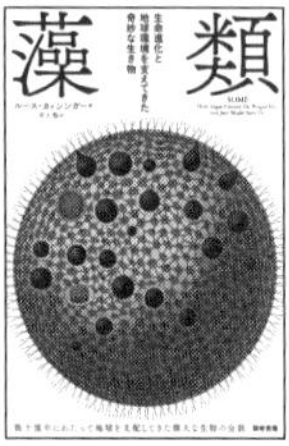

地球に酸素が発生して生物が進化できたのも、人類が生き残り、脳を発達させることができたのも、すべて、藻類のおかげだった。一見、地味な存在である藻類の、地球と生命、ヒトとの壮大な関わりを知ることができる。